BURT FRANKLIN BIBLIOGRAPHICAL SERIES

1. Burt Franklin & G. Legman. David Ricardo and Ricardian theory. A bibliographical checklist. New York, 1949.

2. Francesco Cordasco. A Junius Bibliography. With a preliminary essay on the political background, text and identity. A contribution to 18th century constitutional and literary history. With eight appendices. New York, 1949.

3. Burt Franklin & Francesco Cordasco. Adam Smith: a bibliographical checklist. An international record of critical writings and scholarship relating to Smith and Smithian theory, 1876-1950. New York, 1950.

4. Edmund Silberner. Moses Hess: an annotated bibliography. New York, 1951.

5. Francesco Cordasco. The Bohn Libraries. A history and checklist. New York, 1951.

6. Jan M. Novotny. A Library of Public Finance and Economics.

7. Andrew George Little. Initia operum latinorum, quae saeculis XIII, XIV, XV, attribuuntur, secundum ordinem alphatbeti disposita. 13 + 275 pp. 8vo., cloth. (Manchester University Publications, n. 5 - 1905). New York: Burt Franklin, 1958.

8. John William Bradley. Dictionary of miniaturists, illuminators, calligraphers and copyists with references to their works, and notices of their patrons, compiled from sources, many hitherto inedited, from the establishment of Christianity to the 18th century. 3 volumes, lg. 8vo., cloth. (London, 1887-89) New York: Burt Franklin, 1958.

9. Frank Wadleigh Chandler. The literature of roguery. 2 vols., 8vo., cloth. (The Types of English Literature, ed. by W. A. Neilson). (Boston, 1907). New York: Burt Franklin, 1958.

10. Robert Huntington Fletcher. The Arthurian material in the chronicles, especially those of Great Britain and France, 9 + 313 pp., bibliography, 8vo., cloth ([Harvard] Notes and Studies in Philology 10, 1906) New York: Burt Franklin, 1958.

11. John Alexander Herbert. Illuminated manuscripts. 10 + 355 pp., 51 plates; index of manuscripts, scribes and illuminators; bibliography, lg. 8vo., cloth. (London, 1911). New York: Burt Franklin, 1958.

Initia Operum Latinorum quae saeculis
xiii., xiv., xv. attribuuntur

Initia Operum Latinorum

quae saeculis xiii. xiv. xv.

attribuuntur

secundum ordinem Alphabeti disposita

EDIDIT

A. G. LITTLE, M.A.

Lector in Palaeographia in Universitate Mancuniensi

Burt Franklin Bibliographical Series VII

BURT FRANKLIN
NEW YORK

Reprinted by

BURT FRANKLIN
235 East 44th St.
New York, N.Y. 10017

This work was originally published as

HISTORICAL SERIES

No. II.

PREFACE.

THE compilation of the following list of *Initia* of writings ascribed to the thirteenth, fourteenth and fifteenth centuries was originally undertaken as a preliminary to the drawing up of a catalogue of Franciscan MSS. in Great Britain, and without any idea of publication. It became, however, unwieldy in manuscript form, and, in the absence of any similar work dealing with the writings of the later Middle Ages, it seemed worth printing as a nucleus of a more complete list.

The present list does not of course pretend to be complete in any sense; and the few sources used have not been by any means exhausted. But even a collection of less than 6,000 *incipits* will probably facilitate the identification of many anonymous MSS.;* and I hope that, with the co-operation of librarians and others interested, a second and greatly enlarged edition of the *Initia* (under the direction of another editor) will in a few years supersede the present volume.

I have endeavoured to adhere to a strictly alphabetical order, except in the case of chronicles beginning 'Anno Domini . . . . ,' which are arranged chronologically. For some works, several *incipits* are given—the *incipit* of the prologue, of the first chapter, etc. In the case of Sermons, the first few words of the text have as a rule been quoted, followed by the first few words of the Sermon. The older

---

* A considerable number of works described as anonymous in the Catalogues of MSS. in the Bodleian Library of the Oxford Colleges may be assigned to their reputed authors by means of this list. In Merton College MS. 292, the questions on Aristotle's Metaphysics are by Duns Scotus. The author of the sermons in Lincoln College MS. 88 is Jacobus de Voragine. A curious instance is in Digby MS. 204, § 7, 'Fallacie fratris Thome Haukyn.' It is not surprising that Dr. Macray failed to recognise the Angelic Doctor under this disguise.

bibliographers usually give only the beginning of the text; where I have had to rely on them, I have sometimes adopted the same course, sometimes (especially when the text seemed a wholly insufficient indication of authorship) omitted the reference altogether.

After each *incipit* a reference is made to the source (or one or more of the sources) from which it has been taken—with certain exceptions. The exceptions are the works of Albertus Magnus (Alb. Mag.), Bernardinus Senensis (Bern. Sen.), Bonaventura (Bon.), Johannes Duns Scotus (Duns), Raymundus Lullus (Ray. Lull.), Wyclif. When no reference is given after the names of these authors, the *initia* of their writings have been copied from the editions or catalogues of their works noted below among the *Fontes*.

A few *Initia* of books written earlier than 1200, such as the Sentences of Peter Lombard, have been inserted; and some others may have been unintentionally included. In attributing writings to particular authors, I have merely followed my authorities; the object has been to give students a clue which can be followed up in each case, not to decide questions of authorship.

A. G. LITTLE.

Sevenoaks,
    Sept., 1904.

FONTES.

I. Codices manuscripti et catalogi manuscriptorum.

A. Bibliotheca Bodleiana.

Bodl.—Codices manuscripti Thomae Bodleii.

Can. Eccl.—Catalogus Codicum MSS. Bibliothecae Canonicianae (ed. Coxe 1854): Scriptores Ecclesiastici.

Can. Lat.—*Ibid.* Auctores Classici Latini.

Can. Misc.—*Ibid.* Codices Miscellanei.

Digby.—Catalogus Codicum MSS. Kenelmi Digby (ed. Macray, 1883).

Douce.—A catalogue of [printed books and] MSS. bequeathed by F. Douce, etc. 1840.

Laud. Lat.—Catalogus Codicum MSS. Laudianorum (ed. Coxe 1858): Codices Latini.

Laud. Misc.—*Ibid.* Codices Miscellanei.

Rawl. A.—Catalogus Codicum MSS. Ricardi Rawlinson: Classis A. (ed. Macray, 1862).

Rawl. C.—*Ibid.* Classis C. (ed. Macray, 1878).

Rawl. D.—*Ibid.* Classis D. (ed. Macray, 1893, 1898).

B. Bibliothecae quorundam Collegiorum Oxoniensium.

Balliol.—Catalogus codicum MSS. Collegii Balliolensis, ed. Coxe, 1852.

C.C.C. Oxon.—Catalogus codicum MSS. Collegii Corporis Christi, ed. Coxe, 1852.

Exon. Coll.—Catalogus codicum MSS. Collegii Exoniensis, ed. Coxe, 1852.

Linc. Coll.—Catalogus codicum MSS. Collegii Lincolniensis, ed. Coxe, 1852.

Magd. Coll.—Catalogus codicum MSS. Collegii B. Mariae Magdalenae, ed. Coxe, 1852.

Merton.*—Catalogus codicum MSS. Collegii Mertonensis, ed. Coxe, 1852.

---

* Owing to an accident discovered too late for rectification, many *initia* of the Merton MSS. selected for insertion have been omitted.

Nov. Coll.—Catalogus codicum MSS. Collegii Novi, ed. Coxe, 1852.

Oriel.—Catalogus codicum MSS. Collegii Orielensis, ed. Coxe, 1852.

Regin. Coll.—Catalogus codicum MSS. Collegii Reginensir, ed. Coxe, 1852.

Univ. Coll.—Catalogus codicum MSS. Collegii Universitatis, ed. Coxe, 1852.

II. Libri saepius allati.

Alb. Mag.—Paulus de Loë, O. P., De vita et scriptis B. Alberti Magni. Analecta Bollandiana, Tom. xxi.

(A. L. K. G.).—Archiv für Litteratur-und Kirchen Geschichte des Mittelalters herausgegeben von H. Denifle und F. Ehrle. Berlin, 1885, seq.

(Anal. Boll.).—Analecta Bollandiana. Bruxellis.

(Bale).—Index Britanniae Scriptorum. John Bale's Index of British and other writers, edited by R. L. Poole. Oxford, 1902.

(Baluz. Misc.).—Stephani Baluzii Tutelensis Miscellanea. Lucae, 1761—4.

Bern. Sen.*—Sancti Bernardini Senensis . . . Opera Omnia, ed. Joh. de la Haye. Voll. iv. Venet., 1745.

(B. H. L.).—Bibliotheca Hagiographica Latina, ediderunt Socii Bollandiani. Bruxellis, 1898—1901.

Bon.—S. Bonaventurae Opera Omnia. Ad Claras Aquas, 1883, seq.

Duns.—Johannis Duns Scoti Opera Omnia, [ed. Wadding]. Lugduni, 1639.

(Grey Friars).—The Grey Friars in Oxford, by A. G. Little; Oxf. Hist. Soc., 1892.

(Hardy).—Descriptive Catalogue of Materials relating to the History of Great Britain and Ireland to the end of the reign of Henry VII., by Sir T. D. Hardy. Vol. iii. from A.D. 1200 to A.D. 1327 (R.S.).

(Jourdain).—Recherches critiques sur l'age et l'origine des traductions Latines d'Aristote, par A. Jourdain. Paris, 1843.

---

* I am indebted to Miss M. B. Sterland, a member of the International Society of Franciscan Studies, for the incipits of Bernardinus and Wyclif.

(La Bigne).—Maxima Bibliotheca Veterum Patrum . . . primc
a M. de la Bigne edita. Voll. xxv., xxvi. Lugduni,
1677.

(M. et D.).—Martene et Durand, Thesaurus Novus Anec-
dotorum. Paris, 1717—1726.

(Migne).—J. P. Migne, Patrologiae Cursus Completus. Series
Latina. Tom. 214, etc.

(M. O. P.).—Monumenta Ordinis Fratrum Praedicatorum
Historica, ed. Reichert. Romae, Stuttgardiae, 1897, seq.

(Not. et extr.).—Notices et extraits des manuscrits de la
Bibliothèque Nationale et autres Bibliothèques.

(Q. E.).—Quetif et Echard, Scriptores Ordinis Praedicatorum.
Paris, 1719, 1721.

Ray. Lull.—B. Raymundi Lulli . . . Opera, ed. Ivone
Salzinger. Moguntiae, 1721 : Et Wadding Scriptores etc.
sub Raym. Lullus.

(R. S.).—Chronicles and Memorials of Great Britain and
Ireland during the Middle Ages, published . . . under
the direction of the Master of the Rolls. (Rolls Series).

(Tanner).—Bibliotheca Britannico-Hibernica, sive de Scrip-
toribus . . . Commentarius, Auctore Thoma Tanner.
Londini, 1748.

(Wadding).—Wadding, Scriptores Ordinis Minorum. Romae,
1650, 1805.

Wyclif.*—A catalogue of the original works of John Wyclif,
by W. W. Shirley. Oxford, 1865.

INDEX NOTARUM.

ab., abb.—abbas.
adv.—adventus.
advent.—adventuale.
Aeg., Aegid.—Aegidius.
Alb.—Albertus.
Alph., Alphab.—Alphabetum.
Ann.—Annales.
Ant.,Anton.—Antonius, Antoninus.
Apoc., Apocal.—Apocalypsis.
Aqu.—Aquinas.
Arist.—Aristoteles.
Arith.— Arithmetica.
Armach.—Armachanus (= Ric.
    Filius Radulfi, archiep.).
art., artic.—Articulus,-i.
Aug.—S. Augustinus.

b., B.—beatus.
b.b.—beatissimus.
B.M.—Beata Maria.
B.V.M.—Beata Virgo Maria.
Bern.—Bernardus, Bernardinus.
Boët.—Boëthius.
Bon.—Bonaventura.
Bonon.—Bononiensis.
Brix.—Brixiensis.

Caes.—Caesarius.
Cambr.—Cambrensis.
Cant.—Cantica–orum.
Cant., Cantuar.—Cantuariensis.
cap., capp.—capitulum, capitula.
Carm.—Carmelita, etc.
Carthus.—Carthusianus.
Chr.,Christ.—Christus, Christiana.
civ.—civilis.
civ.—civitas.
cogn., cognom.—cognomento.
Col.—Columna.

com., comm.—commentarius.
com.—comes.
commem.—commemoratio.
comp.—compendium.
compon.—componendo.
conclus.—conclusiones.
conf.—confessor.
Const., Constit.—Constitutiones.
contin.—continuatio.

des.—desinit.
Determ.—Determinatio–nes.
Dial.— Dialogus.
Diction.—Dictionarius.
Deut.—Liber Deuteronomii.
Dist.—Distinctiones.
Disput.—Disputatio–nes.
Dom., dñus.—Dominus, etc.
Duns.—Johannes Duns Scotus.

Eccl.—Ecclesia.
Edm.—Edmundus.
Edw.—Edwardus.
Ep., episc.—Episcopus.
Ep., epist.—Epistola.
Eph., Ephes.—Epist. B. Pauli ad
    Ephesios.
Epit.—Epitome.
erem.—eremita, etc.
Evang.—Evangelium.
expl.—explicit.
Expos.—Expositio–nes.

Flor.—Florentinus.
f., fr.—frater.
Fr., Franc.—Franciscus.
fund.—fundatio.

Gand.—Gandavensis.

Gen.—Genesis.
gen.—generalis.
Gir.—Giraldus.
gl.—gloriosus.
glos.—glossa, etc.
Gram.—Grammatica.
Gr.-Lat.—Graeco-Latina.

Hebr.—Epist. B. Pauli ad Hebraeos.
Hierem.—Hieremiah.
Hieros., Hierosol.—Hierosolyma,-
itanus.
hon.—honorem.

inc.—incipit.
Incarn.—Incarnatio.
Itin.—Itinerarium.
J.C.—Jesus Christus.
Jerem.—Jeremiah.

Lam. (Jerem.).—Lamentationes.
Lect.—Lectura.
Leg.—Legenda.
Lemov.—Lemovicensis.
Levit.—Leviticus.
lib., libb.—liber, libri.
Lomb.—Lombardus.
Luc.—Evang. sec. Lucam.
Lud.—Ludovicus.

mag.—magister, magnus.
maj.—major, majus.
Manip.—Manipulus.
Map.—Maphaeus.
Mat., Matth. — Evang. sec.
Matthaeum.
Mediol.—Mediolanensis.
Metaph., Metaphys.—Metaphysica.
metr.—metrice.
min.—minorum.

n., ñr.—noster.
nov.—novum.
Num.—Liber Numeri.

op., opp.—opus, opera.
ord.—ordo, ordinarius.
ord. Carm.—ordinis Carmelitarum.
ord. erem. S. Aug.—ordinis eremi-
tarum S. Augustini.
O.M., Ord. Min.—Ordinis Minorum
O. P., Ord. Praed.—Ordinis Prae-
dicatorum.
ord. S. Aug.—ordinis S. Augustini.
O. S. B.—Ordinis S. Benedicti.
O. S. D.—Ordinis S. Dominici.
O. S. F.—Ordinis S. Francisci.
Ord. Serv.—Ordinis Servorum B.
Mariae.

Peregr.—Peregrinus.
Perf.—Perfectionis.
philos.—philosophia.
Polit.—Politica.
pp.—papa.
praed.—praedicatorum.
praef.—praefatio.
prol.—prologus.
prooem.—prooemium.
proph.—prophetae.
prov.—provinciales.
ps.—pseudo.
Ps., Psal.—Psalmus.
Psalt.—Psalterium.

Quadr., Quadrages.—Quadrage-
simale,-s.
Quaest.—Quaestio–nes.
Quaestt.—Quaestiones.
Quodlib.—Quodlibeta–les.

Raven.—Ravennatensis.
Reg.—Reginaldus.
reg., Reg.—Regula.
relig.—religio, religiosus.
resp.—responsio–nes.
Rom.—Romanus.

Sacr.—Sacramentum, Sacrorum.
Sacrum.—Sacramentum.

sc.—scilicet.
sec.—secundum.
Sen.—Senensis.
Sent.—Petri Lombardi Sententi-
    arum Libri.
Serv.—[Ordinis] Servorum B.M.
Soc.—Socii, Sociorum.
Spec.—Speculum.
Sum.—Summa.
sup.—super.
suppl.—supplementum.
Symb.—Symbolum.

Tab.—Tabula.

tert.—tertius.
Test.—Testamentum.
testim.—testimonium.
Th., T.—Thomas.
Theol.—Theologia, theologicus.
tit.—titulus.
tr., transl.—translatio.
Tract.—Tractatus, tractare.
Trial.—Trialogus.

v.—*vide*.
ven.—venerabilis.
vet.—vetus.
vocab.—vocabula, vocabularium.

Initia Operum Latinorum quae saeculis xiii., xiv., xv. attribuuntur

Initia operum Latinorum quae saeculis xiii., xiv., xv. attribuuntur

EDIDIT

A. G. LITTLE

A

A, ab, abs, praepositiones sunt—Gualt. de Landu O.M. Summa vocabulorum (Bale).

A : alma dicitur virgo abscondita—Gul. Norton O.M. tabula in N. de Lyra. *Exon. Coll.* 16.

Aaron conflat vitulum—Jo. Hautfuney, Tab. alphabet. in Vinc. Bellovac. Spec. Hist. *Linc. Coll.* 99.

Aaron. De commendatione Aaron—Nic. Botlesham tabula in Jo. Ridevaus, Cantica (Bale).

Aaron non consensit in vitulum—Grostete Dicta theolog. (Tanner : Bale).

Aaron, quaere infra ubi episcopus—Th. Bekington Tabula super 163 epistolis Petri Blesensis (Bale).

Aaron quid jubet—Jo. de Erfordia Summa de casibus (Wadding).

[Ab] Adam usque ad Nativitatem Christi—Ann. de Dunstaplia (Hardy).

Ab aeterno—Ric. Hampole Stimulus conscientiae (Tanner).

Ab altitudine diei timebo . . . Quia jam instat—Bern. Sen., Sermo.

Ab anno quo prior Hugo depositus est—Jocelin de Brakelond Chron. (Tanner).

Ab arte demonstrativa trahit hoc opus exordium—Ray. Lull., Liber propositionum sec. artem demonstrat. compilatus.

Ab Athenis civitate Graecorum scripsit Apostolus—Jo Clipston Sermones (Bale).

Abbas : est et abbas is qui ex legitima—Jo. de Saxonia O.M. Tab. alphabet. juris. *Oriel Coll.* 62.

Abbas non debet esse nimis rigidus. Anselmus quidam abbas —Anon. Alphabetum narrationum. *Univ. Coll.* 67.

Abbas non potest in duobus monasteriis—Jo. Bromyard Summa Juris moralis (Tanner).

Abbas prior seu quiscunque — Utred Bolton de veris monachis (Tanner).

Abbas: Si monachus sine abbatis licentia—Jo. Baconthorpe (?) Tabula Comp. Legis Christi (Bale).

Abbas supra regulam non est—Utred Bolton de praecepto et dispensat. (Tanner).

Abel est nomen significans—Walt. Brugensis (Wadding).

Abel. Quaeritur sub illo dicto Matth. xxiii. sanguis—Jo. Wickam Abbrev. Gul. Nottingham super Evangelia (Bale).

Abeuntium per hunc mundum—Nic. Gorham Distinctiones. *Laud Misc.* 555.

Ab exordio nascentis ecclesiae—Jo. Peckham, Constit. Lambeth. (Wilkins, Concilia).

Ab exordio ne tardas converti—Ric. de Hampole, de emendatione peccatoris (Tanner).

Abiit Jesus . . . Nihil tantum propellit—Bern. Sen., Sermo.

Abiit Jesus trans mare . . . Quia in toto officio—Bern. Sen., Sermo.

Ab infantia et teneris annis—Jo. Bromyard Tabulae utriusque juris (Tanner).

Ab initio nativitatis—Th. Aqu. Quaestiones super Boët. de Trinitate (Q.E.).

Ab isto determinatur de rebus naturalibus—W. Burley in Arist. Physic. *Balliol* 91.

Abite [*seu* Abiit] in agro, etc. Paupercula non habet messem—Jo. Wallensis et Th. Hibernicus, Manipulus Florum, prol. (Grey Friars).

Abjicere secundum auctores—Sim. de Boraston Dist. theol. (Bale).

Abjicere secundum philosophos [physiologos]—Ran. Higden Distinct. theol. (Tanner: Bale).

Abjiciamus opera tenebrarum — Dounham, Sermones (Tanner).

Abjiciamus opera tenebrarum—Gul. Maulius, Sermones (Tanner).

Abjiciamus opera tenebrarum—Nic. de Byard Sermones quadrigesimales (Tanner).

Abjiciamus opera tenebrarum. Opera tenebrarum abjicienda sunt cum sint carnalia—Anon. Divisiones (?). *Bodl.* 400.

Abjiciamus opera (etc.). In adventu magni regis—Anon. Themata Dominicalia. *Laud Miscell.* 320.

Abjiciamus opera (etc.). In auctoritate notatur—Jo. de Sheppey Sermones. *Nov. Coll.* 92.

Abjiciamus opera (etc.). Verba ista scripta sunt Romanis et hodie lecta—Anon. Expositiones in Epist. et Evangelia. *Can. Eccl.* 3.

Abominatio desolationis—Grostete, Sentent. Scripturarum (Tann*r*: Bale).

Abominatur autem Deus tales—R. Holcote, distinctiones (Tanner).

A bono et super bono et toto bono—Joh. Climaci Scala Paradisi. *Can. Misc.* 333 [*vide* His qui in libro].

Ab origine mundi in prima—Hel. Trickingham, Annales ad 1270 (Tanner : Bale).

Ab ortu solis usque ad occasum . . . Pater vero meus amantissimus de lingua occitana—Ph. Mazzerius, Vita Petri Thomae Ord. Carm. (B.H.L.).

Ab, praepositio omnibus in compositione—W. Hunt, Vocab. (Tanner).

Abrahae par erat conjugium— Jo. Tompson in Mytholog. Fulgentii ex Ridevallo (Tanner).

Abraham mortuus est, etc. Respiciens, fratres carissimi, cum profundo suspirio—Anon. Sermones. *Can. Misc.* 287.

Abraham pater meus [vester] exultaret [exultavit]— Notyngham Quaest. super evangelia per annum *Bodl.* 583 (Bale).

Abraham : quaeritur super primo dicto Christi, Joh. 8— Anon. [Gul. Notingham?] super evangeliorum difficultates. *Balliol* 75. *Linc. Coll.* 78.

Abscondere et quatuor sunt—Gul. Sudbury, Summa etc. de sanctis (Bale).

Abscondita produxit in lucem—Ric. de Mediavilla, Com. in Sent. prol. (Grey Friars).

Absconditum reperitur multipliciter—Extr. de Mich. Aygvanis Bonon. Ord. Carm. (etc.) super Psalt. *Can. Eccl.* 196.

Absconditur malum a diabolo etc. Job. xvi. Abscondita est intecta pedica—Nic. Byard Distinct. theol. *Bodl.* 563. (Bale).

Absentia boni nihil aliud est—Jo. Folsham Tabulae in opera Anselmi (Tanner).

Absenti quaeritur actio—Jo. de Mylis Repertorium in jure canon. (Bale).

Absinthium tali—Grostete (?) Sermo. *Exon. Coll.* 21

Absit istum rem facere—Fr. de Mayronis de conceptu virginali (Tanner).

Absolutio criminis sive peccati—Adam Godham, Sententias et conclusiones (Grey Friars).

Absolutione sexti argumenti primae quaestionis—Henr. Gandav. Summa theol. *Magd. Coll.* 217.

Absolutio : tibi dabo claves : Potestas ista non erat—Th. Gascoigne Diction. theol. *Linc. Coll.* 117—118 (Tanner).

Absolutum. Utrum suppositum illud—Th. Stravershan, in Lect. Gul. de Vara (Wadding).

Abstinendum est a carnalibus delitiis etc. Legitur libro de donis tit. 4—Jo. Lathbury, Distinctiones *seu* Alphabetum Morale (Grey Friars). *Exon. Coll.* 26.

Abstinentia apud veteres—Jo. Wheathamstede pars ii. Granarii (Bale).

Abstinentia. Bonum est in cibo—Jo. Wallensis et Th. Hibern. Manipulus Florum. (Grey Friars).

Abstinentia caro domatur—Jac. Januensis Tabula super hist. Biblia. *Exon. Coll.* 3.

Abstinentia caro domatur—Jo. de Balba Distinctiones alphabet. *Nov. Coll.* 119.

Abstinentia. Carnotensis libro quinto—Th. Stravershan (Wadding).

Abstinentia duplex est scil. corporalis et spiritualis—Anon. Rosarium theologiae, Art. ii. *Rawl. C.* 5.

Abstinentia est meriti augmentativa—Bindi de Senis Tabula super Bibliam ord. alphabet. *Can. Eccl.* 118.

Abstinentia est statutum prandendi—Anon. Summa de vita monastica. *Balliol* 88.

Abstinentia in secunda secundae—Jo. de S. Fide Concord. operum Th. Aqu. (Tanner).

Abstinentia Octaviani in suis—Tho. Graunt Tab. super Comp. morale Rog. Walden (Tanner).

Abstinentia : Quid est abstinentia—Grostete Tabula alphabet. libri Dictorum. *Magd. Coll.* 202.

Abstinentia. Solus in illicitis non—Gul. Southampton in moralia Gregorii (Tanner).

Abstinentia suum inimicum—Jo. Bromyard, Summa praedicantium (Tanner).

Abstinentia triplex est—Jo. Hoveden Spec. Laicorum. *Laud Misc.* 110, *cf. Douce*, 107. *Univ. Coll.* 29, 36.

Abstinete vos ab omni . . . Intendimus tractare in hac— Bern. Sen. Sermo.

Abstractio ab eodem abstracto—Alan. de Lynn in Sent. Scoti (Tanner).

Abundantibus in fine quinti jumentis lasciviae—Ubert. de Casale Narratio de Vita S. Francisci (B.H.L.).

Accedens peccator ad confessionem — Pet. de la Turre, O.M. *Can. Misc.* 268.

Accedere ad Deum contingit—Walt. Dissy in Psalmos (Tanner).

Accedite ad Dominum — Bon. (?) Summa de gradibus virtutum.

Accensam lucernam divinitus in secreto condam profunde— Vita Raymundi de Pennaforte (M.O.P.).

Accepimus gratiam : ad Romanos T. Walden in ep. Pauli ad Rom. (Tanner).

Accesserunt ad Jesum . . . Peracta pugna—Bern. Sen. Sermo.

Accesserunt ad Jesum . . . Ut ratio probat—Bern. Sen. Sermo.

Accidia. Accidiosus est sicut canis famelicus—Anon. Tract. Exemplor. capp 145. *Rawl. C.* 899.

Accidia adversatur hominis saluti—Gul. Nottingham, Dist. theol. (Wadding, Tanner) *sive* J. Felton Opus alphabeticum etc. (Bale, Tanner).

Accidit autem post haec . . . 1249—Th. Cantiprat. Addit. ad vitam Christinae (B.II.L.).

Accidit duos homines ad generale concilium—[Ray. Lull.] Disput. Petri Clerici et Raymundi phantastici.

Accidit in vita b. Ludov. dum esset quadam die Aquis— Miracula Ludovici ep. Tolos. (B.H.L.).

Accidit quod circa Parisios — Ray. Lull. de quaestione quadam valde alta et profunda. [1311].

Accidit quod circa Parisios—Ray. Lull. Utrum fidelis possit solvere omnes objectiones, etc. [1311].

Accidit quod Raymundista et Averroista—Ray. Lull. Liber contradictionis.

Accipe ergo tabulam aeneam—Profacius Hebraeus. (Tanner).

Accipe nigrum nigrius nigro—Ray. Lull. Comp. quintae essentiae.

Accipe tartarum utriusque vini—Ray. Lull. Experimenta.

Accipite vos religiosi disciplinam meam—[Gul. de Pagula?] Spec. religiosorum (Tanner).

Accusatus fuit quidam sacerdos quod falsum—Coelest. V. de miraculis B.V.M. (La Bigne).

Accusavitque fratres etc. In primo libro hujus voluminis —Anon. " Quaestionarius " in quintum Decretalium. *Nov. Coll.* 198.

A conversionis meae primordiis—Gul. de la Furmenterie, O.M. Pharetra (Tanner).

Activa vita consistit in caritate externis—Walt. Hylton, Scala perfectionis. *Magd. Coll.* 141.

Acto prologo istius quintae partis hujus voluminis quam voco comp. studii theol.—Rog. Bacon, Comp. Stud. Theol. (Grey Friars).

Actum majorem vocamus—Ray. Lull. de actu majori etc.

Actus et vitam beatissimi patris nostri Francisci—Th. de Celano Vita prima S. Francisci, prol. (ASS.).

Actus molles diligit diabolus—Alan. de Lynn in Pet. de Aurora (Tanner).

Ad acquirendam Terram Sanctam tria—Ray. Lull. de acquisitione Terrae Sanctae.

Ad acquirendum sensum non cognitum—Ray. Lull. Liber de affatu, *i.e.*, sexto sensu.

Ad aedificationem animarum et morum—Gul. Leicestr. de Montibus Flores sapientiae (Tanner).

Ad agrum accedens incultum—Ric. Kendale.de componendis epistolis (Tanner).

Ad allevationem laboris calculantium—Simon Bredon (Tanner).

Ad altitudinem humilitatis videndum—Bon. (?) Comp. de virtute humilitatis.

Adam primus homo in agro Damasceno—Anon. frater Minor Angl. Annales Chron. (Bale 469).

Adam ubi es? Qui legit intelligat—Grostete de homine (Tanner) *sive* Steph. Langton (Tanner).

Adam vixit annos 830—Chron. ad 1303 (Hardy 491).

Ad arborem consanguinitatis docendam—Anon. *Magd. Coll.* 114.

Ad cognoscendum—Ray. Lull. de potestate Dei.

Ad cognoscendum quando est vel—R. Lavenham de natura instantium (Tanner).

Ad completam cognitionem constructionis—Rog. Bacon, de constructione partium (Wadding).

Ad declarandam veritatem fidei et omnem errorem perfidiae—Wyclif de Ordine Christiano.

Ad declarandum in sermone quocunque—Gul. Leicestr. de
Montibus Similitudines, etc. *Balliol* 222 (Bale).

Ad decus et honorem divinae clementiae ampliandum—
Eliz. Thuring. Libellus de dictis iv ancillarum
(B.H.L.).

Ad Dei gloriam et honorem ad exaltationem . . . Cum
igitur fr. S. praedictus—Passio Stephani de Ungaria
O.M. (B.H.L.).

Ad describendum vitam coelibem ; . . Johanni ergo dedit
orig. civitas Tholosana—Vita Jo. de Caramola
(B.H.L.).

Ad detegendam falsitatem materiae—Adam Orleton
Responsiones etc. [1334] (Tanner).

Ad dilectionem inimicorum invita—Utred Bolton de
diligendis inimicis (Tanner).

Ad divi nominis gloriam et honorem . . . In primis igitur—
Gauf. de Belloloco Vita Lud. ix. (B.H.L.).

Ad doctrinam—Rob. Winchelsea Constit. (*cf*. Wilkins ii.
278–81?). *Exon. Coll.* 31.

Ad Dominum ponam eloquium meum—Pet. de Trabibus
in 1 Sent. (Wadding).

Ad ea quae per nostras literas—Arn. de Villa Nova de
versutiis pseudotheologorum (Bale).

Ad eliminandum—Gul. Leic. de Montibus, de errorum
eliminatione. *Laud Misc.* 345.

A Deo qui scrutatur corda—Ric. de Hampole super Psalm.
Judica me Deus (Tanner). *Balliol* 224A.

Adeo quorundam animos—Jo. Stratford Constit. 1341
(Tanner).

Ad evidentiam aliqualem habendam—Tho. et Bart. de
Senis de tertio ordine S. Dominici. *Can. Misc.* 205.

Ad evidentiam distinctionis—Pet. Thomae liber formalitatum. *Magd. Coll.* 80.

Ad evidentiam doctrinae apostolicae—Gul. Rothwell in
epist. Pauli ad Rom. (Tanner: Bale).

Ad evidentiam hujus epist—Gul. Brito in prol. Bibliae
(Wadding: Bale).

Ad excitandam devotionem nostram et ut ferventius
laboremus—Leo Assis. Vita B. Aegidii (ed. Lemmens).

Ad habendam aliquam notitiam de componendi—Phil.
Florent. Ultranensis, de compon. sermon. (Wadding).

Ad habendum cognitionem—Th. Aqu. (?) de demonstratione (Q.E.).

Ad habendum scientiam computo—Pet. de Bernia. *Can.
Misc.* 71.

Adhaerere quod—Gilb. Dynant Tabula super Parisiensem super universo corporali (Tanner).

Ad hoc autem quod certius et planius—Rog. Bacon, Descript. locorum mundi [Opus Majus] (Wadding: Bale).

Ad hoc quorundam, quos speciali—Julian. de Speyer, Vita S. Francisci. prol. (B.H.L.).

Ad hoc gesta sanctorum proponuntur . . . Gloriosissimi regis—Vita Lud. ix (B.H.L.).

Ad honestatem tendentes—Bon. Spec. disciplinae.

Ad honorem Dei contendere volumus—Ray. Lull. de x modis contemplandi Deum.

Ad honorem Dei et animarum profectum—Anon. de Articulis fidei. *Univ. Coll.* 29.

Ad honorem Dei et habendam—Nic. de Lynn de natura Zodiaci (Tanner).

Ad honorem Dei et utilitatem legentium diversa sanctorum patrum exempla—Vitas Patrum, auctore Fratre Praedicatore. *Can. Misc.* 149.

Ad honorem Dei et virg. glor. necnon sanctorum confessorum Francisci etc.—Jo. Somer, Kalend. *Rawl. D.* 928.

Ad honorem Dei in tribus personis edidi—Th. Norton, Alchimia (Bale).

Ad honorem Dei volumus ostendere—Ray. Lull. de decem modis contemplandi Deum.

Ad honorem Dñi N.J.C. . . . necnon Dominici qui apud civ. Caesaraugustam—Vita Dominici Vallii (B.H.L.).

Ad honorem et laudem J. Chr. quod quando recolo— Anon. Spec. Juris Canon. praef. *Magd. Coll.* 134.

Ad honorem gloriosae ac individuae Trinitatis—Bon., de praeparatione ad missam.

Ad honorem laudem et gloriam gloriosae—Jo. Eshenden de praeservatione a pestilentia (Bale).

Ad honorem Salvatoris . . . suorum gesta sanctorum— Vita Edm. Rich (B.H.L.).

A die natalis Dom. incipiunt anni Incarn. ejus computari —Annales de Waverleia (Hardy).

A dilectionis foedere non recedit—David O'Bugaeus, Epistolae (Tanner).

Ad illos tutum habet accessum—Gir. Cambr. Epist. ad Capit. Hereford. (Hardy).

Ad imaginem quippe Dei factus—Rob. Rose in Genesin. (Tanner).

Ad illuminationem Creatoris . . . Si quis vero per hostium—Bon., Itin. mentis ad Deum. *Can. Eccl.* 92.

Ad inquirendum sensum—Ray. Lull. de olfactu, prol.

Ad instructionem juniorum—Anon. Summa de dictis Catholicorum. *Laud Misc.* 397.

Ad instructionem minorum—Anon. de xii. articulis fidel. *Laud Misc.* 2.

Ad instructionem multorum quibus deest copia librorum— Greg. Huntingdon Imago Mundi (Tanner).

Ad intellectum hujus nominis—Th. Aqu. de differentia divini verbi et humani (Q.E.).

Ad intelligendum et diligendum Deum facimus — Ray. Lull. Ars divina, *sive* Liber de arte Dei.

Ad intelligendum hujus epistolae—Jo. Baconthorpe in epist ad Ephesios (Tanner).

Ad intelligere—Ray. Lull. Liber ad intelligendum Deum.

Ad investigandum et inveniendum—Ray. Lull. de scientia perfecta.

Ad investigandum quadraturam — Ray. Lull. de quad-rangulatura etc. circuli.

Adjuva me et salvus ero—Sim. Stokes praeconia S. Script. (Tanner).

Ad laudem et gloriam Dni N.J.C. . . . Hic scripta quaedam notabilia—Antiq. Legendae S. Franc. pars iii.; prol. (B.H.L.).

Ad laudem Dei et Mariae matris—Alan. de Lynn, Revela-tiones S. Brigittae (Tanner).

Ad laudem Jesu Christi ad opus insigne—Alan. de Lynn in Pet. de Aurora praef. (Tanner).

Ad locum unde exeunt flumina revertuntur—Th. Aqu. in tertium Sent. (Q.E.).

Ad locum unde oriuntur — Alb. Mag. in lib. de coelesti hierarchia Dion. Areopagitae.

Ad mare ne videar latices—Jo. Gerland Synonymorum opus (Tanner).

Ad materiam motus insinuandam—Jo. Chilmark de motu (Tanner).

Ad materiam motus intellectivi imprimendam—Anon. de motu. *Nov. Coll.* 289.

Administrante per orbem rempublicam Friderico . . . emicuit—Rud. de Novimagio, Vita Alb. Magni (B.H.L.).

Administrante per orbem rempublic. Friderico floruit— Pet. de Prussia, Vita Alb. Magni (B.H.L.).

Admirabar amplius—Ric. Rolle de Hampole, Incendium amoris, prol. *Laud Misc.* 202. 528.

Admirabile est nomen tuum . . . In verbis istis tria possunt—Alb. Mag. in lib. de divinis nominibus Dionysii Areopagitae.

Admirabilis femina Clara vocabulo et virtute—Th. de Celano, Vita S. Clarae (B.H.L.).

Ad missam celebrandam sex. Instructio sacerdotis ad se praeparandum ad celebrandam missam—*ps.* Bon. (?).

Admonendus est etiam religiosus—Jo. Wallensis, Itinerarium [=Ordinarii pars iii.]. (Grey Friars).

Admoniti affatibus fratrum suavi—Gul. Coventry Defensorium Carmel. (Tanner).

Ad multorum notitiam volentes pervenire gratiam—Frater Milo de Chirurgia. *Laud Misc.* 682.

Ad notitiam tabularum Kalendarii sequentium—Anon. [N. de Lynn?] Tabulae Kalend. praef. *Rawl. D.* 238.

Ad novi testamenti seriem me verto—Alex. Neckam (Bale).

Adolescens, tibi dico, Surge . . . Festinantiam ad restituendum—Bern. Sen., Sermo.

Adolescens, tibi dico Surge . . . Videte processum luminis —Bern. Sen., Sermo.

Adolescentulae dilexerunt te etc. Et quia tale est nomen tuum—Ric. de Hampole in Salomon. (La Bigne).

Ad omnipotentis Dei honorem . . . Novus igitur homo Franciscus—Bon., Miracula S. Francisci [Legenda Major] (B.H.L.).

Adoro te Domine Deus Pater omnipotens—Ray. Lull. Liber angelorum testamenti, etc.

Ad ostendendum per quem Deus—Ray. Lull. de Deo ignoto et mundo ignoto [1310].

Ad ostendendum quod Mahumetes—Jo. Wallensis (?) de origine etc. Mahumeti (Grey Friars).

Ad pauca respicientes de—Nic. Oresme de motibus spherarum (Tanner).

Ad perfectam noticiam judiciorum artis astrol.—Ric. Wallingford. *Digby* 194.

Ad petitionem cuiusdam dilecti mei satisfaciens praedicationes—Anon. de arte praedicandi (*v.* S. Bonav. Opera, ix. 6).

Ad planiorem et pleniorem—Rob. Leicest. Compotus [1295]. *Digby* 212.

Ad praecognoscendam diversam—Grostete de impressione aeris (Tanner : Bale).

Ad praenotandam diversam — Grostete de prognost. temporum (Tanner).

Ad primum dicat sacerdos—Grostete (?) Poenitentiale (Tanner).

Ad probandum—Ray. Lull. Quod in Deo non sint plures quam tres personae.

Ad probandum divinam Trinitatem—Ray. Lull de propriis et communibus rationibus divinis.

Ad probationem articulorum [probandum articulos] fidei— Ray. Lull. [A.D. 1296.]

Ad prognosticandam diversam—Grostete de prognost. temporum (Tanner).

Ad quaestionem quae versabatur coram summo pontifice in consistorio utrum dicere Christum — Ubert. de Casale, Responsio etc. (Baluz. Misc. II.).

Ad quare per propter notat—Sim. Alcock de modo dividendi sermonem, versus praeced. *Linc. Coll.* 101 (Bale).

Ad quare per sicut notat—Jo. Felton Ars dividendi sermonem, versus praeced. *Magd. Coll.* 11.

Ad recognoscendum—Ray. Lull. Ars amativa boni.

Ad reddendum gratias et laudes supremo Creatori—Ray. Lull. Magna Clavis *seu* Magnum Apertorium.

Ad regiae celsitudinis Angliae magnificentiam — [Rishanger] de electione regni Scot. (Hardy : Bale).

Ad requisitionem medicorum civitatis Neapol.—Ray. Lull. de ponderositate etc.

Ad rhetoricam dictandi facultatem—Th. Newmarket Comp. rhetor. (Tanner).

Ad sacrae script. praeconia—T. Maldon in Sent. (Tanner).

Ad sacrificandum ut panem et vinum — Jo. Sharpe de potest. sacerdotii (Tanner).

Ad sacrosanctae matris ecclesiae gloriam . . . Post mortem glor. m. Lamberti Legia—Vita Oditiae Leodiensis (B.H.L.).

Ad salutandam virginem primo ejus magnitudinem— Jacob. [de Voragine?] O.P., Salve Regina. *Can. Misc.* 303.

Ad salutandam virginem gloriosam — Ric. de Hampole super Salve regina (Tanner).

Ad sciendum hos flores—Ray. Lull. Flores amoris et intelligentiae.

Ad sciendum naturam loci—Th. Aqu. (?) de natura loci (Q.E.).

Ad sciendum qualiter sacrum corpus . . . Ad primum igitur dicendum quod monachi Fossae Novae—Raim. Hugo O.P., translatio Th. Aquin. (B.H.L.).

Ad sciendam primam originem et finalem—Walt. Brinkley Dist. theol. (Grey Friars).

Ad significationem quinque plagarum [vulnerum]—Ray. Lull. Blanquerna magnus.

Ad significandum septem — Ray. Lull. Liber militiae saecularis.

Ad singulare praeconium prophetae—R. Lavenham in Esaiam (Tanner).

Ad solatium nostrae peregrinationis . . . B. Petrus conf. Dñi gloriosus de provincia Terrae Laboris — Vita Coelestini V. (B.H.L.).

Ad succidendos palmites pestiferos — Jo. de Acton, in Constit. Othonis legati. *Digby* 186. (Tanner).

Ad te domine levavi—[Jacobus O. M. Lector Mediolan?] Stimulus Amoris, ex Bon. et David ab Augusta (*v.* Opera S. Bonav.)

Adulatio est Deo detestabilis, hoc ostenditur—Grostete, de lingua et corde. *Nov. Coll.* 119.

Adulator est nutrix diaboli—Rob. Holcote Dictionarium (Tanner).

Ad utilitatem studentium—Nic. Botelesham, Conciones et lectiones (Tanner).

Ad venandum divinam unitatem—Ray. Lull. de unitate et pluralitate Dei ad regem Franciae.

Adveniente jam et imminente—Bon. (?) Meditationes de passione Christi. *Bodl.* 110, 797, 798.

Adventus domini per quatuor septimanas — Jac. de Voragine Leg. Aurea. *Laud. Misc.* 415.

Ad verificationem sequentium—Grostete (?) Sermo. *Exon. Coll.* 21.

Adversarius noster diabolus circuit . . . Cap. i. Sanctus quippe Apost. Paulus--Guido, ord. Carm. episc. Elvensis, contra haereses. *Magd. Coll.* 4.

Adversitas est duplex—Anon. [Alan. de Rupe?] Rosarium. *Univ. Coll.* 95.

Adversus argumentum primum — Reg. Langham contra Jo. Haidon Carm. (Wadding).

Adversus constitutiones Joannis quaedam—Rob. Alyngton, super Constit. Joannis xxii. (Tanner).

Advertat sanctitas vestra—Ray. Lull. Petitio pro conversione infidelium.

Ad vestram sanitatem—Grostetc (?) Sermo. *Exon. Coll.* 21.

Aeneas cum Ascanio filio fugiens—Brutus abbreviatus ad 1265 per monach. de Bello (Hardy: *cf.* Hardy 326, 507). [*cf.* Bale *sub* Jo. Bever.]

Atquivoca discuntur etc. Causa efficiens extra hujus libri—Rob. Kilwardby in Arist. de praedicamentis. *Can. Misc.* 403, *Rawl. C.* 677.

Aetas dicitur quasi aevitas per—Jo. Blakeney de mundi aetatibus (Tanner).

Aeternam in Chr. Jesu quam sibi—Jo. monachus, Miracula regis Hen. VI., transl. (Tanner).

Aeterni patris—Th. Aqu. Comp. Theol. ad frat. Reginald. (Q.É.).

Aeternus autem rerum conditor ut ait apostolus—Vita Rosae Viterb. tertii O.S.F. (B.H.L.).

Aethelstanus fuit primus rex—W. de Coventry, Chron. (Tanner).

Aethereas lascivae cupidinis—Jo. Marrey in Valerium Martial. (Tanner).

Aethiopum terras etc. aestas—Steph. Patrington in carmen Theodoli (Tanner).

Afflictus sum . . . . Ad contemplandum sacramentum— Bern. Sen., Sermo.

Afflictus sum . . . Tam efficax et tam admirabile—Bern. Sen., Sermo.

Agamemnon Atreidis filius—Ric. Folsham Epist. natalitiae (Tanner).

Aggaeus uno modo interpretatur—Rob. Holcote in Aggaeum (Bale).

Aggressus ego novem regulas—Greg. de Huntingdon Rudimenta Grammat. (Tanner).

Aggressus sum ergo nominum regulas—Greg. de Huntingdon Summa Grammat. (Bale).

Agmen in castris aeterni regis exubans—Girald. Angl. (?) Gemma animae (Bale, p. 421).

Agnus ille immaculatus et innocens . . . Agnes virgo nobilis fide—Ray. de Capua, Vita Agnet. de Monte Politiano O. P. (B.H.L.).

Ait enim apostolus spectaculum—Gul. Flete ad fratres Ord. S. Aug. (Bale: Tanner).

Alberti haud ulli vasti orbis in arte secundi—Jac. Magdalius Goudanus, Vita metrica Alb. Magni (B.H.L.).

Albion est geometricum instrumentum—R. Wallingford et Sim. Tunstede (Tanner).

Albion est terra constans in finibus orbis—Th. Harpsfield
Gesta regum ad Henr. VI. (Tanner).

Alchemia est ars artium—Alb. Mag. (?) Semita recta de
arte alchemiae. *Can. Misc.* 81.

Alexander Papa ordinavit primum—Wyclif (?) Caere-
moniarum Chronicon.

Alios autem duos fratres sanctos misit bb. pater Franciscus—Passio Joh. et Petri O.M. (B.H.L.).

Aliqui Christiani et magni in scientia—Ray. Lull. Articuli
fidei etc.

A littera in omnibus linguis—Gul. Brito, O.M., Glossarium.
Douce 239.

Alkemistæ moderni temporis sunt plerique delusores—
Gualt. Odington [*seu* Evesham]. *Digby* 119.

Alkimia est scientia docens transformare—Ebrard,
" Summa Aurea." *Digby* 119.

Alleluia laus honor . . . Nota S. Scriptura dicitur
Paradisus—*ps.* Bon. Expos. Psal. cxviii.

Alma interpretatur virgo abscondita—Rob. Veyse de
Hulmo, Catholicon (Bale).

Alma mater ecclesia jure suo—Jo. de S. Fide Tabula Juris
(Tanner).

Alma Petri sedes—Jac. Caietanus de Stephanescis de vita
Coelestini V. (B.H.L.).

Alphredus filius Edelwolphi junior—Nic. Montacutius de
regibus Angl. (Bale).

Alta petens aquila volat alitque—Jo. Gower Epigrammata
(Tanner).

Altissima lucida et praeclara—Anon. Perusinus, Leg. S.
Francisci, prol. 1 (B.H.L.).

Altissima conditoris unigenitus cum eodem spirator—Pet.
de Vallibus Vita Coletae ord. S. Clar. (B.H.L.).

Altissimus de terra creavit medicinam—Pet. Quivil Exon.
Constit. synodalis (Tanner) *sive* Pet. Oxon. de medicina
ecclesiast. *C.C.C. Oxon.* 155.

Alumnis impetus laetificat civitatem Dei—Th. Wallensis
et Nic. Trivet, in Aug. de Civ. Dei. *Can. Eccl.* 102.

Amantissime socie pluries—Hen. Daniel, de judiciis
urinarum (Tanner).

A manuum labore excusantur fra.—Wyclif, de otio in
mendicitate.

Ama paupertatem sis vilibus contentus.—*ps.* Bon. Alphabet.
Religiosorum.

Amaritudine replevit me : Electi filii Dei.—T. Walleys in
Ruth (Tanner). *Nov. Coll.* 30.

Ambula coram me . . . multiplicabo te . . . Sicut scitis
ista verba scribuntur in Gen.—Anon. Sermo in S.
Franciscum. *MS. Dunelm.*

Ambulans Jesus . . . Hujus Evangelia plana est historia
—Wyclif Sermo.

Ambulans Jesus juxta mare—Fr. de Mayronis, Sermones
de Sanctis. (Wadding), *et* Rod. Acton (Tanner).

Ambulate in dilectione Dei . . . Dicitur vulgariter Mieux
vaut amis en voie—Alb. Metensis O.M. Sermo (Notices
et extr. 32).

Ambulavit et ambulat insensanter—Gul. Occham, Tractatus contra papam Benedictum xii., prol. (Grey
Friars).

Ambulavit Jesus in Gal : . . . . In marino bello—Bern.
Sen., Sermo.

Ambulemus . . . Primo sollicite ad modum hospitantium
—Jo. Bromyard, 158 Distinctiones. *Bodl.* 859.

Ametistus duodecimum. Deus per Moysen populum Israel
—Sim. Henton in Malachiam (Tanner).

Amice accomoda . . . Luc. xi. Dilecti mei B. Gregorius
30 lib. Moralium—Adam Saxlingham Conciones
(Tanner).

Amice ascende superius—Jo. a Ripis, iv. Sent. (Wadding,
MS. Assisi).

Amice ascende superius—Rog. Royseth, iv. Sent. (Wadding,
MS. Assisi).

Amice ascende superius . . . Scriptum est enim. 1 Joan.
ii. cap.—Bern. Sen. Sermo.

Amice ascende superius Luc. xiv. Verba sunt Domini ad
humilitatem invitantis—Bon. Sermo de transl. S.
Francisci.

Amice carissime in carnipubio—Hen. Hedelam Epist. ad
Mat. Rolton (Tanner).

Amice carissime vobis in nomine Dei regratior—Wyclif,
Epist. ad quendam socium Radulfum [Strode].

Amice praeclare ex scripturis vestris concipio—Wyclif,
Epist. de octo quaestion. pulchris.

Amice quomodo intrasti non habens — Grostete Sermo
(Tanner).

Amico et fratri . . . Sigero . . . Tua fama carissime
frequenter excitatus—Th. Cantiprat. Vita Margaritae
de Ipris (B.H.L.).

Amicorum intime, quamdam magnetis lapidis—Rog.
Bacon *sive* Petrus de Maricourt, de magnete (Grey
Friars).

Amicus interrogavit suum amatum—Ray. Lull. de amico
  etc.
Amore languens sponsus Jesus—Jo. Barningham Quod-
  libeta (Tanner).
Amor est appetitus rei propter se—Alex. Neckam
  Distinctiones verborum (Bale).
Amor facit nos rimare—Ray. Lull. Cantilena. *Bodl.* 465.
  Digby 85.
Amor multipliciter videtur dici — Rob. Grostete, Dicta
  vel Dictamina 147. *Bodl.* 798.
Amor terrenus inviscat animum—Gul. Leic. de Montibus
  Similitudinarium (Tanner).
Amor: Utrum Pater et Flius—Ric. Fishacre, Tab. super
  Sent. *Oriel Coll.* 31.
Amos interpretatur avulsus—Steph. Langton in Amos
  (Bale).
Amos [vero] super tribus sceleribus Judae—Sim. Stokes
  de poenitentia (Tanner: Bale).
An aliqua sit causa remittendi correctionem fraternam—
  Gul. de S. Fide, Determinationes (Tanner).
An Christus hominum perfectiss. in statu hujus vitae
  habuerit aliquod regnum temporale — W. Hunt
  (Tanner).
An creatura possit habere aliquam actionem—Duns, in iv.
  Sent.
An ex scripturis vet. test.—Jo. Baconthorpe, de adventu
  Messiae (Tanner).
Angelus habet sex alas et in qualibet ala—Anon. *Bodl.*
  797 [*cf.* Da occasionem].
Angelus. Vtrum angelus sit compositus—Th. Stravershan,
  in Delamaram contra Thomam (Wadding).
Anglia habet custodias septem—Jo. Clynn de custodiis sui
  ordinis etc. (Tanner). ·
Anglia quae quondam dicebatur Britannia —Chron. Min.
  S. Bened. de Hulmo (Hardy).
Anglia quo fulget quo gaudet—Jo. Gerland de
  mysteriis . . . in ecclesia (Tanner).
Anglia quo tandem tua tendit—Alex. de Hales (?) de
  mysteriis ecclesiae (Tanner).
Anglorum regum cum gestis nomina scire—Poet. Epitome
  Hist. Brit. ad 1272 (Hardy).
Anglosaxones imperatoris Marciani tempore—Anon.
  Chron. *Bodl.* 712 (Bale 484).
An habens sanctam fidem et usum rationis ex lege
  Evangel—Gul. de S. Fide, Quodlib. (Tanner).

Anima Dei insignita imagine [*Expl.* langueo] — Bon. Meditationes de Vita Christi. *Bodl.* 61, 797. *Magd. Coll.* 89.

Animadvertendum primo quid sit nutrimentum. Dicimus enim—Alb. Mag. (?) De nutrimento etc. *Digby* 150.

Animae rationi . . . occupatio versatur—Anon. Materiae sermonum. *Nov. Coll.* 97.

Anima est actus corporis—R. Lavenham de anima (Tanner).

Anima intellectiva et corpore—Anon. [" Gowsell " ?] de anima. *Linc. Coll.* 97.

Anima mea conturbavit me—Gul. Lidlington in Matth. (Tanner).

Anima nascitur sicut tabula rasa—Pet. Aquilanus *sive* Scotellus, in lib. Arist. de anima (Wadding).

Anima nobis innata eo potius—Gul. Occham, Centiloquium theologicum, prol. (Grey Friars).

Anima secundum Augustinum in quodam sermone—Anon. Excerpt. ex Summa Summarum. *Bodl.* 784.

Anima tacta a Deo et a peccatis exuta—Anon. Spec. animarum simplicium. *Laud. Lat.* 46.

Anima ut testatur philosophus—Aegid. Rom. de generatione etc. *Balliol* 119.

Animae claustrum contemplatio dicitur—Anon. Summa de claustro animae. *Bodl.* 57.

Animis nostris innatum esse constat—Matth. Palmerii Florent. Liber de Temporibus. *Can. Misc.* 397. *Magd. Coll.* 184.

An inquisitor hujus scientiae—Rob. Cowton, Quodlibeta (Wadding, Tanner).

An liceat clericis et Christi sacerdotibus vivere de possessionibus—Jo. Stanberg de dote ecclesiae (Tanner).

An matrimonium sit de jure naturae—Jo. Folsham Quaest. 88. (Tanner).

Anni collecti tempus communis—Gul. Reade Tabulae astron. (Tanner).

Anno ab incarn. Dom. 600 beatus Greg. episc. misit— Annales brev. eccl. Landav. (?) ad 1298 (Hardy).

Anno ab incarnat. Dom. 912 incepit ordo Cluniac.—Chron. Abbatiae de Stanelaw (Hardy).

Anno ab incarn. Dom. 1004 indict. ii. tempore Aethelredi— Ann. Burton (Hardy).

Anno ab incarnat. 1066—Breve Chron. ad 1314 (Hardy § 579).

Anno ab incarn. Dom. 1211—Joc. de Brakelonde de electione Hugonis abbatis (Bale).

Anno ab incarn. J. Chr. . . . 1303 Bonifatii—Geof. le Baker Chron. (Tanner et in editt.).

Anno a creatione mundi $\overset{M}{iiii}$. nongentesimo erat in Graecia—Ric. Rede (?) de regibus Angl. ad 1437. *Rawl. C.* 338 (Bale p. 470).

Anno a creatione mundi MMCCCXC.—Galf. Lynge O.M. Chronicon [ad annum 1390?] (Tanner: Bale p. 485).

Anno a mundi creatione 4321—Nic. Cantilupe Hist. Cantebrig. (?) (Tanner).

Anno ante Chr. incarn.—Nic. Cantilupe Chron. epit. (Tanner).

Anno a plenitudine temporis quo misit Deus . . . 1216 . . . —Chron. Abingdon (?) (Hardy 513).

Anno Christi 1421 et anno regni—-Gul. Botoner Acta dom. Jo. Fastolf (Bale).

[A.D.] 519 Cerdicius rex West Saxonum annis xv.—Ann. Winton (Hardy).

A.D. 901 Edwardus monarcha cognom. senior—De re Scotica (Hardy § 486).

[A.D.] 1066 Obiit Edw. rex et Willelmus dux Norm. Angliam adquisivit—Ann. de Theokesberia (Hardy).

A.D. 1066 Willelmus Dux Norm. applicuit in Angliam— Chron. 1066–1321 (Hardy § 618).

A.D. 1162 Gregorius primus archiep.—Anon. Annales Hibern. 1162–1370. *Laud Misc.* 526.

[A.D.] 1199 Hoc anno Ric. rex Angl. obsidens castellum de Chaluz—Rad. de Diceto (?) Imagines Hist. ad 1272 (Hardy).

A.D. 1209 adhuc vivente dño Villano . . . Iste fuit homo constans—Pet. Marcellus, Vita Alberici Camaldul (B.H.L.).

A.D. 1219 vel 20 cepit Ordo Praedicatorum habere priores provinciales—Bern. Guidonis, de prioribus provincialibus Provinciae etc. praef. (Notices et Extraits xxvii).

A.D. 1224 tempore domini Honorii papae scil. eodem anno —Th. Eccleston de adventu Minorum in Angl. (R.S.).

A.D. 1252 Sabbato in albis—G. de Fracheto Vita Petri Martyr (B.H.L.).

A.D. 1254 qui est annus regni. dom. regis Henr. 38— Mat. Paris, Continuatio Hist. Maj. (Hardy § 259).

A.D. 1261 placuit Altissimo clarificare miraculis—- Miracula S. Dominici (B.H.L.).

A.D. 1269 circa quadragesimam—[Th. Eccleston?] Impugnatio frat. Minorum Oxon. (Grey Friars).

A.D. 1281 in festo Cathedrae S. Petri Martinus iv.—Addit. ad Chron. Mart. Polon. ad 1326 (Hardy § 652).

A.D. 1282 v. non. Oct. ego fr. Philippus minister Thusciae —Instrum. de stigm. S. Francisci (B.H.L.).

A.D. 1287 obiit Honorius papa—Nic. Trivet (?) Chronicae fragment. (Hardy § 634).

A.D. 1297 in Brinonia—De obitu Ludov. ep. Tolos. (B.H.L.).

A.D. 1299 celebravit rex—Rob. de Reading Annales 1299–1325 (Hardy).

A.D. 1300 sept. non. Jul. Edwardo—J. de Trokelowe (ps. Rishanger) Annales (Bale).

A.D. 1307 Edwardo de Winchester rege Angliae mortuo— Th. de la Moor, Vita et mors Edw. II. (Hardy § 655).

A.D. 1307 Non. Jul. Edwardo—Joh. de Trokelowe Ann. Edw. II. (Hardy § 636).

A.D. 1312 tercia decima die—Rob. Bale chron. majorum Lond. *seu* Gesta Edw. III. (Bale).

A.D. 1327 in die omnium sanctorum Halberstad in curia dñi Heysekonis—Miracula Burchardi ep. Magdeb. (B.H.L.).

A.D. 1327 vid. iii. die mensis Maii Raymundus Boti— Franc. Mayronius pro Canonizat. Elzearii de Sabrano (B.H.L.).

A.D. 1328 in vigilia Petri et Pauli apost. dixit Conradus dictus Kaghe—Miracula Burchardi ep. Magdeb. (B.H.L.).

A.D. 1329 die prima mensis Sept. Dom. Philippus Francorum rex . . . mandavit praelatos—Bertrand. Aeduensis adversus Pet. de Cugneriis (La Bigne).

A.D. 1331 in crastina octavae Epiphaniae—De morte et miraculis Odorici de P. Naonis O.M. (B.H.L.).

A.D. 1331 . . . in rupe S. Quintini—Martin. de Bosco Gualterii Vita Mariae de Mailliaco (B.H.L.).

A.D. 1369 xviii. die mai obiit Neapoli—Vita Phil. ab Aqueriis O.M. (B.H.L.).

A.D. 1372 fecit S. Birgitta de regno Sweciae hoc viagium— Alphons. Giennensis Episc. de Itinere Hierosol. (B.H.L.).

A.D. 1376 Quod attemptata—Will. Horborch Decisiones Rotae Rom. *Can. Misc.* 478.

A.D. 1431 praesidente apostolicae sedis Eugenio IV.— Ambros. Traversari, Iter per Italiam (B.H.L.).

Anno dominicae incarnat. 333 — Th. Gascoigne Vita Hieronymi (Bale).

Anno dominicae incarnat. 449 gens Anglorum sive Saxonum a rege—Jo. Merylynch Tab. linearum regum Angl. *Regin. Coll.* 304.

Anno dominicae incarnat. 635 adventus—Anon. Liber de episcopis Lindisfarn. (Bale).

Anno dominicae incarnat. 1067—Mat. Paris, Hist. Minor (Hardy).

Anno xviii. regni Josaphat—Gul. Coventry (?) [*sive* Jo. Baconthorpe?] Annales Carmel. (Tanner).

Anno 604 August. Archiep. Cant.—Ex Edm. de Hadenham Ann. Eccl. Roffensis (Hardy 514).

Anno 1200 Rogerus filius Doyndgleni Rex Ultoniae— Annal. Hibern. 1200–1300 (Hardy).

Anno 1314 cedente fratre—Gul. Dean, Hist. Episcop. Eccl. Roffensis (Tanner).

Anno 1345 Kal. Mai migravit ad coelum — Vitalis de Avantiis Vita Peregrini Latiosi (B.H.L.).

Anno gratiae 1114 rex Henricus senior—Rad. Coggeshall addit. ad Chron. Rad. Nigri (?) (Bale, p. 327).

Anno gratiae 1259 rex Anglorum—Gul. Rishanger Chron. 1259–1306 [1306–1399] (Hardy § 609).

Anno gratiae 1307 Non. Jul. obiit illustris miles Rex— Chron. Angl. 1307–1320 (Hardy § 609).

Anno igitur Dñi 1218 percurrente missi sunt a Roma Bononiam—Vita Dianae Andolatis O.S.D. (B.H.L.).

Anno incarnat. Christi 1162 beatus Thomas—Rad. Coggeshall addit. ad Chron. Rad. Nigri (Hardy ii. § 559).

Anno incarnat. Dom. 1042 mortuo rege Anglorum Hardecnut—Anon. Chron. ad 1274 (Hardy).

Anno incarn. Dom. 1066 ab initio mundi—Gul. Sheepshead, Annales (Tanner).

Anno incarnationis Dominicae 1066—Chron. de Luda [Lowth] ad 1284 [1413?] (Bale, p. 486).

Anno incarnat. Dom. nostri J. Chr. 1066 Willelmus dictus le Bastard—Th. Wykes Chron. (Hardy).

Anno incarn. verbi 1287 Amphosius rex Aragonum— Passio Capelli et Bassae (B.H.L.).

Anno mundi 3042 Helias—Rob. Bale Annales Carmel. (Tanner).

Anno post inc. Dñi. 1214 glorioso principe Frederico— Vita Bertholdi et Menrici (B.H.L.).

Anno praefato scil. 1321 . . . Cum dicti quatuor fratres cum fratre Jordano—Passio Th. de Tolentino et Soc. O.M. (B.H.L.).

Anno secundo Darii regis — Gul. Lissy in Zachariam (Bale).

Anno siquidem dñicae incarn. 1226—T. de Celano Vita S. Francisci I. lib. ii.

Annunciabo tibi quod expressum est—Alex. de Hales in epist. ad Rom. (Wadding).

An omne peccatum sit impunitas—Rob. Holcote (Tanner).

A nostra parvitate vestra paternitas requisivit—Nicholaus Lexoviensis thesaurarius contra fratres mendicantes. *Bodl.* 158.

An quilibet constitutus in ordine sacerdotis teneatur ex vi ordinis ad officium praedicandi—Ric. Maidstone de sacerdot. functione (Tanner).

Anselmus in hoc libro de incarnatione—Jo. Baconthorpe (Tanner).

An sit aliqua conclusio theolog.—Walter Brinkley Determ. (Tanner).

An sit dare unam primam causam—Ray. Lull. Quaestiones quas quaesivit quidam frater minor.

An tantum sit una prudentia—Duns, Collationes.

Ante diem festum Paschae . . . Quia heri diximus vobis de malig.—Bern. Sen. Sermo.

Ante gesta regum et pontificum prov. Angl.—Joh. Pik (?) Chron. ad 1322 (Hardy § 631).

Ante illud tempus construi fecit quendam pontem—Fragm. Hist. Hibern. 1308–1317 (Hardy § 602).

Ante ortum Christi per 2320—Ric. Grasdale de regnis et civitatibus (Tanner).

Antequam loqui incipiam suspiro—Elias Corton. de morte S. Francisci (B.H.L.).

Antequam Raymundus seu Raymundista—Ray. Lull. de syllogismis contradictionis.

Ante sex dies . . . Quia tota ista hebdomada—Bern. Sen. Sermo.

Antiqua et famosa civitas Senarum—Pheus Belcarius, Vita J. de Columbinis (B.H.L.).

Antiquus hostis calliditate—Anon. altercatio diaboli contra Christum. *Bodl.* 52.

Antiquitatem hujus sacratissimi . . . . Glastoniensem ecclesiam non fecerunt—Joh. Hist. Glaston. monast. (Tanner).

Antiquorum patrum exemplo didici nonnullos ad virtutes—
Anon. Alphabetum narrationum. *Univ. Coll.* 67.

An verbum infinitum maneat . . . Quod sic videtur quia
Arist. dicit—Duns in lib. ii. Perihermenias.

An viatori manenti in via possit communicari—Jo.
Goldeston in Sent. (Tanner).

Aperiam in psalterio—Henr. de Costesey (Grey Friars).

Aperta sunt prata . . . Rex pacificus Salomon—Anon.
frater Minor, Liber Distinctionum. *Can. Misc.* 389.

A plerisque et multis in locis—Alb. e Sartiano, de
poenitentia (Wadding).

Apocalypsis Graece Latine dicitur revelatio—Alex. de
Hales (?) Com. in Apocal. (Tanner).

Apocalypsis haec inter reliquos novi test.—Anon. Anglus
(Bale).

Apocalypsis Jesu Christi. Beatus qui legit verba libri
hujus aliis intelligibiliter elucidando—Bern. Sen.
Comment. in Apoc.

Apocalypsis Jesu Christi—Jo. Baconthorpe (Tanner).

Apocalypsis Jesu Christi quam . . . Dividitur enim . . .
in proemium et tractatum—Henr. de Costesey. *Laud
Misc.* 85.

Apocalypsis quasi diceret—Jo. Purvey Comm. in Apocal.
(Tanner).

A. Ponimus—Ray. Lull. Ars compendiosa inveniendi
veritatem.

Apparuit gratia Dei—Ran. Higden Spec. Curatorum
(Bale).

Apparuit gratia Dei . . . Cum in quadam villula dicta
Stumbele—Vita Christinae Stumbel. (B.H.L.).

Apparuit gratia Dei . . . in servo suo Bernardino . . .
Hic quamquam—Ant. Florent. Vita Bern. Senensis
(B.H.L.).

Apparuit gratia etc. In civitate Senarum—Vita Bern. Sen.
(B.H.L.).

Apparuit gratia Dei salvatoris nostri . . . [Lectio ii.]
Inerat namque juvenis Francisci—Bon., Leg. Minor
S. Francisci.

Apparuit gratia Dei salvatoris nostri . . . [Cap. i.] Vir
erat in civ. Assisii—Bon., Leg. S. Francisci.

Apparuit S. Eliz. Angelus Domini—Sermo angeli ad Eliz.
Thuring. (B.H.L.).

Appellamus autem ens—Ray. Lull. de Deo.

Appellamus esse Dei—Ray. Lull. de Est Dei.

Appropinquabat dies . . . Heri praedicavimus de pass.—
Bern. Sen. Sermo.

Appropinquans Dominus etc. Non sine magna causa—Gul.
Leic. de Montibus Expos. Evang. (Tanner). *c.f.*
Exon. Coll. 28. *Magd. Coll.* 81.

Appropinquante termino mundi hujus—Jo. Etton de usura
(Tanner).

Appropriate ad me indocti : Haec verba convenienter—
Anon. Expos. S. Lucae. *Balliol* 80.

A primo parente hominum—Abbatus Germanus, Chron.
ab orbe condito ad 1256 (Wadding).

A principio mundi usque ad diluvium—Jo. de Oxenedes
Chron. (Hardy).

Aprutinae sane telluris alumnus—Nic. Tell. de Fara, Vita
Jo. de Capistrano (B.H.L.).

Apud Hebraeos—Steph. Langton, Comment. in Judith.
Exon. Coll. 23.

Apud naturam duo sunt tantum genera—Rob. Alyngton,
de generibus nominum (Tanner).

Aquae . . . variantur secundum—Jo. Gatesdene (Tanner).

Aqua nostra physica—Ray. Lull. Conclusio summaria ad
intellig. testamentum et codicillum.

A quisbusdam fratribus diu rogatus—Rob. Scriba, Brev-
arium in Psalmos (Tanner).

Aquila grandis—Alb. Mag. in Johannem.

Arbor ista dividitur in vii. partes—Ray. Lull. Arbor
Scientiae. *Bodl.* 965 [*v.* " In desolatione."]

Arbor mala . . . —Bon. (?) Spec. conscientiae *vel* Spec.
animae.

Arca foederis Mariae Christi me—Gul. Coventry Praeconia
B.V.M. (Tanner).

Archimartyris necnon archipraesulis Anglorum Thomae—
Jo. Grandison de vita etc. S. Tho. Cant. (Tanner).

Archipoeta vide quod non sit cura tibi de—Michael
Cornub. Versus contra Hen. Abrincensem (Hardy).

Arcus dicitur Christus et propitiatio—Gul. Leic. de
Montibus Distinct. theol. (Tanner, Bale).

Arcus dicitur pars circumferentiae—Ric. Wallingford de
chorda et arcu (Tanner).

Arcus sinus rectus sinus versus—Sim. Bredon Tabulae
chordarum (Tanner).

Arduum namque et supra vires est—Jo. Capgrave in
Pentateuch. (Tanner).

Arguendo a sensu composito et diviso—Gul. Heytesbury
(Tanner).

Arguitur principaliter contra tit.—Reg. Langham, contra
Edmundum monachum Buriensem (Wadding : Bale).

Argumentum in epist. ad Thessalon.—Gul. Rothwell
(Tanner).

Aristoteles determinans de rebus naturalibus—W. Burley
in Physic. (Tanner).

Aristoteles experientia perpendens quod omnes homines—
[R. Kilwardby?] Divisiones super Boëth. *Magd.Coll.*
38.

Arist. in eo qui de categoriis—Th. Bradwardine (?) de
quadratura circuli (Tanner) *sive* Gul. Anglus (Bale).

Aristot. in primo philosophiae suae supponens causas esse
quatuor — Grostete de statu causarum. *Digby* 220.
(Bale).

Aristot. viii. Physicorum scribit—Anon. Quaest. super
Meteor. *Oriel Coll.* 33.

Aristot. primo metaphysicae ait—Th. Aqu (?) de lapide
philosoph. *Can. Misc.* 81.

Aristotles ii. Physic. supponens esse causas tantum
quatuor—Grostete de causis. *Rawl. C.* 677.

Aristotelis Ethica narranda—T. Walden (Tanner).

Arma militiae nostrae non sunt carnalia—Fr. de Mayronis
super universalia et praedicamenta Arist. (Tanner).

Arphaxad itaque. Post librum Baruch—N. de Lyra, Judith.
Bodl. 251.

Ars generalis—Raym. Lullus.

Ars igitur ista non est nisi de occultis—Arnald. de Villa
Nova de secretis naturae. *Nov. Coll.* 294.

Ars inveniendi ornata verba—Jo. Blakeney Modum
rhetoricandi (Tanner).

Ars ista hac intentione compilata est—Ray. Lull. de arte
medicina compend.

Ars ista modum sequitur et doctrinam—Ray. Lull., Ars
expositiva.

Ars ista quae ab inventore dicitur Algorismus—Anon.
Can. Misc. 71.

Ars praesens ab arte demonstrativa descendit—Ray. Lull,
Ars inventiva veritatis.

Ars quam fingo in mea lectoriala—Greg. Huntingdon
Grammat. summa (Tanner).

Ars sermocinandi seu collationes faciendi prima sui
divisione—Anon. *Balliol* 146 B.

Ars sive scientia—Ray. Lull. Ars scientiae generalis.

Artes liberales sunt septem—Rod. Strode, de arte logica
(1) praef. *Can Misc.* 219.

Articulus pertractandus est—Jo. Hilton, Determin. de paupertate fratrum. (Grey Friars).

Articulus pro finali confessione [cessatione?]—Gul. Butler de indulgentiis pontif. (Tanner: Wadding).

Artifex mirabilis omnium salvandorum . . . Vas igitur admirabile—Jo. Carmessonius, Vita P. Thomae ord. Carm. (B.H.L.).

Artis logicae auctorem ac firmam—Jo. Bottrell (Tanner).

A sacro canone tanquam a fonte—Rob. Holcote de praedicat. officio (Tanner).

Ascendam in palmam . . . His verbis ostenditur ascensus animae—Anon. Opuscul. volentibus proficere in virtutibus. *Laud Misc.* 181.

Ascendam in palmam . . . —Ray. Rigaldus (?), Sermones (Wadding).

Ascendam in palmam etc. sicut ait B. in sermone hodierno. Palma crucis arbor—Jo. Wessington sermones (Tanner).

Ascendens Jesus Jeros: . . . Proposui hodie vobis—Bern. Sen. Sermo.

Ascendit Deus in jubilo . . . Cum enim Dom. nos. Jesus Chr.—Bern. Sen. Sermo.

Ascendit Petrus in superiora . . . Reverendi . . . sicut ab imis—T. Walden in can. epist. Petri (Tanner).

Ascendo ad Patrem meum . . . Gloriosissimae Magdalenae —Bern. Sen. Sermones de Sanctis.

Ascensiones aequalium portionum—Sim. Bredon in demonstr. Almagesti (Tanner).

Asserentium arithmet. artis—Th. Bradwardine, Arith. practica (Tanner).

Asserit Raymundus de fermento loquens—G. Ripley Concord. Guidonis et Raym. (Bale).

Asserit Raymundus de lapidis—G. Ripley Concord. Guidonis et Raymundi (Tanner).

Assidua debet esse oratio—Grostete de assiduitate orandi (Tanner).

Assidua fratrum postulatione deductus—Vita Antonii de Padua, prol. (B.H.L.).

Assiduis petitionibus—Ric. Wallingford (?) de computo (Tanner).

Assumam te etc. Aggaei ii. Haec verba Aggaei competunt b. Francisco—Bon., Sermo.

Assumpsit Jesus Pet. and Jac. . . . Consuevit quaestio— Bern. Sen. Sermo.

Assumpsit Jesus Petrum . . . Evangelium istud heri—
Bern. Sen. Sermo.

Assumpsit Jesus Petrum . . . Ex vera utique confessione
—Bern. Sen. Sermo.

Assumptus nuper ad animarum curam de tui status debito
—Jo. Hoveden, Spec. Laicorum. *Univ. Coll.* 29.

Astitit Regina . . . Beneplacita oris mei—Bern. Sen.
Sermo.

Astitit regina a dextris tuis— Jac. de Marchia, De B.V.M.
(Wadding).

Astrolabii circulos et membra—Rob. Grostete. *Digby* 98.

A tempore quo magna et robusta—Jo. de Trevisa, R.
Higden, Dialogus (Bale, p. 259).

Athenis civitate Graecorum — Jo. Clipston Sermones
(Tanner).

At illi tacuerunt etc. Circa igitur taciturnitatem—Bern.
Sen. Sermo.

Attende circa divisionem entis per se in decem—W. Burley
(Tanner).

Attende quantum reverentiam debes habere—Rog. de
Provincia, O.M. Considerationes. *Can. Misc.* 525.

Attendite populi etc. In Psalmo 77 scribitur—Fr. de
Mayronis de primo principio (Tanner). *Balliol* 70.

Attendite populi etc. Ut refert ac narrat—Jo. Thoresby
archiep. Ebor. (Bale).

Attentius supplicasti ut breviter—Jo. Lutterell ad
quendam Romae disputantem (Tanner: Bale).

Attestantibus antiquorum chronographorum testimoniis—
Barth. Cotton, Hist. Anglicana (R.S.).

Attonito mihi quidem et saepissime cogitanti—F.
Petrarcha de secreto conflictu etc. prooem. *Balliol*
127.

Attributum. An attributa distingui—Th. Stravershan in
lect. Rob. Cowton (Wadding).

At ubi venit etc. Utrum verbi incarnatio sit cognoscibilis—
Fr. de Mayonis in iii Sent. *Balliol* 69.

Auctoris modicum stylum falerasque—Anon. Carmen
(Bale).

Auctoritate Dei . . . excommunicamus—Steph. Langton
Constit. 1222 (Wilkins Concilia).

Auctoritatis et industriae magnae fuit—Chron. Angl.
1307-1321 (Hardy § 620).

Auctoritatis et industriae magnae fuit—Monachus de
Bridlington, Gesta Edwardi II. (Hardy § 674).

Audiam quid loquatur . . . Eruditiva sunt—Bern. Sen. Sermo.

Audi Domine et vide et inclina—Jo. Peckham, Speculum animae (Wadding).

Audi filia et vide . . . B.V.M. filia Dñi est secundum spiritum—Anon. Sermones. *Laud Misc.* 177.

Audi filia et vide in psalmis refert Solinus in collectaneis capit. de mirabilibus Sardiniae—Anon. Tract. moralis Lat. et Angl. *Bodl.* 26.

Audi Israel praecepta—N. de Lyra (?) Expos. X. praecept. prol. *Laud. Misc.* 12.

Audi Israel etc. In verbis istis spiritus sanctus circa divina —Anon. de X. praeceptis. *Magd. Coll.* 68.

Audistis fratres conscripti—Jo. Peckham Constit. Reading (Tanner).

Audistis quia Antichristus venit nunc autem multi— Reiner O.P. contra Waldenses (La Bigne).

Audistis, quia dictum est . . . Diximus heri de qua patria —Bern. Sen. Sermo.

Audite coeli . . . Sicut Moyses invocavit—Steph. Langton in Isaiam. *Laud. Misc.* 149.

Audite somnium meum . . . Audite ergo princeps serenissime—Anon. Somnium Viridarium *seu* Dial. inter militem et clericum de jurisdict. etc. *Laud Misc.* 731.

Auditor causae appellationis et negotii—[W. Horborch?] Conclus. Rotae. *Can. Misc.* 478.

Auditu auris audivi te . . . —Fr. de Mayronis Moralia (Tanner).

Auditum audivi a Domino et timui—Fr. de Mayronis Quodlib. (Tanner).

Augustinus Arelatae consecratus— Nic. Montacutius de Episc. Brit. (Bale).

Augustinus in libello suo de 83 quaest—W. Burley, de ideis (Tanner).

Augustinus: Vera humilitas est nullis—Alex. Necham de gradibus humilitatis (Bale).

Augustinus xiii. [xii.] libro confessionum—Jo. Hadun in evang. Matth. (Tanner).

Aula triumphalis virtutum—Jo. Gerland Epithal. B.V.M. (Tanner).

Aura id est favor—Ric. Kendale Aequivocorum exempla (Tanner).

Aures sanctitatis vestrae in cujus—Petrus Canon. S. Trin. Lond. de adventu Messiae etc. (Bale).

Aureas sanctorum vitas post inclitam eorum vitam—
Bern. Guidonis Spec. Sanctorale, praef. (Not. et
extr. 27).

Aureus in Jano numerus—Alex. de Villa Dei Massa
compoti. *Digby* 228.

Aurium passio decimo septimo—Ric. Kenet de virtutibus
aquarum (Tanner).

Auro locus est . . . . Cum quippe apertissime—Bern.
Sen. Sermo.

Aurum temperatius est omni metallo—Jo. Gatesdene de
simplicibus medicinis (Tanner).

Aut videat quisquis divinum jus—Greg. Huntingdon
Sententiae per versus (Tanner).

Ave coeleste lilium—*ps*. Bon., Laus B.V.M.

A veritate qui auditum avertunt ad fabulas—Anon. [Nic.
Trivet? T. Walleys? J. Ridevaus?] Expos. fabularum
MS. Dunelm (cf. Tanner: Bale p. 308).

Ave rosarium scripturarum per areolas—Rob. Ware xxv.
sermones de Virgine (Grey Friars).

Ave stella maris virgo—Jo. Hoveden Philomela, *Laud
Misc.* 368.

Ave verbum ens in principio—Jo. Hoveden Meditat.
animae Christianae (Bale).

Ave Virgo vitae lignum—*ps*. Bon., Psalt. minus.

Ave vivens hostia—Th. Aquin. *sive* Jo. Peckham Oratio de
sacramento altaris. *Laud. Misc.* 185 (Tanner).

A vocalis aliquando mutatur—W. Hunt de vigore
litterarum (Tanner).

B

Balthassar pellifex de Wylax—Miracula J. de Capistrano
(B.H.L.).

Baptismus est corporis ablutio per quam interior—Coelest.
V. de Sacramentis ecclesiae (La Bigne).

Barbarismus corruptus—Jo. Everisden Concord. divinae
historiae (Tanner).

B. Birgitta nobilis progenie sed nobilior moribus—Nic. Ep.
Lincopensis Vita Birgittae (B.H.L.).

B. Bonitas. C. Magnitudo—Ray. Lull. Ars generalis ad
omnes scientias.

Beata et venerabilis sis—Th. Stubbes Revelat. Birgittae
(Bale).

Beata Maria fuit illustrata virtutibus — Ric. Armach.
Sermones de laudibus B.V.M. Avinion. (Tanner).

Beata paupertas vera intelligitur humilitas — Eric vel
Heyric Autissiodorensis Sermo. *Laud Misc.* 493.

Beata virgo Hildegardis, cujus haec—Wyclif in prophetiam
Hildegardis.

Beati immaculati—T. Maldon in Psalmos (Tanner).

B. Johannis Evangel. doctrinae sinceritatem—August.
Triumphus in Apocalypsim. *Balliol* 31.

Beati misericordes . . . Jam tempus instat—Bern. Sen.
Sermo.

Beati mites . . . Post Spiritus paupertatem—Bern. Sen.
Sermo.

Beati mortui qui in Domino moriuntur—Wyclif Conciones
de morte.

Beati mundo corde . . . Convenienter, secundum glossam
—Bern. Sen. Sermo.

Beati pacifici . . . Non etiam sine mysterio—Bern. Sen.
Sermo.

Beati pacifici etc. O beata Pax quae filios hominum—Guib.
de Tornaco, de pace : cap. i. (La Bigne).

Beati pauperes spiritu . . . Felix doctrina—Bern. Sen.
Sermo.

Beati pauperes (etc.) Vos omnes et singuli—Grostete (?)
Sermo. *Bodl.* 867, 153. *Exon. Coll.* 21.

Beati pauperes . . . Plurima sunt sanctorum testimonia—
Grostete Sermo (Tanner).

Beati qui esuriunt . . . Ad quartam beatitudinem—Bern.
Sen. Sermo.

Beati qui habitant . . . Domus Dei est aeterna beatitudo
—Th. Aqu. de cognitione etc. *Can. Eccl.* 176.

Beati qui habitant—*ps.* Th. Aqu. de beatitudine (Q.E.).

Beati qui lugent . . . Miro quippe mysterio—Bern. Sen.
Sermo.

Beati qui persecutionem . . . Porro postquam homo—
Bern. Sen. Sermo.

Beatissime pater filiali—Ric. Folsham Epistolae 28 ad
papam (Tanner).

Beatissimus Deus sempiternus [*expl.* supra narratum.
Factum Londini in S. Catharina 1355]—Ray. Lull.
Liber ad Eleonoram uxorem Edw. regis Angl.

Beatissimus Paulus Apostolus usque ad tertium coelum—
W. de Remington, Doctrina simpliciter literatorum
contra haereses. *Bodl.* 158.

B. Angelus ex tribu Juda traxit originem—Vita Angeli
ord. Carm. (B.H.L.).

B. Antonius in civit. Senarum ortus—Vita Antonii ord.
Erem. S. Aug. (B.H.L.).

B. Augustinus in suo libro de haeresibus—Rob. Rose in
Ecclesiasticum (Tanner).

Beatus Bernardus in quodam sermone—Jo. Baconthorpe
Comp. jurium Carmel. (Tanner).

B. Coradus de Offida audivit a b. fratre Leone—Conrad. de
Offida, Verba etc. (B.H.L.).

B. Dominicus praedicatorum dux et pater inclitus—
Humbert. Vita S. Dominici (B.H.L.).

Beatus Edmundus Cantuar. Archiep. ex piissimis parentibus—Rob. Riche (?) Vita B. Edmundi Riche (Hardy).

Beatus Franciscus fecit tres regulas scil. illam—Spec.
Perfectionis (ed Sab.) [et Antiqua Legenda, pars 1
(B.H.L.)].

Beatus Franciscus de civit. Assisii ortus a puerilibus annis
—T. de Celano Leg. Brevis S. Francisci (B.H.L.).

B. Franciscus de patria Tuscia civit. Assisii natus parente
mediocri—Jo. [de Ceperano] Lectiones ex Vita S. Fr.
(B.H.L.).

Beatus Franciscus pro maxima nobilitate—Spec. Perf.
(ed. Lemmens).

B. Gregorius urbe Romana senatoria stirpe—Jo. Brompton
Chron. (Hardy II.).

Beatus homo quem tu erudieris—Bon. de perfectione
vitae ad sorores.

Beatus homo quem tu . . . Omnia dei praecepta dirigunt—
Anon. Tract. de X praeceptis Domini. *Laud. Misc.*
248.

Beatus homo qui invenit etc. Omni devotione—Jo. Clipston
Sermones (Bale).

Beatus igitur et evangelicus vir Franciscus patrem habuit
—Leg. Trium Soc. (B.H.L.).

B. igitur iste s. ac fortissimus Dei athleta—Jo. de Tagliacotio de obitu Jo. de Capistrano (B.H.L.).

Beatus iste . . . Miles quidam de Corneto Turellus—
Miracula Benevenuti de Eugubio O.M. (B.H.L.).

Beatus pater mundana quadam elevatione—Th. de Celano,
Vita II. S. Francisci, ii. 1.

B. Paulus apost. discipulum suum—Grostete (?) Sermo de
episcoporum moribus (Tanner). *Exon. Coll.* 21.

Beatus Petrus Apostolus—Th. Aqu. contra Graecos
Armenos et Saracenos (Q.E.).

Beatus qui custodit verba prophetae. Chrysostomus omelia 26—T. Walleys in Esaiam (Tanner). *Nov. Coll.* 30.

Beatus qui custodit viam—T. Walleys in Psalmos 38 priores. *Exon Coll.* 39.

Beatus qui custodit vir veritatem—T. Walleys in Psalt. (Tanner).

Beatus qui intelligit super egenum et pauperem. Ps. Praecedit actus meritorius—Ric. Conington, Tract. de paupertate contra J. P. Olivi (Grey Friars).

Beatus qui legit—Bernardinus Senensis, in Apocal. (Wadding)—Jo. Hadun in Apocal. (Tanner).

Beatus venter in quo incomprehensibilis—Hen. de Hassia Sermones. *Linc. Coll.* 62.

Beatus vir cujus est auxilium—Ric. de Hampole *sive* Gualt. Hylton (Tanner).

Beatus vir qui [*expl.* commendo spiritum meum etc.]— Rob. Bacon (?) super Psalt. *Bodl.* 745.

Beatus vir . . . Psalterium est quasi. magna domus—Pet. Floreffiensis prior in Psalt. *Magd. Coll.* 115.

Beatus vir . . . Quid est ambulare in consilio—Anon. super Psalt. *Laud Misc.* 387.

Beatus vir qui non abiit in consilio—Jo. Capgrave in Psalt. (Tanner).

Beatus vir qui non abiit: Homo quamdiu per contemplationem—[*ps.* Bon.] Michael Meldensis in Psalt. *Nov. Coll.* 36.

Beatus vir: secundum glossam prohemialem—Nic. Gorham super Psalt. (Tanner).

Bella referre paro fratrum—Gualt. de Burgo poema de bello Nasoraeo (Tanner).

Benedicat tibi anima . . . S. Scriptura—T. Maldon super Jo. Newton (Tanner).

Benedicat tibi Dominus ex Sion—T. Maldon (Tanner).

Benedicta Dei providentia quae post nubilum serenum— Guib. de Tornaco O.M. de pace, praef. (La Bigne).

Benedictionem jubileam Domine—T. Walden Collationes (Tanner).

Benedictionem prohibere etc. B. Ambrosius lib. 1—T. Walden in Vesperiis Hesham et Upton (Tanner).

Benedictus qui venit etc.—Gul. Leic. de Montibus de adventu Dom. (Tanner).

Benedictus qui venit . . . Evangel. hoc legitur modo propter misterium—Anon. Sermones. *Laud Misc.* 376.

Benedictus qui venit etc. In hoc verbo [*des.* pudebit]—Alb.
Mag. in Baruch.

Benedictus sit Deus . . . de cujus privilegiata familiari-
tate—Vita abbrev. Birgittae (B.H.L.).

Bene fundatum exigit debitum — Gul. Chubbes [Stubs]
Introd. logices (Tanner).

Benignitas et humanitas Salvatoris mundi . . . [*inc. opus*]
Abit virgo—Anon. Liber Spiritualis Gratiae prol. i.
Laud Misc. 353. cf. *Digby* 21.

Benignus Deus qui omnes homines vult—Ric. Hely de
adventu Carmel. in Angl. (Tanner).

Benignus provincia Tusciae comitatus Florentini—Vita
Benigni abb. Vallumbr. (B.H.L.).

Bernardinus conf. natione Tuscus ex nobili—Vita breviss.
Bern. Sen. (B.H.L.).

Bernardinus ex Senis clarissima Etruriae civitatis—Maf.
Vegius, Vita Bernard. Sen. (B.H.L.).

Bernardinus patria Senensis bonis—August. Datus, Epit.
Vitae Bern. Sen. (B.H.L.).

Bernardinus qui ob res ejus sanctissime gestas—Barnabaeus, Vita Bern. Sen. (B.H.L.).

Bernardinus Senensis nobilibus ortus natalibus—Aen.
Silvius, Epit. Vit. Bern. Sen. (B.H.L.).

Bis decies deni centum quinquagies anni—Chron. 1065 ad
1264 (+1286) per Monachum de Bello (Hardy).

Boetius in libro de trinitate—Nic. Trivet in Boet. de
discipl. scholarium (Tanner).

Bona est scientia cui non est peccatum—Nic. Angl. O.P.
super casu de impraestitis Venetorum. *Can. Eccl.* 6.

Bonam inspirationem—Gul. Nottingham, in Pauli Epist.
(Wadding, Tanner).

Bonifacius etc. Secundum philosophum scire est rem per
causam—Joh. ep. Meldensis in lib. sextum Decretalium.
Nov. Coll. 199.

Bonitatem et disciplinam . . . Nota mirabile eloquium
studiorum—Bern. Sen. Sermo.

Bonitatem et disciplinam etc. Rev. domini teste Damasceno
—T. Maldon in Psal. 119 (Tanner). *Balliol* 80.

Bonitatis et nobilitatis—Jo. Buridanus in Ethic. *Balliol*
115.

Bonorum et honorabilium dicitur esse scientia de anima—
R. de Stanington, in Arist. *Digby* 204.

Bonorum honorabilium etc. [Quaeritur] An de anima
potest—Th. Wilton sive Henr. de Wyly (Vyle) de
anima. *Balliol* 91. cf. *Magd. Coll.* 63 (Bale:
Tanner).

Bonorum honorabilium etc. Anima ut dicitur—W. Burley
Conclus . . . de anima (Tanner).

Bonorum honorabilium. In hoc libro est intentio de anima
—Anon. *Can. Misc.* 322.

Bonorum honorabilium etc. Liber iste cujus expositioni
intendimus dividitur—Alex. [Halensis?] de anima.
Magd. Coll. 80.

Bonorum honorabilium notitiam opinantes — Arist. de
anima, tr. Gr.-Lat. (Jourdain).

Bonorum honorabilium etc. Sicut dicit Themistius—W.
Burley. *Balliol* 92.

Bonorum honorabilium. Tractaturus philosophus de anima
—Aegid. Col. in Arist. de anima. *Digby* 150.

Bonorum honorabilium notitiam etc. ut dicit Arist. in ii. de
anima—W. Burley (Tanner).

Bonum est in cibo cum gratiarum—Thomas Hibern. [et Jo.
Wallensis] Manip. Florum ii. (Tanner).

Bonum sicut habetur Ethic. iv° etc. Quaero igitur primo
utrum scientia naturalis—Jo. Buridan super Physica.
Balliol 97.

Bonus vir sine Deo . . . Johannes: omissis quaestionibus
—Paul de Liazariis super Clementinis. *Exon. Coll.*
17.

Breve breviarium breviter abbreviatum—Rog. Bacon
(Grey Friars).

Britannia cui quondam Albion—R. Lavenham abbrevia-
tiones Bedae (Tanner).

Britannia insula a Britone filio thoconis(?) filii Alani—
Ann. a Bruto ad 1326 (Hardy § 649).

Britannia insularum optima inter Galliam . . . [*expl*:
repatriavit]—W. Coventry, Memoriale (cf. Hardy §
321).

Britannia oceani insula—Chron. Wigorn. (Hardy § 473),
et Pet. de Ickham. *Regin. Coll.* 340.

Britannia quae prius Albion vocabatur — Anon. Chron.
abbrev. *Regin. Coll.* 312.

Buccinate in neomenia tuba—Ric. Chefer Sermones
elegantes (Tanner).

C

Caecus sedebat . . . Ubi describitur primo caeci misera—
Anon. [Baldwin Tornac?] Sermo (Not. et Extr. 32).

Caedebant ramos de arboribus . . . Jam in hoc sacro
tempore—Bern. Sen. Sermo.

Caio monacho. Tenebrae—Alb. Mag. in Dionysii Epistolas.

Calamus velociter scribe sic scribentis—Poema super
proelium de Lewes (Hardy).

Candor est enim lucis aeternae etc. Secundum quod dicit
August.—Aegid. de Columna in i. Sent. *Nov. Coll.* 111.

Canimus hodie in laudem B. Virginis—Grostete Sermo
(Tanner).

Cantabo dilecto. Inter signa laetitiae—Joh. *seu* Th.
Wallensis in Cant. Cantic. *Laud. Misc.* 345.

Cantemus Domino gloriose enim—Gul. Cockisford
Enarratio in Cantica Moysi (Tanner).

Cantica laetitiae mundi flos Anglia premat—Rob. Baston
Exhort. ad Anglos (Tanner).

Canticorum liber additur quo—T. Walleys in Cantica
Cant. (Tanner).

Canticum divini amoris . . . Princeps pie Jesu bone—Jo.
Hoveden Meditationes etc. (Tanner).

Capitula stellarum . . . Almansor—Almansor in Astron (?)
Bodl. 874.

Carissimi fratres Deus magnus—Ray. Lull. de sacrata
scientia b. Joh. Evangel.

Carissimi legitur in ii. libro Regum—Th. Colby in Psal.
miserere mei (Tanner).

Carissimis praesentes speculantibus—Alvernus Pelagius,
Quinquagesilog. prol. *Can Misc.* 525.

Carissimo in Christo fr. Jac. Viterb. lectori Florent.—Th.
Aqu. de emptione etc. (Q.E.).

Caritativis quorundam ven. patrum . . . Fuit itaque vir
eximia—P. de Alliaco Vita Coelestini V. (B.H.L.).

Carmelus dicitur a Car, quod est—Gul. Coventry de laude
Carmel. (Tanner).

Carmina quae quondam etc. Quia in isto libro—Anon.
[praeceptor Stanfordiensis?] Quaest. in lib. Boethii
de Consolat. phil. *Exon. Coll.* 28 (Bale 471).

Caro mea est vere cibus . . . Hoc Evangelium alludit
fundationi—Wyclif Sermones mixti xxiv. Serm. i.

Castrum Dovorense in ipsa rupe—Mat. Paris Descriptio
mundi sive Itiner. etc. (Bale).

Catholica veritas dicit quod valde reprehensibiles—Anon.
[W. de Remington?] Dial. inter cathol. veritatem et
haeret. pravitatem. *Bodl.* 158.

Cauda est—Aeg. de Columna in 1 Sent. *Linc. Coll.* 109.

Causa efficiens extra hujus libri—R. Kilwardby in Arist.
praedicamentis. *Can. Misc.* 403. *Rawl. C.* 677.

Causa per accidens est duplex—Jo. Stanbery de casu et
fortuna (Tanner).

Cautelae proponentis sunt multae—Anon. de fallaciis.
Magd. Coll. 38.

Cecidit corona capitis nostri. Ista verba possunt—Hen.
Harkeley Sermo in laudem Th. Cantuar. (Tanner).

Celebris et sancta est illa Ecclesiastici sent. Memorare
novissima . . . Nec minus illa Cassiani—Maph. Vegius
de quatuor hominis novissimis (La Bigne).

Cespitat in phaleris appus—Alex. de Hales (?) Dictionarium
(Bale).

Chere theoron quem—Alex. Hales (?) exoticon (Tanner).

Christianae religionis—Th. Aqu. contra retrahentes a
religione (Q.E.).

Christi ac individuae Trinitatis . . . Primo quaeritur
utrum potestas saecularis per quam populus regitur—
Bertrand. Aeduensis de jurisdictionibus (La Bigne).

Christo confixus sum cruci . . . Verus Dei cultor—Bon.
Lignum Vitae, prol.

Christum captum et derisum—Bon., Officium seu Cursus de
passione Christi.

Christus assistens pontifex—Bon. (?) Expos. missae. cf.
Laud Misc. 544.

Christus Deus noster caput universalis ecclesiae—Wyclif
De Paupertate Christi, *sive* xxxiii. Conclusiones.

Christus enumerans in evangel—Jo. Ashwardby contra
mendicitatem fratrum (Tanner).

Christus est integer caput cum membris—Gilb. Magnus in
Psalt. (Tanner).

Christus est super omnia—Jo. Goldeston in Psalt. (Tanner).

Christus factus est ex semine David—Jo. Baconthorpe in
Paul. ad Rom. (Tanner).

Christus fuit pauper quia Adae filius—Ric. Armach. (?)
contra mendicantes (Tanner).

Christus in scriptura frequenter—Grostete (?) Sermo.
Exon. Coll. 21.

Christus Jesus venit—*ps.* Th. Aqu. de humanitate Jesu
Chr. (Q.E.).

Christus natus est xlii. anno regni Octaviani—Nic. Montacutius scala temporum (Bale).

Christus passus est pro nobis—Ric. Porland de passione Christi (Wadding).

Christus passus est. Quamvis haec verba dicantur generaliter—Anon. Anglus, Sermones. *Balliol* 149.

Ciconia post pullorum—Gul. de Montibus, Similitudines. *Balliol* 222.

Circa abjectionem nota qualiter—Mauritii Distinctiones [Maur. de Portu?]. *Rawl. C.* 711 (Tanner).

Circa abstinentiam—Mauritii Distinctiones. *Bodl.* 46.

Circa annos Dom. 1208 bb. patriarcha F . . . Hic igitur ut refert Vincentius—Anton. Flor. Epit. Vitae S. Francisci (B.H.L.).

Circa A.D. 330 passus est—Ric. Grasdale de proeliis famosis (Tanner).

Circa articulos—Fr. de Mayronis, de artic. fidei (Wadding).

Circa compositionem tabularum—Lud. Kaerleon (Tanner).

Circa considerationem quare sensus—R. Lavenham de scientia et sensu (Tanner).

Circa considerationem sensus—Th. Aqu. (?) de sensu . . . et intellectu etc. (Q.E.).

Circa conversionem panis—Gul. Occham de sacram. altaris. (Grey Friars).

Circa conversiones aliquarum—R. Lavenham de conversione proposit. (Tanner).

Circa creationem in hoc secundo ut dictum est in lectione—Duns in ii. Sent. quaest. 1.

Circa dei potentiam—Jo. Rodington Quaest. ord. (Wadding).

Circa distinctionem primam in qua Magister tractat de frui et uti—Duns in i. Sent. quaest. 1.

Circa distinctionem primam quaeritur de frui in comparatione—Duns in i. Sent. 'Reportata Paris.'

Circa distinctionem primam secundi libri quaeritur utrum primus actus—Duns in ii. Sent. abbrev. a Gul. de Alnwick. *Balliol* 208.

Circa distinctionem primam secundi . . . Utrum sit ponere in Deo—R. Cowton in ii. Sent. *Balliol* 200.

Circa divisionem entis in decem—W. Burley (Bale).

Circa dubitationem primam—Nic. Botelesham Quaest. theol. (Tanner).

Circa eadem tempora civis quidam Lovaniensis—Caes. Heisterbac. de Margarita Lovanii (B.H.L.).

Circa finem seu terminum tam.—Gul. Heytesbury de maximo et minimo (Tanner).

Circa finem seu terminum ultimum—Rog. Swineshead de insolubilibus (Tanner).

Circa hanc distinctionem quaerendum—Jo. Rodington in Sent. (Wadd:ng).

Circa hanc epistolam—Jo. Cuningham in Epist. Jacobi. (Tanner).

Circa hunc articulum in quo nostrae vitae et regulae— Ubert. de Casale, Rotulus (A.L.K.G. III.).

Circa incarnationem quaero primo de possibilitate—Duns in iii. Sent. *Balliol* 208.

Circa indulgentias arguitur—H. de Gandavo Quaest. quodlib. *Univ. Coll.* 55.

Circa influentiam agentis—Rog. Bacon de multiplicatione specierum (Wadding). *Univ. Coll.* 48.

Circa instans negotium in simplicibus medicinis—Jo. Platearius Salernit. *Digby* 197. *Can. Misc.* 241.

Circa istum librum primo quaeritur—Anon. Quaest. super lib. de memoria. *Oriel Coll.* 33.

Circa istum prologum primi—Pet. de Aquila in i. Sent. *Magd. Coll.* 194.

Circa istum quartum librum—Rob. Cowton in iv. Sent. *Balliol* 201.

Circa istum septimum lib. Metaphysicae—Anon. Quaestiones. *Oriel Coll.* 33.

Circa libros praedicamentorum Arist.—Jo. Bate (Tanner).

Circa libros praedicamentorum est — Walt. Burley (Tanner).

Circa librum de anima quaeritur primo utrum subjectum —Blasius de Parma. *Can. Misc.* 393.

Circa librum de somno et vigilia quaeritur primo utrum somnus sit privatio vigiliae—Anon. super Arist. Physic. de somno et vigilia. *Digby* 44. cf. *Can. Misc.* 222.

Circa librum elenchorum primo videndum est an notitia— Gul. Occham. *Can. Misc.* 558.

Circa librum physionomiae Arist.—Jo. Buridanus. *Can. Misc.* 422.

Circa librum praedicamentorum—Jo. Baconthorpe (Tanner) *sive* W. Burley. *Magd. Coll.* 146.

Circa librum praedicament. Arist. quaeritur primo utrum de praedicamentis sit scientia rationalis—Anon. *Can. Misc.* 486.

Circa logicalia diligenter intendens ut veritates—Duns super Universalia Porphyrii quaest. Utrum logica sit scientia.

Circa materiam parvorum primo circa librum de sensu— Anon. (Blasius?) in Arist. Parva Natural. *Can. Misc.* 422.

Circa materiam primi cap.—Galf. Hardeby contra Armach. de vita evangelica (Tanner).

Circa materiam restitutionis seu satisfactionis—Antonin. Archiep. Florent. O.P. *Can. Eccl.* 6.

Circa materias sermonum sive collationum—Humb. de Romanis de eruditione praedicat. lib. ii. (La Bigne).

Circa multiplices mansiones—Fr. de Mayronis de vitiis et virtutibus (Wadding).

Circa omnem theoriam et methodum—Arist. de partibus animalium, tr. Gr.-Lat. (Jourdain).

Circa praeceptorum descriptionem ne quid—Anon. de praeceptis etc. *Bodl.* 29.

Circa primam distinctionem quaeritur—Ric. Armach. Quaest. in Sent. (Tanner: Bale).

Circa primam partem prologi—Nic. Botelesham in Sent. (Tanner). Cf. *Magd. Coll.* 194.

Circa primum arguitur quod non quia actus purus—Duns in iii. Sent.

Circa primum est sciendum quod modus significandi duo— Duns de Grammat. Speculativa.

Circa primum gradum hujus scalae fidei—Thomas (?) super Symbol. Apost. *Laud Misc.* 41.

Circa primum lib. perihermenias Arist. quaeritur primo utrum de enunciatione—Anon. *Can. Misc.* 485.

Circa primum lib. Physic. quaeritur utrum scientia naturalis consideret de ente mobili—Alb. Mag. (?) *Can. Misc.* 508.

Circa primum lib. Posteriorum Analyt. quaeritur primo utrum de syllogismo—Anon. *Can. Misc.* 485.

Circa primum lib. Priorum Arist. movetur primo talis quaestio utrum de syllogismo—Anon. *Can. Misc.* 485.

Circa primum librum tertii operis de anima quaeritur a Mag. Jo. Bridano de Alamannia.—Anon. *Can. Lat.* 278.

Circa primum meteororum quaeritur utrum de impassionibus—Duns. *Balliol* 93 (et in edit.).

Circa primum notandum est quam excellens sit hoc officium.—Humb. de Romanis de eruditione praedicatorum Lib. i. Cap i. (La Bigne).

Circa primum notandum quod diversimode describitur philosophia—Jo. Wallensis, Floriloquium (Grey Friars).

Circa principium in iii. libri Sent. postquam magister— Anon. in lib. iii. Sent. *Balliol* 56.

Circa processum philosophi in libro Metheororum tria sunt investiganda—Anon. in lib. Meteorolog. Arist. *Digby* 153.

Circa proemium primi libri Sent. quaero primo utrum primum principium complexum—Fr. de Mayronis. *Bodl.* 418.

Circa prologum hujus primi Sent. quaeruntur quinque— Duns in lib. i. Sent. praef.

Circa prol. libri Sent. primo quaeritur utrum Deus—Duns in Sent. *Balliol* 205.

Circa prol. libri Sent. quaeritur utrum homini—Scotuli Quaest. in Sent. *Oriel Coll.* 70. *Magd. Coll.* 107.

Circa prologum primi libri Sent. et primum principium— Fr. de Mayronis Quaestiones de conflatu. *Bodl.* 429.

Circa prologum primi libri Sent. quaero primo utrum sit possibile intellectui viatoris—Gul. Occham, in Sentent. (Grey Friars).

Circa prologum primi Sent.—Ant. Andreas (Wadding).

Circa prologum quaero primo utrum possibile—W. Disse Lect. in Sent. *sive* Quaest. theol. (Tanner: Bale).

Circa prologum quaero—Gul. Occham super Sent. *Balliol* 299.

Circa quartum lib. Sent. quaeritur de sacramentis in generali—Durandus a S. Porciano O.P. Quaest. *Laud Misc.* 737.

Circa quod—Ray. Lull. Lectura super artem invent. veritatis (alia).

Circa res divinas studiosis compendium—Anon. Comp. Theol. iv. lib. prol. *Laud Misc.* 477.

Circa secundam distinctionem in qua Magister agit de unitate divinae essentiae quaero istam—Anon. in dist. 2 lib. i. Sent. *Can. Misc.* 137.

Circa secundum Sent. ubi magister—Anon. in lib. ii. Sent. *Balliol* 56.

Circa sententias antiquorum expositorum qui libros Arist. morales—Anon. comment. prol. *Can. Misc.* 304.

Circa sermones artificialiter faciendos—Ran. Higden
(Tanner).

Circa subjectum hujus libri notandum quod Boetius ponit
—Duns in lib. i. Perihermenias.

Circa tertium librum—Rob. Cowton in iii. Sent. *Balliol*
201.

Circa universalia multiplex—Th. Aqu. (?) de universalibus,
tract. i. (Q.E.).

Circa universalia quoque—W. Burley (Tanner).

Circa universalia sunt dubitationes—W. Burley *Univ.*
Coll. 120. *Magd. Coll.* 146.

Circa urinas quinque sunt pensanda—Ric. Anglicus de
urinis (Tanner).

Circa venditionem et emptionum contractus quaeruntur
octo—Anon. de usuris etc. *Bodl.* 52.

Circa virtutem et effectum missae—Anon. Fasciculus
Morum. *Magd. Coll.* 13.

Circulus eccentricus dicitur vel egresse—Ger. Cremon.
seu Rob. Grostete, Theorica Planet. *Laud Misc.* 644.
seu Gualt. Brit. *Digby* 15, 47, cf. ib. 48 (8), 93 (2, 6).
seu Jo. Hispalensis. *Can. Misc.* 436.

Circulus excentricus lunae egress.—Grostete, Theorica
planet. (Tanner).

Circumdederunt me gemitus mortis : Cantus ecclesiae—
Anon. Angl. Sermones. *Magd. Coll.* 27.

Circumstantiae primo sunt—Simon Alcock de modo
dividendi thema pro materia sermonis dilatanda
(Tanner).

Citra Rhenum in regno Alamanniae quoddam castrum—
Richer de Eliz. Thuring. (B.H.L.).

Cives multos decipitis vestro—Nic. Fakenham de frater-
nitate Christiana (Wadding).

Civitas est locus.—Ray. Lull. de civitate mundi.

Clamat in lege veteri Deus—Anon. de humilitate 24 capp.
Laud. Misc. 487.

Clamat politicorum sententia—Aegid. Rom. de regimine
principum. *Balliol* 146A.

Clara est, et quae nunquam marcescit—Alb. Mag.
Quaestiones super Missus est seu de laudibus B.M.V.

Clara virgo prudentiss. habebat in saeculo sororem—Vita
Agnetis Assis. (B.H.L.).

Clarissimi doctores et sacrarum—Jo. de S. Fide Encomium
Joannis (Tanner).

Claruit et obiit ante capit. Perpiniani—Vita Odorici de
P. Naonis O.M. (B.H.L.).

Claruit etiam tempore istius generalis eximiae sanctit. fr.
A—Vita Ademari de Felsinio O.M. (B.H.L.).

Claruit temporibus illis ferventissimus zelator—Vita
Conradi de Offida (B.H.L.).

Claudius agere animam cepit—Nic. Trivet (?) in Senecam
(Tanner).

Clausula non obstante generalis—Bert. de Arnasana,
Decisiones Rotae. *Can. Misc.* 478.

Clausum est coelum . . . Nec mirum, si deficit—Bern.
Sen. Sermo.

Clemens papa cujus rem nominis et vitae—-Nic. (?)
Arabicus, ad Clementem [iv.?] de articulis fidei.
Digby 28, *Can Eccl.* 25.

Clementia roborabitur tronus Dei. Prov. xx.—Bertrand
de Turre (?) Sermo. *Bodl.* 46.

Clementissimo patri et piissimo domino . . . Urbano iv.
. . . . (*Inc.*) Primus philosophiae magister. Jo.
Campan. Novar. *Digby* 168.

Coegerat me—Jo. Gatesden Rosa medica (?) (Tanner).

Coeli enarrant . . . Triplex est status animae—Bern. Sen.
Sermo.

Coelum empyreum locus et regio angelorum—Anon. de
moralitatibus corporum coelestium etc. *Nov. Coll.*
157.

Coelum et terra—Jo. Taxter Chron. ab orbe condito ad
Edw. I. (Hardy).

Coepi jamdudum scribere—Jo. de Giglis de nuptiis
Henrici VII. (Tanner).

Cogis me carissime frater Alane—Clemens, Vita Th.
Heliae (B.H.L.).

Cogitabat, qualis esset ista salutatio . . . Quia Dom. Jes.
Chr. matrem suam—Bern. Sen. Sermo.

Cogitans serenissime rex meae summae—Steph. Baron de
officio et caritate principum (Tanner).

Cogitanti mihi canticum—Jo. Russell, Postilla in Cantica
Cant. (Grey Friars).

Cogitanti mihi diuque ac sollicite . . . Ven. ac Deo
devotus—Jo. Tayus, Vita Jo. Soreth (B.H.L.).

Cogitanti mihi frater carissime quomodo dilectionem—
H (?) de caritate cum prol. ad Petrum Dei servum.
Can. Eccl. 52.

Cogitanti mihi quid offerrem regiae celsitudini dignum—
Th. Aqu. de regimine principum (Q.E.).

Cogitanti mihi saepenumero—Laur. Gul. de Saona,
Rhetorica nova, proem. *Laud. Lat.* 61

Cogitanti mihi saepenumero, Francisce frater . . . Varias admodum et diversas—Jo. Caroli Florent. Vita Joh. Dominici (B.H.L.).

Cogitanti mihi votum vestrum—Anon. de medicina. *Magd. Coll.* 164.

Cogitatio hominis . . . Triplici prudentia in confessione— Bern. Sen. Sermo.

Cogitaverunt autem principes . . . Quia sapientis est— Bern. Sen. Sermo.

Cogitavi mihi aliquid—Alb. Mag. de perfectione vitae spiritualis.

Cogitis me dilectioni vestrae . . . Cum quadam die post mortem viri—S. Brigitta, Lib. de revelationibus etc. *Can. Misc.* 475.

Cogitis me sorores carissimae . . . Rosanensis sacrae religionis—Vita Humilitatis de Faventia (B.H.L.).

Cogit me singularis tua erga me benevolentia—Nic. de Fara Epist. ad Jac. de Marchia de Jo. de Capistrano (B.H.L.).

Cogito et cogitavi—Rog. Bacon, de conservatione sensuum *sive* de sanitate. (Wadding). *Can. Misc.* 334, 480.

Cognita consonantia in chordis—Jo. de Muris (Tanner).

Cognitio fit secundum potentiam cognoscentis—Rob. Kilwardby, in lib. Poster. *Can. Misc.* 403.

Collabentem ferme Dei civitatem . . . Aprutinae—Nic. Tellus de Fara Vita Jo. de Capistrano (B.H.L.).

Collationes meas—David Augustan. (?) de compositione hominis interioris. (Wadding).

Collegerunt pontifices . . . De omni bellorum—Bern. Sen. Sermo.

Colligite fragmenta—N. de Lyra, super Paralipomena. *Bodl.* 251.

Colores praecipui pertinentes — Gul. Bintrey de ornatu linguae Lat. (Tanner).

Color est lux incorporata—Grostete. *Digby* 220.

Colossenses et hi sunt Laodicenses—Th. Docking (Wadding : Bale).

Commendabilius est studium virtutum studio scientiae— Anon. *Laud Misc.* 402.

Commentarii nostri quos super quaest.—Maur. de Portu in Jo. Scot. (Tanner).

Commentarium super Fulgentium continens (?)—Jo. Ridevaus in Mythol. Fulgentii (Bale).

Commentator in prol. viii. Physicorum—Anon. Quaest. in Metaph. *Oriel Coll.* 33.

Commentator super secundum de anima—Anon. comment. in lib. i. de generatione. *Oriel Coll.* 33.

Commoda neglectus dum quaerunt—Jo. Gerland. Unum omnium (Tanner).

Commoda provenire pueris—Frisingfeld, Pract. Grammat. (Tanner).

Commota est universa civitas . . . Conturbatarum mentium —Bern. Sen. Sermo.

Communes animi conceptiones sequuntur . . . Causa est— Nic. Arabicus ad Clem. [iv.?] de articulis fidei. *Digby* 28.

Communis vita est multum utilis et proficua volentibus— Anon. *Univ. Coll.* 42.

Compendium artis magicae secundum cursum naturae— *ps.* Ray. Lull. Parva Magia.

Completa expositione libri Porphyrii ad praedicamenta— Gul. Occham, in Arist. Praedicamenta. *Can. Misc.* 558 (Bale).

Completo tractatu primo Evangelii—Wyclif Opus evangelicum, *sive* De Antichristo Pars i. (?).

Compotus est scientia considerans tempora—Jo. de Sacro Bosco (Tanner) *seu* Grostete: *Univ. Coll.* 36. Anon: *Can. Misc.* 71.

Compotus est scientia numerationis—Grostete, de arte computi. *Laud Misc.* 644. *Digby* 228.

Conceptio carnalis B. Mariae—Jo. Baconthorpe (Tanner).

Concludet ulterius—Jo. Deirus de jure patronatus (Tanner).

Conclusiones Metaphysicae Arist. quas ipse in hoc libro probare—Duns, Conclusiones Metaphys.

Conclusio una proposita haec—O. Pickenham in Sent. (Tanner).

Conde mihi, Domine—Thomae Aqu. (?) Oratio. *Laud Misc.* 352.

Confessio et pulchritudo—Roger Conway, Defensio mendicantium (Grey Friars).

Confessio et pulchritudo . . . Tria tanguntur—Bern. Sen. Tract. Confessionis.

Confirmat Hesther regina—Utred Dunelm. Sermo contra fratres (Tanner).

Confitebor tibi Domine—Jo. Peckham, Canticum Pauperum (Wadding).

Confitebor tibi: id est laudabo—R. de Hampole super sex cantica. *Magd. Coll.* 115.

Confitebor tibi : Iste est primus psalmus Canticorum—
Ric. Ullerstone Expos. super sex Cantica ex Nic.
Lyrano. *Magd. Coll.* 115.

Confiteor tibi pater—Alb. Mag. in Apoc. S. Joh.

Conscientia est habitus intellectus—Ray. Lull. de gradibus
conscientiae.

Consedentibus et colloquentibus mecum—Engelbert abb.
Admontensis de ortu etc. Rom. imperii (La Bigne).

Consequens ad dicta est tractare de potentia productiva
Dei—Wyclif de Ente, *sive* Summa Intellectualium
Lib. II. Tract : De Potentia productiva Dei ad extra.

Consequens est ad dicta superaddenda—Wyclif de
comparativis [Tract iii. de Logica].

Consequens est purgare errores circa instantias—Wyclif
De Ente *sive* Summa Intellectualium Lib. I. Tract :
Purgans errores circ. veritates etc.

Consequenter ad ordinem clericalem restat de militari—
Wyclif, Summa Theol. Lib. viii. De Officio Regis.

Consequenter tractatur—Grostete de Dei misericordia etc.
(Tanner).

Consequentia est antecedens—R. Lavenham Probationes
proposit. (Tanner).

Consequentia est antecedens et conse.—Gul. Heytisbury,
Regulae consequentiarum (Bale).

Consequentia est illatio consequentis—Rad. Strode
Consequent. formulae (Tanner).

Consequentiarum quaedam est bona—Ric. Feribrigge,
Consequentiae (Bale).

Considerandum est—Th. Aqu. (?) de natura luminis
(Q.E.).

Considerandum est in hoc de somno—Jo. Baconthorpe de
somno et vigilia (Tanner).

Considerandum est quod scriptura dividi potest in octo—
Pet. de Aureolo, O.M. Bibliorum sacr. argumenta.
Nov. Coll. 15.

Considerandum quippe est—Grostete (?) de natura luminis.
(Tanner).

Considerans historiae sacrae prolixitatem—Pet. Pictav. et
Anon. frater Minor (?) Chronologia *sive* Figura Hist.
(Bale 469, etc.).

Considerantes pro multis causis in religione chronicas esse
necessarias—Chron. Winton : et Wigorn (?) (Hardy
391, 564).

Considerantes veterem et antiquam Logicam—Ray. Lull.
Logica nova, [1303].

Consideranti de natura—Anon. Quaest. de motu animalium. *Oriel Coll.* 33.

Consideranti diligentius quid sit homo—Rad. London. Electuarius (Tanner).

Consideratio philosophi in hoc—Jo. Polestede in Arist. Physic. (Tanner).

Consideratio quidem in veritate difficilis—Arist. Metaphysica tr. Arab.-Lat. (Jourdain).

Consideratio quidem etc. Quid [Quia] ista scientia perscrutatur.—Anon. super Metaphysica. *Balliol* 112. *Linc. Coll.* 19.

Conspiciens in circuitu librorum—Paul. Venet. Logica Parva. *Can. Misc.* 9.

Conspicui meriti vir honesti forma—Jo. Seguarde Metristencheiridion (Bale).

Constitui super vos spectatores—Alex. de Villa Nova de consummatione saeculi (Bale).

Constituit cum super excelsam terram—Gul. Bintrey Defensio mendicantium (Tanner).

Constituit eam super excelsam—Ric. Maidstone Protectorium pauperis (Tanner).

Constitutio est jus scriptum sicut consuetudo—Coelest. V. de legibus (La Bigne).

Consuetudo est quod quando moritur unus magnus rex—Anon. Homilia de Passione Domini. *Can. Misc.* 21.

Consueverunt, ven. · patres (etc.), legentes in laudem scientiae—Anon. de absolutionibus, prol. *Can. Eccl.* 2.

Consuetum et ordinatum—" Afforismi ursonis." *Digby* 153. *Nov. Coll.* 171.

Contemnit timorem nec cadit gladio—Ric. Armach. Sermones de sanctis (Tanner).

Contemplatio vel via—R. de Hampole. *Balliol* 224A.

Contemplativorum aquilinos—*ps.* Bon. de septem gradibus contemplationis [citat fratrem Ægidium]. *Bodl.* 36. [cf *Laud. Misc.* 479—Contemplatorum aquiliores obtutus . . . Ignis est vehemens.]

Contemplemus B. Virginem in gloria exaltatam—Bern. Sen. Sermo.

Contigit anno 1374 . . . quod quidam nobilis Fadheresse—Gudmar, etc., Miracula Birgittae (B.H.L.).

Contigit dum b. Antonius esset custos fratribus—Bern. Guido ex Jo. Rigaudi legenda B. Ant. de Padua (B.H.L.).

Contigit quod quidam Judaeus qui publice vocabatur Rabi—Anon. Dial. de fide [1286?]. *Can. Misc.* 329.

Contigit quod sedens in choro fratrum Praedicatorum
Avinione—Ray. Lull. Liber conceptionis virginalis.

Contra communem diffinitionem de propositione cate-
gorica—Anon. de objectionibus etc. *Nov. Coll.* 289.

Contra contemptum temporalium—Anon. Auctoritates ex
S. Scriptura etc. *Linc. Coll.* 81.

Contradictio in Deo non est—Occham, Dialectica nova.
(Grey Friars).

Contradictorium et tamen—Pet. Mantuan. Logica. *Can.
Misc.* 219.

Contra errores ejusdem—Jo. Langton contra Crump
(Tanner).

Contra Sanctam Trinitatem—Ray. Lull. de Trinitate.

Contra sonitum aurium—Gul. Dalton, Medic. (Bale).

Contristatus erat vehementer Raymundus—Monaldus
monachus, Secretorium naturae seu quintae essentiae.
Bodl. 879.

Convenientibus apud Norham—Rishanger, de Johanne
Balliol (Bale).

Convenimus ex mandato domini regis—Wyclif, de captivo
Hispanensi, *sive* de filio comitis de Dene.

Convenitis [Convenitur] ex consuetudine ad collationem—
Grostete Sermo (Tanner). *Exon. Coll.* 21.

Convenit quod ens simpliciter absolutum—Ray. Lull. de
ente simpliciter absoluto.

Conversationem vestram habentes bonam [inter gentes
habentes]—Ric. Depedale Sermones (Tanner).

Conversio est transpositio—R. Lavenham Sophismatum
canones (Tanner).

Convertimini ad me . . . Secundum quod communiter
dicunt doctores, peccator—Nic de Esculo O.P.
Sermones. *Can. Misc.* 503.

Convertimini ad me . . . Tria tanguntur in his verbis,
primo monet Dom.—Anon. Sermones. *Laud Misc.* 172.

Cooperatores simus veritatis—Jo. Batus ad clerum Oxon.
(Tanner).

Coram domino Deo nostro Jesu Christo—Ric. Scrope contra
Henricum IV. (Bale).

Coram vobis reverendissimis proponit procurator—Ric.
Armach. Libellus contra fratres. *Bodl.* 158.

Coram vobis reverentissimo . . . domino Joh. tit. S. Sab.
cardinali—Mat. de Rolton etc. contra fratres. *Bodl.*
158.

Corde creditur ad justitiam—Rod. Acton Sermones
(Tanner) *sive* Jo. Clipston (Bale).

Coronatio victoriosissimi—Gul. Boodle, Chronicon breve (Tanner).

Corpora vero Adae et Evae post peccatum—Roger Bacon, de sexta parte Comp. Stud. Theol. *Can. Misc.* 334, 480.

Corpore bonae memoriae Johannis—Th. Walsingham Hist. abbat. S. Albani (Tanner).

Corporum mundanorum principalium—Jo. Peckham de Sphaera (Wadding : Bale).

Corripiet me justus, etc. Sic habetur dist. 45—Simon Boraston de ordine judiciario etc. (Tanner). *Linc. Coll.* 81.

Corripite inquietos . . . Ad principes civitatum—Bern. Sen. Sermo.

Corruptio et depuratio—Ray. Lull. Practica (?). *Digby* 164.

Corruptio Calendarii—Jo. Somer, Calend. Castigationes (Wadding).

Corruptio humanae naturae ex primo—Nic. Trivet in Genesin (Tanner : Bale).

Creationem rerum insinuans scriptura—Pet. Lomb. Sent. ii.

Creationem rerum etc. Circa secundum librum, in quo ut dictum est—Duns Ordinatio super ii. Sent. *Balliol* 208.

Creationem rerum etc. In primo libro determinavit magister de Deo—R. Middleton in ii. Sent. *Balliol* 198.

Creationem rerum etc. Liber totalis Sent. in quatuor . . . dividitur sicut fluvius Paradisi—Anon. [Ric. Middleton?] in ii. Sent. *Laud Misc.* 629.

Creator et conservator omnium rerum—Vita Mereadoci Ep. Venet (B.H.L.).

Creator et factor omnium Deus sustentator—Lucas Tudensis Episc. contra Albigenses, praef. (La Bigne).

Creator omnium Deus noster . . . Haec de castro quod dicitur Carnaiola—Jac. Scalza Vita Johannae Urbevetanae (B.H.L.).

Creator rerum fuit ita mirabilis—Anon. 133 cap. de virtutibus et vitiis. *Can. Misc.* 270.

Creavit Deus hominem etc. In primis antequam prosequar —Bon., Sermo de S. Francisco.

Crebra petitionis tuae postulatio—Gul. Petyt in Cantica Cant. (Tanner).

Credimus sanctam Trinitatem esse—Jo. Peckham super symbolum (Wadding).

Creditur quod Deus sit purus actus—Ray. Lull. Liber de potestate pura.

Credo Domine . . . Consideranti et etiam superficialiter—
 Jo. Waldeby super symb. Apost. *Laud Misc.* 296.

Credo in unum Deum . . . Primum quod est necessarium
 Christiano—Th. Aqu. super symbolum (Q.E.).

Credo vos patres carissimi—Alb. e Sartiano, de Sacr.
 Eucharistiae (Wadding).

Cuidam diviti civi Lugdun. cui nomen erat Valdensis—
 Anon. de haeresi pauperum de Lugduno (M. & D.).

Cuidam fratri conquerenti sibi quod guardianus—Aegid.
 Assis. Gesta et dicta (B.H.L.).

Cuilibet volenti requirere concordantias—Anon. Concordantiae Bibl: praef. *Nov. Coll.* 69.

Cui minus dimittitur . . . Quod sacrum eloquium est
 magnae—Bern. Sen. Sermo.

Cujus anno mores virtutum colligo—Pet. de Dacia Legenda
 Christinae Stumbelensis (B.H.L.).

Cujuslibet religionis titulus ortum—Jo. Baconthorpe *sive*
 Gul. Coventry in regul. Carmel. (Tanner).

Cujuslibet rei creabilis idea—Jo. Langton Quaestiones.
 (Tanner).

Culmine honoris spreto—Simon Symeonis O.M. Itin. ex
 Hibern. in Terram Sanctam 1322 (Tanner).

Cultoribus evangelicae paupertatis servus omnium—Anon.
 Confessio filiorum Evang. paup. *Can. Misc.* 335.

Cum ab initio mundi Deus pater formando hominem—
 Will. de Caneto (?) Casus decretalium i. et ii., prol.
 Nov. Coll. 193.

Cum ab teneris unguiculis—Maur. de Portu in Jo. Scot.
 (Tanner).

Cum accesseris ad infirmum—Jo. Marfeld, Tract. medic.
 (Tanner).

Cum adhuc Arsenius esset in palatio—Coelest. V. de
 sententiis patrum eremitarum (La Bigne).

Cum ad juventutis immo totius vitae meae—Th. de
 Berghstede Meditatio. *Univ. Coll.* 148.

Cum ad monasterium Cluniacense—Gilb. Magnus in
 oraculum Cyrilli (Tanner).

Cum ad notitiam impressionum habendam—Rog. Bacon,
 in Meteora. (Grey Friars).

Cum ad salutem suam quilibet teneatur confiteri—Anon.
 Can. Misc. 144.

Cum ad sanctam fidem—Ray. Lull. Ars theologiae, etc.
 contra Averroem.

Cum ad sciendam catholicam fidem—Ray. Lull. Ars
 mixtiva theol. et philosophiae.

Cum adversus amplissimae gloriae—Alb. e Sartiano (Wadding).

Cum aggredi sufficienter determinare—Ray. Lull. Physica nova.

Cum alicui secundum ejus entitatem—Jo. Baconthorpe de sophismatibus (Tanner).

Cum aliquando fortuitu in manus incidisset libellus—Vita Eliz. Thuring. prol. iii. (B.H.L.).

Cum aliqui dicant—Ray. Lull. de probatione unitatis Dei, etc.

Cum aliqui dicant quod Christiana fides—Ray. Lull. de articulis fidei.

Cum almus Christi confessor beatus Franciscus—Jo. Wallensis, Moniloquium, prol. (Grey Friars).

Cum animadverterem—Gul. Chartham in Catonem (Tanner).

Cum animadverterem in quamplurimos presbyteros— Anon. Memoriale presbyt. parochialium etc. (Tanner *sub* Grostete : *MS.C.C.C. Cantab*).

Cum animadverterem pater R. cariss. quosdam novicios— Rog. Compotista, Expos. Vocabulorum prol. *Laud. Misc.* 176.

Cum animadverterem quamplurimos—Grostete (?) Comment. in disticha Catonis (Tanner).

Cum animadverterem quamplurimos — Th. Hanneya Memoriale juniorum (Tanner).

Cum animadverterem (frater) Reginalde—Rog. Compotista in vocab. Bibliae (Tanner). *Magd. Coll.* 112.

Cum animadverterem quod plures etc. Quia praesens opus—Ph. de Pergamo, Speculum regiminis. *Nov. Coll.* 154.

Cum A.D. 1454 de mense novembris—Jo. de Tagliacotio, de Jo. de Capistrano (B.H.L.).

Cum Apostolus Paulus—Alb. e. Sartiano (Wadding).

Cum a principio logicae determinatum sit quod logica sit scientia docens per notum venire—Alb. Mag. in lib. Boetii de divisionibus.

Cum appropinquaret Jesus Hierosolimam etc. Evangelium est laicis praedicandum—Sermones Holkot, *sive* Waldeby (Tanner) *sive* Wallensis. *Bodl.* 687.

Cum appropinquaret Jesus . . . In quo sacro eloquio dicemus—Bern. Sen. Sermo.

Cum appropinquasset . . . Constat ex Evangelio quod tribus vicibus—Wyclif Sermonum pars I. super Evangelia Dominicalia.

Cum appropinquasset . . . Dominus ac redemptor noster, fratres carissimi, qui semper est aequalis Deo—Anon. Sermones in evang. per ann. *Can. Eccl.* 93.

Cum appropinquasset . . . . In hoc evangelio—Gul. Nottingham Sermones in evangel. (Tanner, Wadding).

Cum appropinquasset Jesus ad Hieros.—Gul. Leic. de Montibus Expos. evang. (Tanner).

Cum appropinquasset etc. Notandum quod evangel. istud deservit duabus dominicis—Anon. Expos. in Evangel. *Can. Eccl.* 25, 53 : cf. *Can. Misc.* 71.

Cum appropinquasset etc. Primo ergo considerandum quid est—Anon. Sermones. *Magd. Coll.* 95.

Cum appropinquasset Jesus . . . Quia finis belli est victoria—Bern. Sen. Sermo.

Cum apud nos infinita—Ray. Lull. Ars inveniendi particularia in universalibus. cf *Can. Misc.* 141 (anon.).

Cum ars artium—Barth. de Cavmis OM. Interrogatorium. Can. Misc. 267.

Cum ars astronomiae sit grandis—Mich. Scot. Dunelm., prol. *Can. Misc.* 555.

Cum ars major [magna]—Ray. Lull. Ars praedicandi minor.

Cum astrorum scientia difficilius—Messahalae Lib. de intentionibus secretorum astron. *Digby* 93.

Cum audisset Joannes in vinculis . . . Sic nos existimet homo . . . Verbum ult. sumptum de epistola Pauli hodie—Barthol. Turon. O.P. Sermo (Not. et extr. 32).

Cum autem nostra sit intentio . . . aliqua authentica . . . colligere—Jo. Wallensis, Moniloquium (Grey Friars).

Cum Averroes fuerit valde sensibilis—Ray. Lull. contra errores Averrois.

Cum b. Franciscus de S. Jacobo rediens—Miracula S. Franc.: Chron. xxiv. general. (B.H.L.).

Cum beatus pater noster Franciscus velut patriarcha Jacob—Passio quinque fratrum Min. Martyr. in Marochio (B.H.L.).

Cum Christianos fideles—Ray. Lull. de reprobatione errorum Averrois.

Cum circa utilia studere debeamus—Anon. ord. Min. de virtutibus, prol. *Can. Misc.* 519. *sive* Gul. Woodford (Tanner).

Cum Christus sit primus et novissimus—Wyclif, de concord. fratrum cum secta simplici Christi, *sive* de sect. monach.

Cum circa duo potissime versetur officium—Ran. Higden Spec. Curatorum. *Balliol* 77 (Tanner).

Cum civitas illa egregia—Anon. Spec. Chronicorum. *Regin. Coll.* 312.

Cum clausa esset via veritatis sapientibus—Arist. de Pomo: ex Arab. transl. a Manfredo. *Balliol* 141.

Cum consummati fuerint mille anni—Wyclif, de diabolo millenario.

Cum contemplarer florigeros—Th. Dando, Vita Alfredi (Tanner).

Cum corpus curas studeas subducere curas—Alex. Neckam de commendatione vini (Bale).

Cum cunctae res—T. Walden ad W. Sulbery de adorat. imag. (Tanner).

Cum de compositione machinae mundanea—Grostete de Sphaera, abbrev. *Digby* 98.

Cum Dei adjutorio intendo—N. de Lyra Disput. contra Judaeos (Tanner).

Cum de pia ac veridica salutarique fide—Gul. Alvernus de septem sacramentis, praef. *Nov. Coll.* 114.

Cum de praesentis exilii miseriae—R. Rolle de Hampole (?) de arte moriendi. *Nov. Coll.* 304.

Cum de septem peccatis quae vulgo mortalia—Anon. *Magd. Coll.* 10.

Cum desiderans et jacens—Ray. Lull. de prima et secunda intentionibus.

Cum de sublimi atque praecipuo rerum effectu—Anon. Lumen luminum. *Digby* 162.

Cum Deus creasset—Ray. Lull. de inveniendo Deo.

Cum Deus creaverit hominem ad se cognoscendum et amandum—Ray. Lull. de cognitione Dei.

Cum Deus creavisset—Ray. Lull. de Deo majori et minori.

Cum de vita et moribus et morte miraculisque . . . Eo temp. quo Philippus—Theod. de Appoldia Vita Eliz. Thuring. (B.H.L.).

Cum die quadam corporali manuum labore—Adam Carthus. Scala Coeli (Bale).

Cum difficultas verbalis multum impedit—Fr. de Mayronis de usu terminorum. *Rawl. C.* 21.

Cum difficultas verbalis multum—R. Lavenham Vocabul. theol. (Tanner).

Cum dignum sit dignis—Jo. Dastin Practica alchem. (Tanner).

Cum doctor sive praedicator evangelicus—Joh. Wallensis, Summa Collationum *vel* Communiloquium, prol. (Grey Friars).

Cum dominus rex per literas suas—Humfridus dux Glouc. Epist. (Bale).

Cum dormirent homines etc. Mat. xiii. Licet Dom. . . . per inimicum hominis bonum semen—Pet. de Pilichdorf contra Waldenses (La Bigne).

Cum duae sint considerationes [*des.* dicta sunt]—Alb. Mag. in libros Arist. de generatione et corruptione. cf. *Can. Misc.* 418.

Cum duplex debet esse officium Christiani—Wyclif, de Officio Pastorali.

Cum ecclesiae quibus praeficiuntur personae minus idoneae —[Jo. de Burgo? G. de Pagula?] Oculi Sacerdotis pars prima. *Bodl.* 828. *Rawl. A.* 361.

Cum ego Ingulfus divinae pietatis—Ingulph Hist. Croyland (Tanner).

Cum ego Raymundus de insula Majoricarum—Ray. Lull. Epist. ad regem Robertum.

Cum ego Raymundus dudum affectuose fuissem rogatus— Ray. Lull. Ars operativa medica.

Cum ego Rogerus rogatus a pluribus—Rog. Bacon, Tractatus trium verborum *vel* Epistolae tres ad Joh. Paris (Grey Friars).

Cum elegimus dicere de moralibus—Arist. Magna moralia, tr. Gr.-Lat. (Jourdain).

Cum enim circa res domesticas—Jo. Wallensis Floriloquium (Wadding).

Cum enim debeamus apes imitari—Jo. Wallensis Floriloquium, prol. i. (Grey Friars).

Cum enim Gallorum classis valida armatorum—De S. Thoma de la Hale, 1295 (Hardy).

Cum eram parvulus etc. Licet divinae majestatis—Jo. Andreas, Novella sive comment. in Greg. ix. decretales; prol. *Balliol* 160. *Nov. Coll.* 203.

Cum essem parvulus non tantum—Gul. de Chartham Spec. Parvulorum (Tanner).

Cum et animae sequuntur corpora—Arist. Physiognomia (Jourdain).

Cum exigente fidei cathol. pietate . . . Dormiente igitur— Vita Willelmi Ep. Bituric. (B.H.L.).

Cum ex injuncto nobis officio—Ric. Wyche Statuta synodalia (Tanner).

Cum ex lege naturae pariter—Nic. Fakenham, de schismat. eccl. (Wadding, Tanner).

Cum ex mandato sedis apostolicae—Jo. de Plano Carpini de moribus Tartarorum (Wadding).

Cum ex scripturis sacris collegi—Jo. Baconthorpe, Quaest. ord. (Tanner).

Cum ex vita gentilium—Jo. Wallensis, Floriloquium, prol. operis. (Grey Friars).

Cum fecisset quasi flagellum . . . In quo apparet secunda penna—Bern. Sen., Sermo.

Cum fecisset quasi flagellum . . . Jam in praecedenti sermone—Bern. Sen., Sermo.

Cum finis nostri laboris—Jo. Beston Comp. theol. (Tanner).

Cum fortis armatus custodit . . .Magna quippe res— Bern. Sen., Sermo.

Cum frequenter animadverterem in meipso—Gul. Lyndewood (?) in psalmos (Bale).

Cum gloriosis sanct. patrum exemplis tam novi quam vet. test.—Gerard. de Fracheto, Vitas Fratrum prol. i. (M.O.P.).

Cum gratias egisset distribuit—T. Walden Sermones Oxon. (Tanner).

Cum graves saepe ut fit in rebus humanis sustineam anxietates—Maph. Vegius de perseverantia religionis (La Bigne).

Cum haec sit major ars praedicationis—Ray. Lull. Ars praedicationis.

Cum haeretici diebus istis novissimis—Wyclif de Oratione Dominica.

Cum humana corpora sint omnia—Gul. Anglus de qualitatibus astrorum (Bale).

Cum humanum genus ratione orig.—Ran. Higden Paedagogicon grammat. (Tanner).

Cum humanus intellectus sit imperfectus—Ray. Lull. Liber de intelligere Dei.

Cum humanus intellectus sit vilipensus—Ray. Lull. Liber demonstrationum.

Cum identitas sit mater fastidii—Wyclif, Dialogus, *sive* Speculum Militantis Eccles.

Cum igitur fr. Steph. praedictus accusatus vicario—Passio Steph. de Ungaria O.M. (B.H.L.).

Cum ignoremus quid agere . . . Verba ista carissimi merito possum—Anon. Sermo. *Laud. Misc.* 171.

Cum illius non sim auctoritatis—Anon. de peccatis etc. "Septuplum," prolog. *Univ. Coll.* 71.

Cum illusio—Rad. Erghum Repetitiones in rubricam (Tanner).

Cum in anima humana supra sensum duplex—Rob. Kilwardby, de animae facultatibus. *Balliol* 3.

Cum in collectionis hujus quae protest dici summa collationum—Jo. Wallensis Communiloquium. *Linc. Coll.* 67.

Cum in corpore—T. Walden ad Jo. Wytham (Tanner).

Cum in dispensatione sacramentorum—Gul. Leic. de Montibus, de sacramentis (Tanner).

Cum in ecclesia mea quietus—Rad. Acton, *sive* Ran. Higden Sermones (Bale : Tanner).

Cum infeliciter florerem et juventus— Ric. de Hampole de incendio amoris (La Bigne).

Cum infideles—Ray. Lull. de majori agentia Dei.

Cum infinita sint temporum gesta—Gul. de Nangis Chron. ad 1301 (Bale).

Cum in hierarchia coelesti—Grostete Sermo de triplici hierarchia (Tanner).

Cum in loco sacro de Tynmouth—Jo. Waldeby Symbol. apost. (Tanner).

Cum in multis olim ante istam—Gualt. Tyryngton in quasdam constitutiones (Bale).

Cum in quadam contentione—Jo. Wessington de juribus etc. ecclesiae Dunelm. (Tanner).

Cum in singulis scientiis secundum materiam subjectam— Suise (Suiseth?) Angl., Obligationes. *Can. Lat.* 278.

Cum intendamus artem valde compendiose componere— Ray. Lull. Ars compendiosa etc., *sive* Liber principiorum philosophiae. [2 partes].

Cum inter alios ordines Religiosorum—Bon. Determ. quaestionum circa Regulam Fr. Minorum.

Cum inter jocunda familiariter—Anon. de epistolaris natura dictaminis. *Balliol* 163.

Cum inter tot ritus ceremoniasque christianas pater sancte dies hic—Jo. Ant. Campanus, Oratio cinericia (La Bigne).

Cum intrasset Jesus . . . Nimis utique obstinatus—Bern. Sen., Sermo.

Cum introisset Jesus Caph. . . . Heri diximus—Bern. Sen. Sermo.

Cum introisset Jesus Hieros. . . . Quia heri diximus de milit.—Bern. Sen., Sermo.

Cum itaque secundum sacram—Grostete (?) Sermo. *Exon. Coll.* 21.

Cum ita sit quod natura per suum—Ray. Lull. Summaria consideratio lapidis etc.

Cum jam de prologo mentionem facere—Jo. de S. Fide in Jo. Evangel. (Tanner).

Cum jejunas . . . Per caput mentem intellige—Ric. Armach. Sermo. *Bodl.* 144.

Cum jejunatis. . . Finis humanae naturae—Marci de Summa Ripa O.P. Quadragesimale. *Can. Misc.* 136.

Cum jejunatis . . . In tota serie hujus evangelii—Anon. Sermones. *Can. Misc.* 97.

Cum jejunatis . . . Jam, Domino adjuvante—Bern. Sen., Sermo.

Cum jejunatis etc. Licet opera poenitentialia—Fr. de Maironis Serm. quadrages. *Balliol* 65.

Cum jejunatis etc. Sciendum quod tempus—Gul. Alverni *sive* Peraldi (?) Sermones. *Magd. Coll.* 68.

Cum Jesus Christus sit generalior persona—Ray. Lull. Liber de Pater Noster.

Cum jucunditate—Bon. (?) Corona B.V.M. metric.

Cum jurista et medicus debeant investigare—Ray. Lull. de modo applicandi novam logicam ad scientiam juris et medicinae.

Cum labilis sit humana memoria—Edm. Moulton Septuplum (Tanner). cf. *Oriel Coll.* 29.

Cum lavisset—Grostete Sermo (Tanner).

Cum locutio ad personam multis plus complacet—Wyclif, Trialogi prologus.

Cum longo tempore—Ray. Lull. Disputatio trium Sapientium.

Cum manifestum sit mundum in maligno—Peregrini minoris [*seu* Conrad. Hirsaugiensis] Dial. de contemptu et amore mundi—*Laud Misc.* 377.

Cum Maria Virgine—Bon., Officium de compassione B.V.M. [metric].

Cum materia de alteratione—Jo. Dumbleton et Jo. Chylmerk Comp. de actione elementorum etc. *Digby* 77.

Cum materia et forma—Wyclif de materia et forma.

Cum mecum propter ea quae responsione tua accepi— Genealogia Henrici III. (Hardy).

Cum medicinalis artis—Anon. "Rogerina minor." *Bodl.* 786.

Cum miserationes domini sint—Th. Cobham Summa de poenitentiae casibus etc. *Oriel Coll.* 17. (Tanner).

Cum multa sint vitiorum genera—Anon. de humilitate, 24 capp. *Laud. Misc.* 487.

Cum multa super concordia discordantium—Anon. in Gratiani Decretum. *Can. Misc.* 429.

Cum multi Christiani laici—Ray. Lull. Quae lex sit melior.

Cum multi discant verba scholae . . . Guoda virgo religiosa—Vita Eliz. Thuring. (B.H.L.).

Cum multifarie multisque modis—Maur. Gaufridi Vita Ivonis Trecorensis (B.H.L.).

Cum multi homines desiderent—Ray. Lull. Liber orationum factus pro regina Aragon.

Cum multis in philosophia prima—Wyclif, de univer- salibus.

Cum mundus in malo statu—Ray. Lull. de. fine.

Cum natura ita effectus—Jo. Dastin, Visio super arte alchem. (Tanner).

Cum natura sit valde generalis—Ray. Lull. Ars philosophiae, *sive* Liber de natura.

Cum nomen Jesu mellifluum—Ubertus Lombardus de nomine et amore Jesu. *Laud Misc.* 220.

Cum nonnulli qui circa dominicalia—Th. Haume Tropharium hymnorum (Tanner). *Magd. Coll.* 115.

Cum non sit humanae benevolentiae—Roger Young de compoto. *Digby* 40.

Cum nos inveniemus lucem lumen radium—Barth. Bonon. de luce. *Can. Eccl.* 52.

Cum nos licet immeriti simus officii—Grostete, Epist. 'ad abbates etc. *Laud Misc.* 439.

Cum nostri protoplasti suggestum praevaricatione— Huguitio Pisanus, Vocab. prol. *Laud Misc.* 626. *Can. Misc.* 305.

Cum nuper ille Reg. Pecock—Jo. Buriensis (?) contra Pecock (Tanner).

Cum omne artificium per suum—Gul. Dorochius, *sive* de Drogheda Summa aurea (Bale : Tanner).

Cum omne desiderii compos et maxime—Anon. in Arist. Meteora. *Balliol* 146.

Cum omne elementum—Girardus super Viaticum. *Bodl.* 786.

Cum omnes homines natura scire desiderant. O summa et aeterna—Anon. Dial. de arte moriendi. *Univ. Coll.* 4. *Magd. Coll.* 72 .

Cum omnes prophetas S. Spiritus revelatione constat esse
locutos—Anon. Postil. in Psalt. ex Hieron. etc.
Can. Eccl. 217.

Cum omne tempus septem dierum repetitione—Innoc. III.
in vii. psalm. poenit (Migne).

Cum omnia ex quatuor elementis generata—Gerard.
Cremon. (?) Comment. in Isaaci Viaticum. *Exon.
Coll.* 35.

Cum omnibus mobilibus—Simon Boraston de mutabilitate
mundi (Tanner). *Linc. Coll.* 81.

Cum omnis error rationis—Anon. de obligationibus. *Nov.
Coll.* 289.

Cum omnis homo teneatur tenere.—Ray. Lull. de X
praeceptis.

Cum omnis pontifex ex hominibus assumptus—Ric. Kellow
Dunelm. Constitutiones (Tanner).

Cum omnis rerum emendatio—Rob. Anglicus Correct.
Alchymiae (Tanner).

Cum omnis scientia [*des.* incipientes]—Alb. Mag. in lib.
Ethic. Arist.

Cum omnis scientia causas—T. Walden in Physic.
(Tanner).

Cum omnis scientia ex suo fine—Girard. [Cremon?]
Summa de modo medendi. *Exon. Coll.* 35.

Cum omnis scientia debeat gerere—Rog. Twiford Itin.
mentis ad Deum (Tanner: Bale).

Cum omnis scientia gerere—Rog. Twiford Itin. mentis ad
Deum (Tanner).

Cum omnis scientia sit veri—Grostete (?) *sive* R.
Kilwardby (?) in priora Arist. (Tanner).

Cum omnium artium inventores—Th. de Novo Mercato in
Carmen Alex. de Villa Dei de algorismo. *Digby* 81.

Cum omnium natura consistentium—Jo. Dastin.
Harmoniae chemico-philosoph. (Tanner).

Cum oratio quam Dominicam—Ray. Lull., Expos.
Orationis Dom.

Cum ordo scientiae est praecognoscere naturam generis—
Anon. [J. de Rupellis?] Summa theol. disciplinae.
Can. Misc. 271 [*vide* Cum summa theol.].

Cum parvus error et missibilis—Wyclif de quodam
periculoso mendacio noviter practisato.

Cum peccatum sit magna transgressio.—Ray. Lull. Confessio.

Cum per arbitrii libertatem—Grostete de libero arbitrio
(Tanner).

Cum per Galyeni sententiam—G. Kymer Diaetarium (Tanner).

Cum per participationem longi temporis.—Ray. Lull. Liber de Gentili et tribus sapientibus.

Cum per universam provinciam Marchiae—Miracula Thomasii de Costacciario (B.H.L.).

Cum pharisaei pseudo-apostoli—Wyclif de duodecim legibus.

Cum philosophia—Ray. Lull. de consequentiis philosophiae.

Cum philosophia sit effectus primae causae—Ray. Lull. de principiis philosophiae, 1300.

Cum plures homines—Ray. Lull. Lib. de potentia objecto et actu.

Cum plures homines—Ray. Lull. Ars astrologiae.

Cum plures sint homines—Ray Lull. de astronomia (1298).

Cum plures sint modi negotiandi circa themata . . . Primus modus est quando—Jo. de Rupella (?) de arte praedicandi [v. S. Bonaventurae Opera, Tom. IX., p. 5].

Cum potentia cujuscumque rei—R. Lavenham de potentiis (Tanner).

Cum praedestinatio—Ray. Lull.

Cum praedicatio—Ray. Lull. Ars praedicandi.

Cum praedicationis officium sit—T. Walleys de modo praedicandi (Tanner). *Linc. Coll.* 101.

Cum praedicta virgo graviter infirmata esset—Vita Rosae Viterb. O.S.F. (B.H.L.).

Cum praelati contentionum non episcopi animarum— Wyclif de praelat. contention. *sive* de incarcerandis fidelibus.

Cum principalis finis propter quem—Ray. Lull. de Deo et Jesu Christo.

Cum principalis intentio nostra—Grostete de calore solis (Tanner).

Cum proposuissem in corde meo perscrutari—Phil. de Pergamo Spec. Regiminis. *Nov. Coll.* 154.

Cum proprietates rerum—Barthol. Angl.

Cum protoplasti suggestiva—Huguitionis Lexicon alphab. prol. *Regin. Coll.* 321.

Cum pro tua singulari virtute . . . Eo tempore quo ss. vir Antoninus—F. Castil. Passio Antonii de Ripolis O.P. (B.H.L.).

Cum proverbium sit brevis—Ray. Lull. Liber Proverbiorum.

Cum quadam die post mortem viri—S. Brigittae Lib. de revelationibus etc. *Can. Misc.* 475.

Cum quaestionum fere omnium solutiones—Ursonis Liber
de effectibus etc. *Nov. Coll.* 171.

Cumque diversorum diversi probi—Gul. Botoner Abbrevia-
tiones doctorum (Tanner).

Cumque lavasset eos subucula lini. Lev. viii. (?)—Grostete
Sermo (Tanner).

Cum quidam dicant [*expl.* theologice]—Ray. Lull. de
naturali modo intelligendi.

Cum quidam processus cujusdam sententiae—Jac. de
Marchia, de Sanguine Christi (Wadding).

Cum quilibet Christianus et specialiter theologus—Wyclif
de dominio divino (ed. Poole).

Cum recolendae memoriae—Jo. Peckham Constit. Reading.
Exon. Coll. 31.

Cum rerum notitiam praecedit noti—[Alex. Neckam]
Comment. de utensilibus. (Bale).

Cum res nova et inaudita . . . Fuit igitur praedicta
domina—Vita Aleidis Ord. Cist. (B.H.L.).

Cum res successiva res divisibiles—Jo. Chilmark (Tanner).

Cum sacri chrismatis—Jo. Peckham de sacra unctione
(Wadding).

Cum sacrosancta mater ecclesia praemonstrante spiritu non
sine Jo. de Abbatis Villa, Sermones. *Linc. Coll.* 115.

Cum sanctissimus pater et idem—Ric. Blyton de privilegiis
mendicantium (Tanner).

Cum saepe in eum sermonem incideremus qui esset de
regendis magistratibus—Jo. Ant. Campanus de
gerendo magistratum. (La Bigne).

Cum saepenumero cogitarem non mediocrem—Paul.
Pergulensis. *Can. Misc.* 458.

Cum S. Spiritus sit divina persona—Ray. Lull. de vii.
donis Spiritus.

Cum sapientia Dei Patris sit nucleus veritatis—Wyclif
Expositio S. Matt. c. xxiii. *Sive* de Vae octuplici.

Cum Saraceni intendant probare—Ray. Lull., de centum
nominibus Dei.

Cum Saraceni non habeant notitiam—Ray. Lull. de majori
fine intellectus etc.

Cum scientia inflat secundum apostolum, dicit ergo
Christus—Wyclif de graduationibus, *sive* de magist.
Christi.

Cum scire et intelligere adquirantur ex principiis—Grostete
super lib. Physic. Arist. *Digby* 220.

Cum sectae haereticorum olim fuerint multae . . .
Sciendum est itaque—Renerius, Summa de catharis
etc. (M. et D.).

Cum secundum apostolum I. Cor. xii.—Nic. Fakenham,
super unione eccl. (Wadding et Tanner).

Cum secundum apostolum ad Heb. xi. fides sit fundamentum—Wyclif de condemnatione xix. conclusionum.

Cum secundum fidem catholicam Rom. viii.—Wyclif
contra cruciatem Papae.

Cum secundum leges commodius censeatur—Th. Bromius
in Paul. ad Rom. (Tanner).

Cum secundum philosophos sit relativorum—Wyclif de
servitute civili et dominio saeculari.

Cum secundum philosophum Arist. aliosque philosophos
praecipuos anima in prima sua creatione—R.
Kilwardby de divisione scientiarum. *Digby* 220.

Cum secundum sanctos spectat ad officium doctoris
evangelici—Wyclif de prophetia.

Cum secundum sententiam S. Raphaelis—Phil. abb. S.
Petri Gand. Miracula Coletae (B.H.L.).

Cum secundum seriem evangelii—Jo. Sharpe de orationibus
sanctorum (Bale).

Cum secundum veritatis testimonium Matt. xix.—Wyclif
de nova praevaricantia mandatorum.

Cum secundum virorum venerabilium—Bon. de quinque
festivitat. pueri Jesu.

Cum sermones tam de Christo Dom.—Bern. Sen. Sermonis
prol.

Cum sero esset . . . Diximus heri de quinque cond.—Bern.
Sen. Sermo.

Cum sim conditor cujuslibet creaturae—Wyclif de
triplici ecclesia.

Cum singulis diebus legendo—Th. Dorochius (?) Tanner.

Cum sint aliqui qui dicunt—Ray. Lull. de loco minori ad
majorem.

Cum sint miserationes domini—Th. de Cobham Summa de
poenitentia. *Univ. Coll.* 119.

Cum sint multi Christiani—Ray. Lull. de iis quae homo de
Deo debet credere.

Cum sint plures Christiani—Ray. Lull. Quid habeat homo
credere.

Cum sint plures homines—Ray. Lull. de astronomia.

Cum sit ars artium regimen animarum—[W. de Kirk-
ham? Constitutiones] (Tanner). *Laud Misc.* 32.

Cum sit conveniens quod homo sciat—Ray. Lull. de homine.

Cum sit creatus homo—Ray. Lull. de compendiosa contemplatione.

Cum sit dicens—Ray. Lull. de homine.

Cum sit dignum ac rationi consonum—Gul. Whetley in Boethium de consolatione (Tanner).

Cum sit finis principalis—Ray. Lull. de Deo et Jesu Christo.

Cum sit hoc consilium—Ray. Lull. Ars consilii.

Cum sit multum mirandum—Ray Lull. de virtutibus et peccatis (1312).

Cum sit necessarium—Ray. Lull. Ars confitendi.

Cum sit necessarium etc. Ad eam quae est apud Arist. praedicamentorum doctrina — Anon. [Ray. Lull.?] super praedicamenta Arist. *Can. Misc.* 365.

Cum sit necessarium ante omnia—Frisingfeld, Verbarium (Tanner).

Cum sit necessarium querentibus in curia dom. regis—R. Hengham (?) Summa (Tanner).

Cum sit nostra praesens intentio ad artem dialecticam—Anon. de logica. *Digby* 24.

Cum solicitudo pastoralis secundum—Pet. de S. Fide in Epist. I. Petri (Tanner).

Cum sonativum percutitur—Grostete de generatione sonorum (Tanner).

Cum spirituali—Bon., Regula Novitiorum, cap. i.

Cum Spiritus Sanctus sit tertia persona Trinitatis—Wyclif de septem donis Spiritus Sancti.

Cum stellarum scientia—Profacius Hebraeus (Tanner). *Univ. Coll.* 41.

Cum sublevasset . . . Notata historia hujus Evangelii cum aliis—Wyclif Sermo.

Cum summa theologicae disciplinae divisa sit in duas partes—Jo. de Rupella, Summa de vitiis. *Laud. Misc.* 221. *Can. Misc.* 271.

Cum summa theologicae facultatis—Th. Cobham de peccatis in genere (Tanner).

Cum supradicta beneficia . . . Unum itaque ex multis—Miracula Cathar. Suecicae. (B.H.L.).

Cum tantum tria sunt intrinseca—Jo. Sharpe in libros Physic. *Balliol* 93.

Cum terra Hierosolymitana — Jo. Mandeville Itiner. (Tanner).

Cum teste Salomone nihil incertius sit quam viri via—
Anon. de doctrina novitiorum ord. Grandimont.
(M. et D.).

Cum theorica et practica — Ray. Lull. super Tabulam
Generalem.

Cum timore Dei ac reverentia—Gul. Flete ad doctores
provinciae ord. S. Aug. (Tanner).

Cum tortuosus et callidus ille serpens—Nic. Radclyf de
sacram. Euchar. (Tanner).

Cum tua coelitus inspirata politica — Gul. Coventry de
laude Carmel. relig. (Tanner).

Cum universalium cognitio ut testatur Porphyrius—Rog.
Whelplade Universalia. *Rawl. C.* 677.

Cum varii [vani] sint homines omnes . . . Licet in priori
tractatulo—Jo. Wallensis, Breviloquium de sapientia
sanctorum, prol. (Grey Friars). *Laud Misc.* 603.

Cum venerit filius hominis . . . Hodie dilectissimi intend.
—Bern. Sen. Sermo.

Cum venerit filius hominis . . . Primo judicis praeces-
sionem—Bern. Sen. Sermo.

Cum venerit etc. Rora benedictionis coelestis—Jo. Spyne
Sermones (Tanner).

Cum venisset una vidua etc. Laudanda creatoris humilis—
Jac. de Viterbo in i. Sent. *Balliol* 62.

Cum venit etc. Cum in primo libro de mysterio S. Trinitatis
sufficienter—Anon. in iii. Sent. *Balliol* 210.

Cum venit igitur plenitudo temporis, ut ait apostolus—
Pet. Lombard. Sent. iii.

Cum verbum sit medium—Ray. Lull. Ars Rhetoricae.

Cum veritas fidei eo plus rutilat—Wyclif Speculum
saecularium dominorum.

Cum vero fama bonitatis—Miraculum Eliz. Thuring.
(B.H.L.).

Cum vestra dignitas veneranda praehonerande Domine—
Anon. Comp. justitiae commutativae, epist. *Nov.
Coll.* 115.

Cum viantes et fratres specialiter contendunt—Wyclif
de perfectione statuum.

Cum vitam b. Eliz. eo modo quo apud nos habetur
relegendo—Vita Eliz. Thuring : prol. (B.H.L.).

Cum vocatus fueris ad nuptias . . . In evangelio hodierno
sex principaliter notantur—Barth. Turon. O.P. Sermo
(Not. et Extr. 32).

Cum volueris scire — Profacius Hebraeus Almanach
(Tanner).

Cunctae res difficiles, ait Salomon — Duns, Quaest.
  quodlib. praef.
Cunctipotens ille [Deus] qui—H. Medwall Sermo.
  (Tanner: Bale).
Cunctis quorum interest—Galf. de Meldis Astron. tract.
  (Tanner).
Cupidae juventuti sciendi practicam juris canon. et civilis
  —Gul. Parisiensis Formulare, prol. (Not. et Extr.
  32).
Cupiens te et alios sapientia dignos excitare—Rog. Bacon,
  Perspectiva. *Bodl.* 874. *Digby* 77 (ed. Bridges).
Cupientes aliquid breve excipere de his quae continentur
  in summa—Anon. Summa de virtutibus abbreviata.
  Bodl. 35.
Cupientes aliquid de penuria—Pet. Lombard. Sent., prol.
Cupientes aliquid etc.: Circa prol. hujus primi libri
  Sent. quaeruntur quinque—Duns, prol. i. Sent.
Cupientes aliquid: Haec pars prohemialis—R. Fishacre(?)
  in i. Sent. *Nov. Coll.* 112.
Cupientes pro modulo nostrae facultatis—Anon. Significa-
  tiones verborum in Sent. *Balliol* 230.
Cupientes ut tenemur—Franc. a Ruvere (=Sixtus IV.)
  de sanguine Christi (Wadding).
Cur mundus militat sub vana gloria—Jacopone da Todi
  (Wadding).
Currite gentes—Anon. frater Minor [*ps.* Bon.], Stimulus
  amoris, cap. i. *Bodl.* 475. *Laud Misc.* 181.

D

Dabo tibi coronam vitae—Jo. Cuningham Sermones
  (Tanner).
Da domine in te credentibus—Ray. Lull. Liber Natalis
  pueri Jesu, 1310.
Daemonium habes . . . Secundum August. triplex est
  blasphemia—Bern. Sen. Sermo.
Da mihi bibere . . . Mira quippe et admiranda.—Bern.
  Sen. Sermo.
Da mihi intellectum bonum . . . Dum esset quidam
  servus—Bern. Sen. Sermo.
Da mihi intellectum etc. Dionysius de divinis nominibus—
  Gul. Nottingham, Concordia Evangelistarum, prol.
  (Grey Friars).

Da mihi intellectum—Jo. Rodington super Sententias (Wadding).

Damnamus . . . Exposita forma catholicae fidei—Th. Aqu. Expos. decret. (Q.E.).

Da occasionem sapienti . . . Prov. ix. Cum igitur ex levi sepe . . . Haec tibi scribo . . . —Bon., de sex alis Seraphim [*vide* " Prima ala " *et* " De sex alis "].

Da pauperibus meis unum—Ric. Rolle de Hampole de ix. virtutibus revelatis (Tanner).

Date, et dabitur vobis . . . Ad pleniorem intelligentiam—Bern. Sen. Sermo.

Dato prologo istius quartae [quintae] partis—Rog. Bacon, Comp. Stud. Theol. pars v. (Bale).

Datus est ei decor Carmeli—Gul. Bewfu super Sent. (Tanner)—Jo. Hornby Sermo (Tanner).

De abstinentia. Corruptela igitur—Jac. de Voragine Distinctiones. *Laud Misc.* 732.

De abstinentia quae contra ventris—T. Walden in remed. conversorum (Tanner).

De anima quidem secundum [*des.* opere tantum dictum est a nobis]—Alb. Mag. de natura et origine animae.

De anima secundum seipsam—Alb. Mag. de nutrimento et nutrito.

De apertione vii. sigillorum—Jo. Bloxham in Costesy super Apocal. (Tanner).

De arte distinguendi secundo dicendum est qualiter circa distinctiones—Bon., Ars concionandi, Pars ii.

De beata mentis solitudine—Petrus archidiac. Lond., Remediarium Conversorum, praef. *Laud Misc.* 6.

Debentes de vobis—Anon. constit. synodales Norwic. dioec. *Balliol* 301.

Debentes de vobis rationem bonum—Grostete (?) Decreta synodalia (Tanner). *cf. Digby* 99. *Magd. Coll.* 104.

Debes cognoscere quae sunt—Th. Wylton de orat. dom. (Bale).

Debes mundare manus—Rog. Bacon. (?) Necromanciae (Grey Friars).

Debitorem vobis O viri percelebres—Gul. Ivy (?) de Sacerdotio Christi (Tanner).

Debitum est quod sciatur declaratio salutationis—Ray. Lull. Liber de Ave Maria.

Debitum existimavi meum esse—Greg. de Bridlington de arte 'musices (Tanner).

De chronographia id est temporum descriptione locuturi—Mat. Paris, Hist. Minor (Hardy).

De cibis et potibus praeparandis infin.—Jo. Gatesdene de regimine acutorum (Tanner).

Decimo die post ascensionem . . . Quoniam fides Christiana intrepida mente—Ric. de Hampole de Symbolo Apost. (La Bigne).

Decimum Crysopasus Apoc. 21 . . . Jeremias propheta ob causam—Sim. Henton in Aggeum (Tanner).

De coelo autem et mundo [*expl.* intentionis in hac materia] —Alb. Mag. in iv. lib. Arist. de coelo et mundo.

De commendatione Aaron—Nic. Botelesham in Ridevallis (Tanner).

De commixtione et coagulatione—Alb. Mag. de mineralibus libri 5.

De confessione ante sacram. tria sunt videnda—Anon. Liber collationum. *Can. Misc.* 73.

De confessione infirmorum . . . Sic tene quod subtiliter— Joh. de Deo, Hispan. *Laud. Misc.* 112 § 14.

De continua namque conversatione eius et modo vivendi Vita Coelestini V. (B.H.L.).

De contractibus agunt theologi in iv., i.e. Gerson—Anon. *Can. Misc.* 85.

De cultura coelestium praeceptorum—Jo. Baconthorpe, in Epistolas Canon. (Tanner).

De caritativis gradibus . . . Caritas ignis divinus—Jo. Marienwerder Septililium B. Dorotheae (B.H.L.).

Decus et gloria suae gentis b. archiep. Cant. Edm.—Vita Edm. Rich (B.H.L.).

Decus et vitam beatissimi patris nostri Franc.—Th. de Celano Vita I.S.Francisci, prol. (ed. Amoni).

De Decio temptus gladio—Jo. de Hayda Passio B. Laurentii (Tanner).

Dedi coronam decoris capiti tuo—T. Maldon super Jo. Newton (Tanner).

De diffinitionibus sacramenti dicendum quod sacramentum —Anon. in librum iv. Sent. *Magd. Coll.* 35.

Dedi te in lucem gentium—Nic. Gorham. in Pauli Epist. *Laud Misc.* 467.

Dedi te in lucem gentium—T. Walden Sermo in concil. Pisan. (Tanner).

De doctrina nostra theologica—Jo. Clipston Quaest. Sent. (Tanner).

De eo autem . . . Principium vitae in omni vivente est anima—Anon. in libro de longitudine etc. vitae— *Digby* 55.

De eo autem quod est esse—Jo. Baconthorpe de longitudine
etc. vitae (Tanner).

De eo autem quod est causa esse—W. Burley de longitudine etc. *Magd. Coll.* 80.

De eo autem quod est hoc quidem esse—Arist. de longitudine etc. vitae, tr. Gr.-Lat. (Jourdain).

Defectus missae sunt quando—Anon. [*ex* Th. Aqu?]. *Can.
Eccl.* 6.

Deficit in verbo sensus—Jo. Gower, de superbia (Tanner).

Defuncto Willelmo Rollonis filio duce Normannorum
remansit Ricardus—Chron. Angl. *Bodl.* 110.

De generatione autem et corruptione in prohemio—W.
Burley (Tanner).

De generatione autem et corruptione et natura—Arist. tr.
Gr.-Lat. (Jourdain).

De generatione et corruptione et natura generatorum—
Anon. *Digby* 55.

De generatione et corruptione in naturali primo determin-
andum est—R. de Stanington (?). *Digby* 204.

De his apparent simul et—Ric. Billingham Fallaciae
(Tanner).

De horto deliciarum paradisi quatuor.—Alex. Neckam in
Psalt. (Bale).

Dei dona dispensamus—Gul. de Montibus de tropis.
Balliol. 222 (Bale).

De imagine peccati—W. Hylton (Tanner).

De incipere differe et scire—Gul. Mylverley Sophismata
(Bale).

Deinde consideratum est quomodo fit multiplicatio—Rog.
Bacon (?) de radiis solaribus etc. cap. iii. *Digby* 183.

De ista epistola dicit Haymo—Gul. Rothwell, ad Ephesios
(Tanner).

De ista materia chronographus metrice scribens—Rishanger
de jure regis Angl. ad Scot. (Hardy § 512).

Dei verbis carissimi fratres—Rod. Acton, Sermones
(Tanner).

De juventute et senectute de vita et morte nunc dicendum
—Arist. tr. Gr.-Lat. (Jourdain).

De Kantia et de ejus continentia primo—Gul. Boolde,
Catalogus monaster. et castell. Angliae (Tanner).

De matrimonio . . . Seq. de sacramento matrimonii—
Henr. Lector O.M. de sacramentis. *Laud Misc.* 2.

De memoria autem et reminiscentia dicendum—Arist. tr.
Gr.-Lat. (Jourdain).

De miraculis ejus post mortem . . . Transactis aliquot annis post obitum—[Ulfo] Miracula Cathar. Suecicae (B.H.L.).

Demonstratio practicae hujus operis perficiendi—Ray. Lull. de vii aquis ad compon. omnes lapides pretiosos.

De morbis universalibus—Gilb. Leglaeus [Anglicus], Pract. medicinae (Tanner).

De motu autem eo. Dividitur autem iste liber in duas partes—Anon. Expos. libri de motu animalium. *Digby* 44.

De motu autem eo quidem animalium—Arist. de motu animalium tr. Gr.-Lat. (Jourdain).

De motu autem eo qui est—W. Burley de motu animalium. *Magd. Coll.* 80

De natura locorum tractaturi [*des.* celebres habentur]— Alb. Mag. de natura locorum.

De natura scientia fere plurima videtur—Arist. de coelo et mundo, tr. Gr.-Lat. (Jourdain).

De nihilo nihil est et nihil semper erit—Pet. Pateshull, Risus natalicii (Tanner).

De numero annorum ab incarn. Dom. quidam calculator— Anon. circa calculationes (Bale).

De obitu Alfundi filii Regis—Monast. S. Alban: Annales Edw. I. (Hardy 494).

De partibus autem opportunis animalium—Arist. de progressu animal. tr. Gr.-Lat. (Jourdain).

De passione Christi quanti te—R. Kilwardby (Tanner).

De peccatorum agnitione tractatum—Gul. Leic. de Montibus, Spec. poenitentiae (Tanner).

De philosophia inquirenda quaedam continet—Rog. Bourth, *sive* Rob. Russel de Merstone. *Digby* 2.

Depingant alii mundum — Jo. Bapt. Petruccius, Vita metrica Jac. Piceni de Marchia (B.H.L.).

De planctu ludo metrum—Rob. Baston, de Strivelinensi obsidione (Tanner: Bale).

Deponendus est secundum Apost.—Bon. (?) Spec. discipl. ad novitios [*vide* Speculum disciplinae].

De praedicamento relationis quaerunt aliqui—R. Kilwardby *sive* Jo. Driton de natura relationis. *Balliol* 3 (Tanner: Bale).

Deprecemur Dominum hodie et cras—Rob. Bacon Sermones (Tanner).

De primis etc. Docet hic liber—Jo. Baconthorpe in Arist. Meteor. (Tanner).

De primis quidem etc. Iste est liber meteororum in quo
intentio Arist.—Jac. de Sicilia. *Can. Misc.* 424.

De primis quidem igitur causis naturae—Arist. Lib.
Meteorum, tr. Gr.-Lat. (Jourdain).

De primo articulo in libro Mag. Ockam—Jo. Lutterell
Determ. contra Ockham (Tanner: Bale).

De primo notandum quod describitur vitium sub nomine
mali—Jo. Wallensis, Moniloquium, pars i., dist. i.,
cap. i. (Grey Friars).

De primo nota quod fidem R.E. approbant—Reiner O.P.
contra Waldenses, cap. i. (La Bigne).

De principio creationis mundi—Grostete de lapsu etc.
generis humani (Bale).

De principio mundi. In principio erat verbum etc. Sex
diebus—Chron. breve ad coronat. Rob. Bruce
(Hardy § 524).

De problematibus quae sunt circa medicinalia—Arist. tr.
Gr.-Lat. (Jourdain).

De quadam operatione in numeris quae Algorismus—
Anon. *Can. Misc.* 71.

De quaestionibus difficilibus ad theologiam—Th. Aqu.
Dicta super Sent. *Magd. Coll.* 99.

De sacrae Script. sensibus distingui solet quod—Jo.
Stanbery (Tanner).

De sacramento altaris—R. Lavenham contra haeresim Jo.
Purveii (Tanner).

De sacramento corporis Domini—Alb. Mag. de Eucharistia
sermones 32.

De sancto et memorab. patre nostro fratre Jordane—Ger.
de Fracheto, Vitas Fratrum, pars iii. (M.O.P.).

Descendit hic justificatus . . . Dicitur vulgariter, A la
court de roi—Eustacius O.M., Sermo. (Not. et extr. 32).

De scientia quae est de anima praesens tractatus—Gul.
Hothum de anima (Tanner).

Descriptis his figuris—Rog. Bacon, de fluxu etc. maris.
(Wadding: Bale).

Descripturus vitam b. et magnifici viri—Passio Thomae
Comitis Lancast., prol. (B.H.L.).

De sedecim partibus in quas—Anon. in Jeremiam. *Magd.
Coll.* 55.

De sex alis cherubim et interpretationibus earum—*ps.*
Bon. *seu* Alan. de Insulis (?) [*vide* Prima ala, *et* Da
occasionem]. *Laud Misc.* 208.

Desideranti mihi perdiu . . . . Antonio igitur ven. con-
fessori—Sicco Polent., Vita Ant. de Padua (B.H.L.).

Desiderasti a me, carissime, ut aliquid scriberem—Bon. de institut. novitiorum, i. prol. *Laud Misc.* 195.

Desiderata in Dño salutatione . . . regratiamur—Birgerus Epist. de Birgitta (B.H.L.).

Desiderii nostri sagacitati—Jo. Dastin de composit. lapidis pretiosissimi (Tanner).

Desiderium vestrum sanct . . . . Cum praedicationis officium—T. Walleys de modo praedicandi, praef. *Linc. Coll.* 101 (Tanner).

De significationibus est dicendum secundum ordinem literarum—Anon. *Can. Misc.* 95.

De singulis Bibliothecae libris aliquae dictiones—Alex. Neckam (Bale).

De somno et vigilia consideranda sunt—W. Burley (Tanner).

De somno et vigilia considerandum est quid sint—Arist. tr. Gr.-Lat. (Jourdain).

De somno et vigilia pertractantes, perypateticorum—Rog. Bacon (?) de somno et vigilia. *Digby* 190.

De sophismatibus quae non re—Jo. Dumbleton de logica intellectuali (Tanner : Bale).

De sophisticis autem elenchis—Gul. Briton in elenchos Arist. (Wadding).

De sophisticis autem elenchis—Jo. Baconthorpe in Arist. elenchos (Tanner).

De sophisticis autem elenchis—Grostete in Arist. elenchos (Tanner).

De sophisticis autem elenchis . . . Quaeratur an sophistica —Th. Wyk (?), de fallaciis. *Digby* 204; *sive* Gul. Brito (Bale).

De speculorum miraculis volente—Rog. Bacon, de speculis et visu (Wadding : Bale) *sive* Henr. de Southwerk (Tanner).

Despondi vos uni viro virgin.—Grostete Sermo ad clerum (Tanner).

De subjecto hujus artis. Consequenter sequiter, Quid est— Ray. Lull. Canones artis generalis. *C.C.C. Oxon.* 247.

Desuper erat benedictio tua—Jo. Hadun in vesperiis Gualt. Hunt (Tanner).

De syllogismo et syllogismi—Alb. Mag. in viii. lib. Topicorum Arist.

Detectis utcumque parumper—Wyclif Summa Theol: Lib. i. De Mandatis Divinis, pars ii.

Determinato de somno in hac parte determinare intendit
de passione ejus quae est somnium—Th. Aqu. de
somniis (Q.E.).

Determinato prius de somnio et quibusdam propriet. ejus—
Th. Aqu. de divinatione per somnum (Q.E.).

De throno Dei etc. Thronus Dei ecclesia est—Gul.
Durandus, Spec. juridicale. *Balliol* 145.

De totius mundi operibus legisti—Anon. de fide sacram.
altaris. *Laud Misc.* 32.

Detractor dicitur immundus et callidus—Anon. *Bodl.* 400.

De tribus Germaniae populis venerunt Angli—Hen. de
Silegrave Chron. ad 1274 (Hardy).

De Trinitate Dei hoc tenendum est—Anon. *Can. Misc.*
335.

Deum nedum juvenes colent—Jo. Blakeney Jocale
aureum (Tanner).

Deum qui te genuit derelinquisti—Jo. Peckham,
Collectanea Bibliorum (Wadding).

Deum trinum adoremus tres in uno—J. Peckham Sequentia
de Trinitate (Tanner).

De universalibus an subsistant—Jo. Botrell Summulae
logicales (Tanner).

Deus autem qui dives est in misericordia—Bon., Prol. in iii.
Sent.

Deus benedictus creavit mundum—Ray. Lull. Ars
amativa boni.

Deus cum nihil de illo dici digne posset.—Anon.
Summa (?). *Bodl.* 529.

Deus cum tua virtute incipit haec desolatio—Ray. Lull.
de desolatione.

Deus docuit patres nostros enarrare . . . Bercko Grobeling
et—Miracula Dorotheae (B.H.L.).

Deus est aquellens—Ray. Lull. Ars cognoscendi Deum per
gratiam.

Deus et natura nihil frustra—R. Lavenham de causis
naturalibus (Tanner).

Deus excellentissime cuius imperium—Ray. Lull. Liber
de gentili et tribus sapientibus, 1307.

Deus gloriose ad amandum te—Ray. Lull. Applicatio artis
generalis ad varias scientias.

Deus gloriose cum virtute tuae sublimis bonitatis—Ray.
Lull. de secretis naturae seu quintae essentiae.

Deus gloriosissimus Deus altissimus Deus magnus—Ray.
Lull. Liber angelorum de conservatione vitae humanae
et de quinta essentia.

Deus glorios. per . . . . —Ray. Lull. Ars generalis rhythmica, 1300.

Deus in evangelio, qui ex Deo est—Anon. Spec. Christiani. *Balliol* 139.

Deus in sancto via tua . . . Sanctae recordationis Ric.— Rad. Bocking Vita Ric. ep. Cicest. (B.H.L.: Hardy).

Deus in virtute tuae S. Trinitatio—Ray. Lull. Codicillus *aut* Cantilena.

Deus in virtute tua sperantes et de tua gratia confidentes intendimus—Ray. Lull. de probatione xiv. articulorum fidei Cathol. *Bodl.* 465. [*cf.* Quoniam fides est intellectus illuminatio].

Deus misericors [*expl.* Fecimus in S. Catharina Londini 1338]—Ray. Lull. Liber naturae et lumen nostri lapidis.

Deus multipliciter in S.S. videl. essentialiter. — Pet. Canonicus, Pantheologia. *Balliol* 82.

Deus omnipotens cuius nomen benedictum—Ray. Lull. Disputatio fidelis et infidelis.

Deus qui dixit de tenebris lumen . . . Hic est fr. Th. de Aquino—Gul. de Thoco, Vita Th. Aq. (B.H.L.).

Deus qui es clarificatio totius intellectus—Ray. Lull. Ars demonstrativa. *Digby* 192.

Deus qui in Trinitate semper gaudes—Ray. Lull. Opus abbrev. super solem et lunam.

Deus qui summa potestate mundum. . . De clementis: sed cum omnia—Anon. de sanitate etc. *Can. Misc.* 388.

Deus secundum psalmistam. . . In occident. parte Hollandiae—J. Brugman, Vita Lidwigis (B.H.L.).

Deus unus est et contra, in prin.—Gul. Leic. de Montibus, Summa numerorum (Bale).

Deus unus est et hoc natura—Gul. Leic. de Montibus Summa numerorum (Tanner).

Deus visitabit vos et ascendere—Nic. Trivet in Exodum (Tanner).

Deus vult quod laboremus—Ray. Lull. de doctrina puerili.

De uti primo quaeritur cum sit—Gul. Southampton super Sent. (Tanner).

De verbo materialiter [moraliter]—Jo. Thompson in evang. Joh. (Tanner).

De vita et moribus philosophorum tractaturus.—Gualt. Burley. *Can. Misc.* 548.

De vitando consortio consilio colloquioque—Steph. Langton Concord. vet. et nov. Test. (Tanner).

De vitio gulae. Dicturi de singulis vitiis—Gul. Peraldi Lugd. Summa vitiorum.

Dialectica tamen ut dicit Arist.—Rod. Strode de arte logica i.—*Can. Misc.* 219.

Dicebat Jesus turbis . . . Quia hodie incipit officium— Bern. Sen. Sermo.

Dicemus imprimis quia sacramentorum—Gul. Alvern. de sacram. *Linc. Coll.* 70.

Dicendi materiae altitudo—W. Hunt contra Graecorum errores (Tanner).

Dicendum est de singulis vitiis: incipiemus a vicio gulae —Anon. *Bodl.* 677.

Dicendum est de vitiis seu peccatis primo in generali—Jo. Wallensis (?) Tract. de vitiis et remediis eorum. (Grey Friars).

Dicit Apostolus ad Ephesios, Induite vos—Hugo de S. Caro [*ps.* Peckham] Spec. Eccl. de missa. (Wadding: Tanner). *C.C.C. Oxon.* 39, 155, etc. cf. *Magd. Coll.* 109.

Dicit apostolus, Fides est fundamentum—Alex Neckam de symb. Athan. *Rawl. C.* 67.

Dicit apost. Paulus ad Hebraeos—Jo. Baconthorpe in Matth. (Tanner).

Dicit Dominus, Ecce ego [*des.* relinquendo]—Alb. Mag. de sacrificio missae.

Dicite filiae Sion etc. In verbis istis habent praedicatores— [Gul. Peraldi] Sermones. *Magd. Coll.* 60.

Dicite filiae Sion . . . Quasi dicit Deus pater—Anon. Sermones. *Laud. Misc.* 172 [Gul. Peraldi] *Laud. Misc.* 439.

Dicite filiae Sion. Sciendum quod gratia Dei—Jo. Felton Sermones. *Univ. Coll.* 70.

Dicite filiae Sion. Verba ista assumpta sunt a Zach. ix. Dicitur similiter—Nic. de Aquae-Villa Sermones. *Univ. Coll.* 60.

Dicite pusillanimes conforta—Pet. Babyon Sermones (Tanner).

Dicit Esaias, Parate viam Domini—Gul. Leic. de Montibus Spec. poenitentis (Tanner).

Dicit Isaac in libro definit.—Greg. Huntingdon Notulae in Priscian. (Tanner).

Dicit Martha ad Jesum . . . Constat ex fide evangelii— Wyclif, Sermo.

Dicit philosophus saepe hoc accidere . . . Sic Albertus dictus ab alab—Theod. de Aquis, Vita Alberti ord. Carm. (B.H.L.).

Dicitur exemplum quaevis confectio—Jo. Gatesdene de instrumentis suae artis (Tanner).

Dicitur accipiter—Gualt. Margam. abbas de avibus et animalibus (Tanner).

Dicitur his una opinio—Th. Wylton contra P. Aureolum. *Balliol* 63.

Dicitur primo capite quod sicut—R. Lavenham Hist. trium magorum (Tanner).

Dicitur quod divina natura—Ray. Lull. de natura Dei.

Dicitur quod homo de divina natura—Ray. Lull. de divina natura.

Dicitur quod homo in hac vita non possit habere scientiam —Ray. Lull. de essentia et esse Dei.

Dicitur quod in hac vita—Ray. Lull. de essentia et esse Dei, 1313.

Dicitur quod quidam homo Christianus — Ray. Lull. Christiani et Hamar Saraceni disputatio.

Dico majorem Deum illum—Ray. Lull. de Deo majore et Deo minore.

Dico quod sol apparet—Gul. Anglus de magnit. solis (Bale).

Dictionarius ad res explicandas—Jo. Gerland (?) (Tanner).

Dicto de elevatione—Anon. de cordis cissione etc. *Laud. Misc.* 479.

Dicto de linguae exercitio utili—Grostete de officio divino (Tanner).

Dicto de peccatis quibus homo lapsus—Anon. [in iii Sent?]. *Balliol* 85.

Dictum est de dignitate capitis—Jo. Baconthorpe de papae potestate (Bale).

Dictum est de syllogismo in universali—Rog. Bacon in posteriora Arist. (Wadding : Bale).

Dictum est in solutione cujusdam—Wyclif, de commodis convenient. ex reduct. cleri ad ordinem Christi.

Dictum est superius quod tertius tractatus—Wyclif, Opus evangelicum, *sive* De Antichristo pars ii. (?).

Dicturus de oratione suppono imprimis ejus quidditatem— Wyclif, de oratione et ecclesiae purgatione.

Dicturi de singulis [*sive* vitiis]—Gul. Peraldi Summa de vitiis. *Linc. Coll.* 12. *Magd. Coll.* 179.

Dicunt aliqui haeretici pseudo-Christi fermentati—Alvari episc. Silvensis, O.M. Opus contra haereses dictum Collirium. *Magd. Coll.* 4.

Dic ut lapides . . . Juxta id quod Paulus apostolus—Ric. Armach. Sermo. *Bodl.* 144.

Diebus sub eisdem—Monast. S. Alban., Annales Edw. I., (Hardy § 487).

Diem festum transitus glor. virg. Catharinae Senensis—Gul. Angl. ord. herem., Sermo, 1382. *Can. Misc.* 205.

Die quadam cum b. Elizabeth mente devota — S. Eliz. Thuring. Revelationes. *Can. Misc.* 525.

Die quadam devota Christi famula—S. Eliz. Thuring. Revelationes (B.H.L.).

Dies autem appropinquavit. Potest intelligi hoc verbum de quadruplici die—Th. Aqu. Sermones Dominicales (Q.E.).

Dies dominica ab hora—Th. Ringstede de festis sanctorum (Bale).

Die secunda mensis novemb. Salvutius de Rongno—Miracula Rainerii Aret. O.M. (B.H.L.).

Differentiarum idem genus condividendum—Grostete de dispositione motoris . . . de differentiis localibus, *sive* de sex differentiis (Tanner).

Difficiles studeo partes quas Biblia gestat—Gul. Brito. Expos. vocab. Bibl. prol. *Balliol* 11.

Difficultates quae sunt circa totius entis principia—Alb. Mag. de causis et processu universitatis a prima causa, *seu* de summo bono.

Diffinitiones Dei—Ray. Lull.

Diffinitiones. Intervallum est sonigravis—[Jo. de Tewkesbury] Quatuor libri element. Musicae. *Digby* 17.

Dignissimae cujusdam virg. ad Deo praedilectae . . . . Circa annos Dñi 1200—Passio Margaritae Lovanii (B.H.L.).

Dignitas humanae originis—Anon. Collationes quadragesimales sec. usum Eborac. *M.S. Eborac.*

Dii aurei sunt senes—Petrus archidiac. Lond. Pantheol. pars iii. (Tanner).

Dilecta soror in Christo Jesu rogo—W. Hylton Scala perfectionis (Tanner).

Dilecte frater in Christo Domino—W. Hylton de communi vita (Tanner).

Dilecte in Christo frater inter cetera quae mihi scripsisti—W. Hilton de imagine peccati. *Digby* 115.

Dilectis . . . . fratr˙ Bertholdo et omnibus novitiis . . . .
Frater David ˌne proficere — David ab Augusta,
Epistola (La Biˌne).

Dilectis . . . fr. Humbertus . . . salutem. Salvator mundi
cui cura est—Gerard. de Fracheto Vitas Fratrum, prol.
(M.O.P.).

Dilectissime frater in quodam amoris—Th. Merke, de arte
dictaminis (Bale).

Dilecto . . . fratri Bertholdo frater David quod Deo
operante—David ab Augusta Formula Novitiorum,
prol. (La Bigne).

Dilecto . . . fratri Gregorio . . . Antequam loqui incipiam
suspiro—Helias, Epist. de morte S. Francisci (B.H.L.).

Dilecto suo N. Robertus salutem—Grostete de poenitentia
(Tanner).

Dilexit multum . . . Magna nempe est vis amoris—Bern.
Sen. Sermo.

Dilexit nos et lavit etc. Carissimi consuetudo erat—Anon.
Sermo. *Magd. Coll.* 112.

Diligebat Jesus Martham . . . Carissimi, sicut scitis—
Bern. Sen. Sermo.

Diligenter dudum perlegendo considerans—Jo. Hautfuney
Tab. alphab. in Vinc. Bellovac. Spec. Hist.: epistola.
Linc. Coll. 99.

Diligenti indagatione advertimus divinarum—Ger. de
Fracheto, Vitas Fratrum cap. i. (M.O.P.).

Diliges Dominum. Christus docens viam—Anon. Sermo.
Univ. Coll. 60.

Diligenti discretione cautum est—Jo. Ridevallus super
Cantica (Wadding).

Diliges Dominum Deum tuum . . . Secundum enim Nic.
de Lyra—Bern. Sen. Sermo.

Diliges Dominum . . . Inter omnia mandata legis dilectio
Dei—Eustacius O.M., Sermo. (Not. et extr. 32).

Diligite inimicos vestros . . . Satis de divina dilectione—
Bern. Sen. Sermo.

Diligite inimicos vestros . . . Supra in praec. serm.—Bern.
Sen. Sermo.

Dimissa divisione hujus libri—Wyclif, in omnes Novi
Test. libros praeter Apoc. Commentarius.

Dion aurea praeditus lingua—Jo. Phreas [Free], Synesius
de laude Calvitii (Tanner).

Direxit opera eorum in manibus—Gul. Lissy in Jeremiam
(Tanner).

Direxit opera etc. Verba ista scripta sunt Sap. X et dicta
sunt—Guaricius O.P. in Jeremiam. *Nov. Coll.* 40.

Dirigit epistolam suam papae et primo ponit—Fr. Ferrarius
de arte alchemiae extract. *Digby* 164.

Dirigite viam Domini : Joannis I. De duplici via—Ric.
Armach. Sermones ad crucem Pauli (Bale : Tanner).

Discedite a me maledicti . . . . Cum enim secundum
Apost.—Bern. Sen. Sermo.

Disce quid humanum jus—Jo. Everisden, Legum medulla
(Tanner).

Disciplina ad mentem instruendam—Jo. Wallensis (?) de
disciplina (Grey Friars).

Disciplinae claustrali deditus—Th. (?) Wallensis Juris
canon. index *sive* Campus florum (Tanner : Bale).

Disciplina medici . . . Inter figuras animalium—[Nic.
Gorham] super Lucam. *Laud. Misc.* 458.

Discipulus quidam venerabilis — Wyclif, Utrum licet
seculari clerum delinquentem castigare.

Discite a me, etc. Verbum istud est summi Doctoris et
sumitur de Mat. xi.; verbum etiam istud potest esse
perfecti imitatoris Christi—Bon., Sermo de S.
Francisco. cf. *Bodl.* 838.

Dispositiones corporis permutabilis sunt tres—Ray. Lull.
Theorica testamenti.

Dissolveris filia vaga—Jo. Peckham in Cant. Cantic.
(Wadding).

Distantia centri deferentis solaris—Ric. Wallingford
Canones (Tanner).

Distinctiones sunt septem—R. Lavenham de identitate
etc. (Tanner).

Distinctione prima libri secundi agit magister—Rob.
Holcote in ii. Sent. *Balliol* 71.

Distinctio prima ubi quia utrum attributis—Aegid. de
Columna contra Th. Aqu. *Magd. Coll.* 217.

Diuturnitas legendi—Eulogium Hist. (Bale p. 485).

Diversi astrologi secundum diversos—Roger Hereford.
Theorica planetarum. *Digby* 168.

Diversis potentiis et virtutibus diversi—Rob. Kilwardby
in lib. sophist. elench. *Can. Misc.* 403.

Diversos marina discrimina—Anon. in Apocal. (Bale).

Dives et pauper obviaverunt sibi—[Hen. Parker?] Dial. de
X praeceptis (Tanner : Bale p. 472).

Dividitur iste liber in tres partes—Ray. Lull. Liber de
convenientia quam habent fides et intellectus in
objecto (A.D. 1304—08—10).

Dividitur iste liber in tres partes; prima pars est de positione—Ray. Arab. [Lull.?] Dial. inter Christianum et Saracenum, 1308. *Can. Misc.* 298.

Divinae munificentiae praeconia . . . Temporibus istis in quibus tenebrae extant—Epit. Vitae Elzearii de Sabrano (B.H.L.).

Divina gratia quidam homo pauper—Ray. Lull. de Sancto Spiritu.

Divina potentia insuperabilis—[Ray. Lull?] Test. primum Arnaldi de Villa-nova Catalani.

Divina providentia disponente—Gul. Occham (?) de jurisdictione imperatoris in causis matrimonialibus. (Grey Friars).

Dixi ergo in corde—Jo. *seu.* Th. Wallensis in Ecclesiasten. *Laud. Misc.* 345. (cf. Bale).

Diximus de contemplatione, nunc intendere—Ray. Lull. Quomodo contemplatio transeat in raptum.

Dixisti Domine Jesu Christe—Aegid. Rom. de gradibus formarum. *Balliol* 113.

Dixit David filius Isai dixit vir cui—Raim. Capuan. Vita Cathar. Senensis, prol. ii. *Can. Misc.* 182 (B.H.L.).

Dixit Jesus discipulis, Ego sum vitis—Rod. Acton, de communi sanctorum (Tanner).

Dixit Jesus discipulis . . . Quamvis tota vita—Bern. Sen. Sermo.

Dixit Petrus Alfunnus servus Christi Jesu . . . Deus igitur in hoc opusculo—Pet. Alfunni de Proverbiis *sive* Narrationes morales. *Digby* 3.

Dixit Salomon sapientiae cap vii. Deus—*ps.* Rog. Bacon [Joh. de Rupescissa?], de consideratione quintae essentiae. *Digby* 43. *C.C.C. Oxon.* 124.

Dixit sancta mater narrans de se sicut de alia—Gul. Anglic. de S. Cath. Sen. *Can. Misc.* 205.

Dixit Saracenus, Deus altus—Raym. Arab. [Lull.?] Dial. inter Christian. et Saracen. de fide, etc. *Can. Misc.* 298.

Docet nos Dominus Jesus Christus—Wyclif super oratione dominica.

Doctoribus populi has virtutes esse—Anon. in iv. lib. Regum, praef. *Can. Eccl.* 186.

Doctoris gentium et magistri Beati Pauli—Gul. Occham, Opus nonaginta Dierum, prol. (Grey Friars).

Doctor meus reverendus et magister specialis dominus Outredus—Wyclif, contra Magist. Outredum monachum determinatio.

Doctor quidam veritatis—Wyclif, de responsione cujusdam
    doctoris.
Doctorum fuerat consuetudo semper—Th. Bromius Encom.
    S. Script. (Tanner).
Doctrinam de gradibus intendimus triplicem—Bern. de
    Gordonio. *Can. Misc.* 411.
Doctrinam quasi etc. Doctrina quae est—Alb. Mag.
    in Danielem.
Doctrinam salvatoris nostri—T. Walden de sacramentalibus
    [= Lib. vi. doctrinalis eccl.] (Tanner).
Doctrina viri per patientiam . . . Tanguntur in verbis
    istis quatuor—Anon. Postill. in Job. *Can. Eccl.* 110.
Doctrinis variis et peregrinis—Jac. Carthus. de potestate
    demonum etc. *Laud. Misc.* 586.
Doctrinis variis et peregrinis; Regalibus jussis—T.
    Walden de sacramentis [= Lib. v. doctrinalis eccl.].
    Linc. Coll. 106 (Tanner).
Dogmatum perversorum quae Joh. xxii.—Gul. Occham.
    Tract. contra Benedict. xii. (Grey Friars).
Dolentes quaerebamus te . . . Quanto res aliqua quae
    perdita est—Eustacius, O.M. Sermo. (Notices et extr.
    32).
Dominae rev . . . Hawidi . . . officium personae—Th.
    Cantiprat. vita Liutgardis, prol. (B.H.L.).
Domine Deus humilis—Ray. Lull. de excusatione.
Domine Deus noster Moysi servo tuo de tuo nomine—Duns
    de primo principio, cap. i.
Domine, dilexi decorem . . . Jam ad Sacros dies—Bern.
    Sen., Sermo.
Domine Jesu Christe illumina [*des.* visionem]—Alb. Mag.
    Orationes super iv. libros Sentent.
Domine Jesu Christe qui pro [*des.* iniuriarum]—Alb. Mag.
    Orationes etc.
Domine mi rex, ex quo respublica tibi committitur—Simon
    Islip, ad Edw. III. *Digby* 172 (28).
Domine mundi etc. Cogito et cogitavi temporibus—R.
    Bacon, de sanitate, prol. *Can. Misc.* 334, 480.
Domine mundi ex nobilissima stirpe . . . Senescente
    mundo—Rog. Bacon, de retardandis senectutis acci-
    dentibus, etc. (Grey Friars).
Domine non sum dignus . . . . Audiam . . . . Verba ult.
    cantata fuerunt nocte—Barth. Turon. O.P. Sermo
    (Notices et extraits 32).
Domine, puer meus jacet . . . . Necessitatem patientis—
    Bern. Sen. Sermo.

Domine, puer meus . . . Supra vidimus—Bern. Sen. Sermo.

Domine, quoties peccabit in me frater . . . Mira siquidem est—Bern. Sen., Sermo.

Domine recogitabo omnes annos meos—Utred Bolton Meditationes (Tanner).

Domine si in tempore hoc—T. Walden Sermo coram Sigismundo (Tanner).

Dominica ante octavam Martini post matutinas—De Morte Eliz. Thuring. (B.H.L.).

Dominici adventus tempus quater—Ph. Repingdon Sermones (Tanner).

Dominicus ord. praedicat. dux et fundator inclitus—P. de Natalibus Vita Dominici (B.H.L.).

Dominicus ord. praedicat. dux et pater inclitus—Jac. de Voragine Vita Dominici (B.H.L.).

Dominicus qui [Dñi] custos vel a Dño custoditus—Barth. Trident. Vita Dominici (B.H.L.).

Domini est assumptio nostri—Gul. Leic. de Montibus Sermones (Tanner).

Dominis suis et amicis in Christo—Adam Cisterc. Dial. inter rationem et animam (Tanner).

Domino patri carissimo P. Dei gratia Portuensi episcopo Lotharius . . . Modicum otii quod--Innoc. III. de contemptu mundi prol. (Migne).

Dominum autem Edwardum regem non rubeum—Jo. de London. de morte Edw. I. (Hardy § 546).

Dominum Deum tuum adorabis . . . Positis Christianae religionis op.—Bern. Sen. Sermo.

Dominum Deum tuum adorabis . . . Satis, ut puto.— Bern. Sen. Sermo.

Dominum Deum tuum adorabis . . . Tanta nempe est nequitia—Bern. Sen. Sermo.

Dominus ac redemptor noster—Pet. Babyon in Matth. (Tanner) seu Grostete de resurrectione (Tanner).

Dominus ac salvator noster apostolos—Vita Eliz. Thuring. prol. i. (B.H.L.).

Dominus ad judicium veniet. Praemittebatur oratio.—Ric. Armach. Sermones ad clerum (Tanner). Nov. Coll. 90.

Dominus aperiat mihi ostium—Jo. Milverton de fidei symbolo (Tanner).

Dominus assumpsit me—Jo. Hadun in ep. Paul. ad Hebr. (Tanner).

Dominus et redemptor noster fratres carissimi—Anon. Postill. in Evangel. *Rawl. C.* 14.

Dominus in coelo paravit sedem. Coelum dicitur a celando —Grostete, de lingua (Tanner). *Linc. Coll.* 56.

Dominus in evangel. Qui est ex Deo Dei verba audit— Anon. de X mandatis. *Rawl. C.* 19.

Dominus noster Jesus aeternus—Grostete (?) Sermo. *Exon. Coll.* 21.

Dominus noster J. C. aeterni patris filius de sanctissimo— Anon. de officio pastorum. *Bodl.* 52.

Dominus noster J. C. in die palmarum—[Bon. (?) *sive* Bernardi?] Meditationes. *Linc. Coll.* 101.

Dominus papa Innocentius bon. mem. volens mores scire terrarum—Jac. de Vitriaco Hist. Orient. Lib. iii. (M. et D.).

Dominus petra mea . . . Artes et scientiae—Henr. de Stethin super lib. Sap. *Laud. Misc.* 562: *sive* R. Holcot. *Balliol* 27 .

Dominus potest facere omne quod fieri vult — Gul. Occham, Defensorium Logices—(Grey Friars).

Dominus rex fuit apud Wintoniam . . . 1251—Mat. Paris Continuat. Hist. (Bale).

Domum tuam . . . —Grostete Sermo (Tanner).

Domus impleta est . . . loquente primo de amore officioso —Bern. Sen. Sermo.

Domus impleta est . . . Triplex est enim odor—Bern. Sen. Sermo.

Domus mea domus orationis . . . Dicit philosophus quod qui accipit—Eustacius O.M., Sermo (Not. et extr. 32).

Dona Dei dispensamus pulsantibus—Gul. Leic. de Montibus, Tropi (Tanner).

Dona eis, Domine, requiem semper—Wyclif, de purgatorio piorum.

Duabus igitur partibus expeditis postremo qualiter in dilatando—Bon., Ars concionandi, Pars iii.

Dubia in vestra epistola contenta mihi sunt tam difficilia— [Th. Fishburn] Tract. de conscientia scrupulosa. *Digby* 115 (Tanner).

Dubia subscripta moveri possunt—Ric. Snetesham (Tanner).

Dubitatum est a me frequenter—Jo. Gerson de pollutione nocturna. *Univ. Coll.* 42.

Dubitatur an aliqua [actus sit] prioritas—Jo. Chilmark (Tanner). *Nov. Coll.* 289.

Dubitatur quando apostoli fuerunt—Gul. Woodford de dignitate sacerdotii. (Tanner).

Dubium apud multos esse solet—Th. Aqu. de mistione elementorum (Q.E.). *Sive* W. Burley (Tanner).

Dubium est utrum aliquod est aggregatum—Jo. Chilmark. *Nov. Coll.* 289.

Dubium est utrum omnis motus verus — Misin (de Coderonco) de tribus praedicamentis Hesberi. *Can. Lat.* 278.

Dubium est utrum regnum Angliae—Wyclif, Ad quaesita regis et concilii.

Dubium in materia de religione—Gul. Woodford Tract. contra Wyclif (Wadding).

Ductus est Jesus . . . Inter cetera necessaria—Bern. Sen. Sermo.

Ductus est Jesus in desertum—Rob. Holcote Sermones (Tanner).

Dudum conflictu vexatus — T. Langley Epigrammata (Tanner).

Dudum expletis lectionibus—Gul. Occham, Major Summa Logices (Wadding).

Dudum felicis recordationis—Ric. Armach. de paupertate Chr. ad Innoc. VI. (Tanner).

Dudum me frater et amice . . . Omnes logicae tractatores —Gul. Occham, Summa Logices. (Grey Friars).

Dulcis memoriae fr. Conradus olim mag. domus theutonicae—De Conrado Landgravio (B.H.L.).

Dulcissime Domine expectans expectavi diutius—Adam Eston (Bale).

Dum amabilem caritatem . . . Cum itaque idem frater Peregrinus—Simon Camaldul. Revelationes Peregrini erem. Camaldul. (B.H.L.).

Dum anima quaedam nimium anxia—S. Cath. de Senis, Dial. de providentia Dei. *Can. Misc.* 205.

Dum die quadam corporali manuum—Adam. Carthus. Scala claustralium (Tanner).

Dum essem una die occupatus—Adam. Carthus. (Bale).

Dum fides nos doceat malum quodlibet—Wyclif, de peccatis fugiendis.

Dum in actis . . . canonizationis . . . perlegerem . . . De humilitate itaque—Barthold. Vita Birgittae (B.H.L.).

Dum in cubili strato meo corpore—Ray. Lull. de intentione prima et secunda.

Dum in ecclesia mea quietus residerem—Rad. Acton. Sermones: praef. *Linc. Coll.* 112.

Dum infra me tacitus cogitarem—Aegid. Rom. de anima. *Balliol* 119.

Dum juvenes nati reputo . . . . Morales nati quas vobis lego legatis—Belini Bixoli Mediol. Liber Legum Moralium. *Can. Lat.* 112.

Dum juvenis crevi ludens nunquam requievi—Jo. Peckham (?) (R.S.).

Dum praecelsa meritorum insignia—T. Scrope Privileg. papal. ord. Carm (Tanner).

Dum repeterem nuper animo Eustathi frater id quod saepius soleo—Maph. Vegius Dialogus etc.(La Bigne).

Dum sacrae hist. et ss. virorum . . . Porro vir ven. iste propria patria—Pet. Dominicus de Baona, Vita Henr. Baucen. (B.H.L.).

Dum sederem sub umbra—Anon. Dial. de gradibus munditiae cordis. *Can. Eccl.* 92.

Dum sol in ariete et Phoebus—G. Ripley de putrifactionibus (Bale).

Duobus annis antequam mihi commendaretur—Conrad Marburg. de vita Eliz. Thuring. (B.H.L.).

Duobus modis convenit in hoc libro—Ray. Lull. de infinito esse.

Duodecim prophetarum ossa—Alb. Mag. in prophetas xii. minores.

Duodecim pullulant de loco suo—Steph. Langton in Oseam (Tanner).

Duodecim syllogismos—Ray. Lull. de duobus actibus finalibus.

Duo praeclara divinae pietatis dona—Alex. de Esseby Liber festivales (Bale).

Duo quaesita sunt; primo utrum id primum retribuatur—Sim. Tornac. Disputationes cii. *Balliol* 65.

Duos quoque fratres bb. pater Franciscus . . . destinavit —Passio Jo. et Petri O.M. (B.H.L.).

Duos tactus possidens—Rob. Handlo Regulae musicae etc. (Tanner).

Duo sunt genera haereticorum de quibus foret Anglia expurg.—Wyclif de duobus generibus haerticorum.

Duo sunt mandata Dei praecipua—Jo. Peckham in X praeceptis (Wadding). cf. *Rawl. A.* 423.

Duo sunt sacramenta praecipua in quibus—Wyclif de Eucharistia et Poenitentia, *sive* de Confessione.

Duo transmisi genera scripturarum—Rog. Bacon Opus Tertium. *Univ. Coll.* 49.

Duo viri—Ray. Lull. de adventu Messiae contra Judaeos.

Duo viri tamquam piratae injuste—Miracula Birgittae (B.H.L.).

Duplex est abstinentia—Gul. (?) Parisiensis, Distinctiones, sive summa de virtutibus etc. *Bodl.* 400. cf. *Can. Misc.* 530. *Rawl. D.* 899. *Linc. Coll.* 97. [*Sive* Gilbert. Magnus : Tanner].

Duplex est abstinentia detestabilis et laudabilis—Nic. Byard Summa de abstinentia (Q.E.).

Duplex est dòctrinae genus—Gir. Cambr. Gemma Eccles. prooem 1. (Hardy).

Duplex est potentia, sc. activa—W. Burley de sensu etc. *Magd. Coll.* 146.

Duplici autem virtute existente—Arist. Ethica vetus (Jourdain).

Dupliciter contingit significare rem—Rob. Kilwardby super lib. de Interpretatione. *Can. Misc.* 403.

Dux fuisti in misericordia—Th. Colby de sinceritate ecclesiae (Tanner).

Dux Lovaniae Leodium vastat—[ex Rad. Coggeshall] Libellus de motibus Anglic. sub Johanne (Hardy).

Dux virginitatis tu es—Ric. Maidstone, Sent. (Tanner).

E

Earum quae sunt in animalibus partium—Arist. de hist. animalium (Jourdain).

Ebrietas hic interpretari potest—Simon Henton in Joel (Tanner).

Ebrios in flumine (?)—Edm. Lacy de quadruplici sensu S. Script. (Tanner).

Ecce ancilla Domini . . . Etsi cum Propheta teneamur— Bern. Sen., Sermo.

Ecce ancilla Domini . . . Sicut b. Virgo . . . habet quinque—Anon. Angl. Sermones. *Magd. Coll.* 79.

Ecce ancilla Domini . . . Ut vere et digne verbis gloriosi Bernardi—Bern. Sen. Sermo.

Ecce carissime singulis festis—Jo. Peckham, de ratione diei dominicae (Wadding).

Ecce descripsi . . . Prov. xxii.—N. de Lyra, super Parabolas Salomonis. *Bodl.* 251.

Ecce descripsi eam tibi tripliciter; ergo—H. de Costesay, Com. in Apoc. (Wadding) [cf. Rad. de Diceto in Sapientia : Tanner].

Ecce descripsi etc. Cum omnis scientia debeat gerere—
R. de Twyford, Itin. mentis ad Deum. (Bale).

Ecce dies veniunt . . . Quia ista est ultima dominica—
Wyclif, Sermo.

Ecce dies veniunt Scoti sine principe fiunt—Carmen de
Balliolo rege (Hardy).

Ecce ego ad te venio dicit—T. Maldon Sermones 36
(Tanner).

Ecce ego laetabo etc. Sicut dicit egregius doctor Augustinus
—Anon. super Cantica, prol. *Balliol* 21.

Ecce ego Johannes vidi angelum . . . Aliqua in ista
epistola—Wyclif, Sermo.

Ecce ego mitto vobis Heliam—Rob. Bale, Vita Heliae
prophetae (Tanner).

Ecce ego vobiscum sum . . . Magna profecto gratia—
Bern. Sen. Sermo.

Ecce homo erat in Hierusalem—T. Maldon Sermones 34
de B.V.M. (Tanner).

Ecce inimici tui sonuerunt—Th. Aqu. contra impugnantes
religionem. *Bodl.* 674 (Q.E.).

Ecce manus missa est ad me—Th. Aqu. in Threnos Hierem.
(Q.E.).

Ecce nunc tempus—Simon Islip Sermones (Tanner).

Ecce nunc tempus acceptabile—Nic. Cantilupe Sermones
(Tanner).

Ecce nunc tempus acceptabile, Utilis est consuetudo—Rob.
Holcote Sermones (Bale).

Ecce populus . . . Philosophus libro viii. de animalibus—
Th. Wallensis super lib. Exodi. *Laud. Misc.* 345.
Nov. Coll. 30. *Magd. Coll.* 203.

Ecce quam bonum—Grostete (?) Sermo. *Exon. Coll.* 21.

Ecce quam bonum . . . Ad evidentiam dicendorum—
Bern. Sen. Sermo.

Ecce quam bonum . . . Jam ad tertium Beatorum—Bern.
Sen. Sermo.

Ecce rex tuus . . . In hiis verbis notantur duo—Anon.
Sermones. *Laud. Misc.* 177.

Ecce rex tuus . . . In hiis verbis propheta consolabatur—
Peregrini O.P. Sermones. *Laud. Misc.* 400, 506.

Ecce rex tuus venit tibi . . . Tria etenim solent homines
—Bern. Sen., Sermo.

Ecce sanus factus es . . . Tractaturus hodie de amore . . .
vigorosus—Bern. Sen., Sermo.

Ecce servus meus etc. Dicebatur hodie ad commendationem
istius sancti viri—Bon., Collatio de S. Francisco.

Ecce servus meus, suscipiam etc. Is. xlii. Quis putas est
fidelis etc. Verba ultima sunt in Matthaeo—Bon.,
Sermo de S. Francisco.

Ecce servus meus etc. Secundum principalem intelligentiam
—Bon., Sermo de S. Francisco.

Ecce sponsus venit—Henr. ab Oxonio, Sermones festivales
(Wadding : Bale).

Ecce veniet desideratus etc. Sancti patres—Bon. (?)
Sermones.

Ecce videntes [*Des.* iniquitatis nostrae]—Alb. Mag.
in Threnos Jeremiae.

Ecce videntes clamabunt—Gul. de S. Amore Tract. de
periculis novissimorum temporum (Bale). *Balliol*
149 *(anon).*

Ecclesiae sacrae normam modulans—Jo. Gerland. de
accentibus (Tanner).

Ecclesia magna valde ab introitu—Jo. Hickeley de
potestate ecclesiae (Tanner).

Ecclesia militans potuit olim—Wyclif, Errare in Materia
Fidei quod potuit Ecclesia milit.

Ecclesia sancta celebrat—Grostete (?) Sermo. *Exon.
Coll.* 21.

Ecclesia sanctae trinitatis apud Cantuar.—Mat. Westmonast. de fundatoribus ecclesiarum per Angliam
(Bale).

Ecclesiaste ultimo, verba sapientum—Willelmus (?) super
symbolum Apost. *Oriel Coll.* 24.

Eclipsim solis quantitatem et diu—Lud. Kaerleon
(Tanner).

Editio fratris Rog. Bacon super instructione totius artis
alchymiae—R. Bacon. *Digby* 119.

Edwardus filius Edwardi post conquaestum tercius
adolescens—Anon. Chron. Angl. ad 1416. *Magd.
Coll.* 69.

Edwardus post conquaestum primus—Monach. Malmesbur.
Vita Edw. II. (Hardy § 664).

Edwardus regis Angl. Henrici III. ex Alianora filia
comitis Provinciae—Chron. (Hardy § 540).

Edwardus III. rex Angl. transivit—Jo. Harding de jure
Ed. III. et Hen. V. ad regnum Franciae (Tanner).

Ego autem puto illum suo vivere—Petrus canon. S. Trin.
Lond., Pars i. Pantheologi (Bale).

Ego Johannes praedictus—Jo. Arderne, Practica Chirurgiae
(Bale).

Ego cum sim pulvis et cinis—Th. Palmer de originali peccato (Tanner). *Merton* 68.

Ego examino meipsum—Jac. de Falerono. *Can. Misc.* 525, f. 181.

Ego ex ore altissimi—Alb. Mag. in iv. lib. Sent.

Ego fili carissime tuis adquiescens precibus—[Bern. de Gordonio?] Modus medendi. *Oriel Coll.* 4.

Ego in medio etc. Ad hoc quod sermo praedicatoris—Anon. Sermones. *Merton* 239.

Ego Joannes a Rure Deum verum pre.—Wyclif(?) Joannes a Rure contra fratres.

Ego Lucas Archiep. Cusentinus anno ii. pontif. dom. nostri pp. Lucii—Vita Joachim ab. Florensis (B.H.L.).

Ego Nicolaus rogatus a quibusdam in practica studere volentibus—Nic de Horsham, Antidotarium. *Digby* 29, 43.

Ego quos amo . . . In quibus sacris verbis tres amores—Bern. Sen. Sermo.

Ego Raymundus—Ray. Lull. de aquis et oleis.

Ego sapientia effudi flumina—Th. Aqu. in i. Sent. (Q.E.).

Ego sum alpha etc. Quia secundum doctrinam b. Dionysii —Fr. de Mayronis in ii. Sent. *Balliol* 70.

Ego sum creator coeli et terrae unus in Deitate—Pet. Olavii Revelationes S. Birgittae. *Balliol* 225.

Ego sum lux mundi . . . Nemo quippe vere hoc—Bern. Sen. Sermo.

Ego sum lux mundi . . . Propter tria invenimus—Bern. Sen. Sermo.

Ego sum pastor bonus. Jo. x. Filius Dei volens ostendere —Grostete Sermo (Tanner).

Ego sum pastor bonus . . . In quibus sacratis verbis septem—Bern. Sen. Sermo.

Ego sum, qui loquor tecum . . . . In quo eloqiuo notatur septima flamma—Bern. Sen. Sermo.

Ego sum via veritas et vita—Rob. Walsingham Determ. S. Script. 44 (Tanner).

Ego sum via veritas et vita—Jo. de Eboraco Praeconia S. Script. (Tanner).

Ego sum via veritas et vita. Hic ipsa veritas—Grostete de veritatibus (Tanner). *Exon. Coll.* 28. *Linc. Coll.* 54.

Ego sum vitis vera—Bon. (?) [*sive* S. Bernardi?] Vitis mystica, *sive* Tract. de passione Domini.

Ego sum vitis vera. Ipso Dom. J. C. adjuvante videamus —Anon. de vera vite. *Univ. Coll.* 42.

Ego vado . . . Quia omnia tempus—Bern. Sen. Sermo.

Ego visiones multiplicavi—Anon. Glos. in Josua., prol.
Can. Eccl. 186.

Ego visiones quasdam quas in—Steph. Langton in Josuam
(Tanner).

Effundum de spiritu . . . Dictum est in primo sermone—
Steph. Norman, O.P. Sermo (Not. et extr. 32).

Effundam de spiritu . . . Repleti sunt . . . Sicut navis
in medio maris—Steph. Norman, O.P. Sermo (Not.
et extr. 32).

Egredietur virga de radice Jessae—Grostete Sermones 37
(Tanner) [*et* Alex. Neckam (Bale)].

Egredietur virga etc. Sacro inspiratus flamine—Bon.
Sermones.

Egressus est Jesus . . . Hodie oportet uti novo—Bern.
Sen. Sermo.

Egressus Jesus secessit . . . Inter cetera necessaria in
op.—Bern. Sen. Sermo.

Eia nunc milites—Gerardus frater Vitae Communis, [*ps.*
Bon.] de pugna spirituali contra septem vitia
capitalia.

Eis qui sacras literas didicerunt et in thesauro—Guib. de
Tornaco de officium Episc. cap. i. (La Bigne).

Ejice ancillam . . . . Dictum est in sermone praec.—
Bern. Sen. Sermo.

Elegi David servum meum—Gilb. de Tornaco, Sermones
(Wadding).

Elegit sibi David—Anon. Glossae in Num. praef. *Can.
Eccl.* 186.

Elementalis enim figura quatuor—Ray. Lull. (?) de iv.
elementis. *Bodl.* 465. *Digby* 85. [*cf.* Elementa
sunt quatuor].

Elementa sunt corpora—Marsilii de S. Sophia Quaestio.
Can. Misc. 177.

Elementa sunt quatuor principia—Ray. Lull. super figura
elementari.

Elevata est magnificentia tua . . . Ad laudem b. et glor.
V.M. dictam—Anon. Serm. *Can. Misc.* 518.

Elevata est magnificentia . . . Praeclara profecto solemnitas—Bern. Sen. Sermo.

Elizabeth interpretatur Deus meus cognovit . . . Eliz.
illustris Ungariae regis filia—Vita Eliz. Thuring.
(B.H.L.).

Emitte agnum domine—Jo. Somerton Sermones (Bale).

Enoch . . . Vobis quam fideliter . . . Fuit quidam Jesse —*ps* Enoch Patriarcha Hieros. Vita Angeli Ord. Carm (B.H.L.).

Ens simpliciter absolutum—Ray. Lull. de ente etc. 1312.

Eodem anno . . . cum essem Bononiae in studio—Thom. Archidiac. Spalat. Testim. de S. Fr. (B.H.L.).

Eodem anno [1259] rex Angl. Henr. tertius—W. Rishanger, contin. Mat. Paris. Hist. (Hardy).

Eodem anno petiit et obtinuit—Annales Edw. I. (Hardy).

Eodemque tempore b. Franciscus . . . . Hic quondam in vallis Spolet. finibus . . . negotiator—Vinc. Bellov. Epit. vitae S. Fr. auct. Julian Spir. (B.H.L.).

Eo enim quod Deus in sanctis—T. Scrope de S. patribus Ord. Carm. (Tanner).

Eo namque die quo sacrum et s. corpus—T. de Celano Vita S. Francisci I. iii. [Miracula].

Ephesii sunt Asiani. Epistolae argumentum—Th. Docking in Ephes. (Wadding : Bale). *Balliol* 30.

Epistolae Pauli ad Galatas permittitur—Th. Docking *Magd. Coll.* 155. *Ball. Coll.* 30. (Wadding : Tanner).

Epistola haec dividitur in partes tres—Gul. Rothwell, Epist. Pauli ad Corinth. (Tanner : Bale).

Epistola haec prima dicitur ad—Jo. Baconthorpe ad Thessalonicenses (Tanner).

Equa impraegnata si odoraverit—Rob. Rose de animalibus (Tanner).

Erat dies festus . . . In omni pugna—Bern. Sen. Sermo.

Erat enim ventus contrarius . . . Multa enim molesta—Bern. Sen. Sermo.

Eratis sicut oves . . . Quae quidem verba possunt—Bern. Sen. Sermo.

Erat Jesus ejiciens . . . In fine evangelii dicitur : Beati qui audiunt—Barth. Turon. O.P. Sermo (Not. et extr. 32).

Erat Jesus ejiciens daemonium . . . In praec. tractavimus de duabus alis—Bern. Sen. Sermo.

Erat Jesus ejiciens . . . Inter omnia necessaria duci—Bern. Sen. Sermo.

Erat navis . . . In hodierno evangelio ad evident.—Bern. Sen. Sermo.

Erat navis in medio mare . . . Jam in praec. serm. tribus op.—Bern. Sen., Sermo.

Erat pascha . . . Heri diximus de Christi passione—Bern. Sen. Sermo.

Erat quaedam mulier in civitate Sulmona—Miracula
Coelestini V. (B.H.L.).

Erat quidam languens . . . Inter cetera quae civitates—
Bern. Sen. Sermo.

Erat vir in territorio Borboniensi—Miracula Will. ep.
Bituric. (B.H.L.).

Erat Willelmus Dunelm. episcopus—Gauf. de Coldingham
de statu eccles. Dunelm. (Hardy).

Erit in novissimis diebus etc. (Is. ii., 2) Spiritus sanctus
laudem b. Virginis sub variis—Bon., Sermo.

Eructavit cor meum etc. Inter multas et varias—Aegid
de Columna de septem laudibus divinae sapientiae.
Merton 137. *Magd. Coll.* 21.

Erudi filium tuum ne desperes—Rob. Rose in Epist. Pauli
ad Titum (Tanner).

Erudire Hierusalem ne forte recedat anima mea—Humb.
de Romanis Spec. Religiosorum prol. (La Bigne))

Erunt signa etc.—Jo. Beston. Sermones (Tanner).

Erunt signa etc.—Rob. Holcote Sermones (Tanner).

Erunt signa in sole et luna—Grostete, Sermones elegantes
(Tanner).

Erunt signa . . . Carissimi in Chr. Dom.—Ric. Kylington,
Sermo (Tanner).

Erunt signa etc. Pro hujus sancti et sacri evangelii
historiali declarationes—Anon. Sermones. *Can. Misc.*
433.

Erunt signa in sole etc. Requirentibus discipulis—
Grostete Sermo. *Exon. Coll.* 21. (Tanner).

Erunt signa etc. Sciendum est quod duo sunt inter alia
quae retrahunt—Ph. de Monte Calerio *sive* de Janua,
Sermones. *Laud. Misc.* 411.

Erunt signa in sole . . . Signorum tria sunt genera—
Galf. Hardeby (?) Sermo. (Tanner).

Esaias propheta magnus in—Gul. de Hamtona *sive*
Southampton Postill. in Esiam (Tanner : Bale).

Escam dedit timentibus se . . . Sentio ad suscipiendum
Dom.—Bern. Sen. Sermo.

Escam dedit timentibus se . . . . Sequitur tertia pars—
Bern. Sen. Sermo.

Esse Dei vocamus—Ray. Lull. de Esse Dei, 1300.

Est amor in glosa—Jo. Gower de amoris varietate (Tanner).

Est autem haec—Ray. Lull. Practica brevis super artem
brevem, *vel* super Tabulam generalem.

Est autem sacerdos vir veri Dei—Anon. Instructiones
sacerdotum, libb. vii. *Magd. Coll.* 10.

Est autem triplex calumnia—Anon. in Isaiam. *Magd. Coll.* 55.

Est Dei vocamus id quod ipse Deus est—Ray. Lull. Liber de 'est Dei.' cf. *Can. Misc.* 141.

Est dubitatio utrum lineam componam ex punctis—Gul. [de Mara?] Quaestiones tres philos. *Can. Misc.* 226.

Est ergo dictamen—Th. de Capua Summa artis dictaminis. *Oriel Coll.* 54.

Est enim haec speciosior, etc. In verbis istis Imperatrix gloriosa—Bon., Sermo.

Est enim mea intentio in hoc opere—Jo. Baconthorpe, in metaphys. Arist. (Tanner).

Est in primis satis probata veritas—Hieron. de Utino Vita Jo. de Capistrano (B.H.L.).

Est in Thuringia coenobium quoddam, Reynersbrunnen— Apparitio S. Eliz. Thuring (B.H.L.).

Est introitus interior—Grostete Memoriale (Tanner).

Est itaque quasi lumen signorum—Anon. de virtutibus etc. *Balliol* 83.

Est multum aptum et adoptabile—Ray. Lull. super psalm. Quicunque vult.

Est namque ut fertur in regno Portugal. civitas—Vita Ant. de Padua (B.H.L.).

Esto fidelis . . . Praeclara caritatis—Bern. Sen. Sermo.

Estote misericordes . . . Servus qui in multis—Bon., Sermo (Not. et extr. 32).

Est quaedam celestis machina sphaera—Transl. de Arabico a Ger. Cremon. *Digby* 45.

Est quaedam mensura fidei—*ps.* Th. Docking, in Praecepta Decalogi (Wadding : cf. Grey Friars).

Est sciendum quod quaedam consu.—R. Lavenham syntagmata (Tanner).

Est statutum prandendi tempus—Barth. Florarius de ab-stinentia (Tanner).

Et alia plura—Jo. Peckham Theorica planetarum (Wadding).

Et animalium quaedum communicant in membris— Michael Scot. Abbreviatio Avicennae super Arist. de animalibus. *Con. Misc.* 562.

Et cum vespera esset facta egrediebatur de civitate Dominus tantae paupertatis—Anon. de passione Dom. *Can. Misc.* 528.

Et erit gloria Jacob : supple scil.—Anon Glos. in Deut. prol. *Can. Eccl.* 186.

Et erit tanquam lignum . . . Jam appropinquamus mysteriis—Bern. Sen. Sermo.

Et misericordia motus est . . . Haec est materia singularis —Bern. Sen. Sermo.

Et misit illum . . . . Filius prodigus missus fuit—Bern. Sen. Sermo.

Et nunc virtute vestri—Gul. de Monte Landuno Sacramentale, prol. *Balliol* 83.

Et perspectivae diligenter specul.—Grostete de iride (Tanner).

Et perspectivae et philosophiae est specul.—Grostete de iride (Tanner).

Et primo fili tibi dicemus—Ray. Lull. Practica lapidum pretiosorum.

Et quicumque hanc regulam—Ubert. de Casale. (Knoth, Ubertino von Casale.).

Et quidem ad istius quaestionis declarationem—Fr. de Mayronis de obedientia. *Balliol* 70.

Et quidem ad istius quaestionis declarationem—Fr. de Mayronis de regno Siciliae. *Balliol* 70.

Et quies ab actu sentiendi—Hen. Renham de somno et vigilia (Tanner).

Et relatione vestrae sanctae devotionis—Ric. Armach. de erroribus Armenorum. *Linc. Coll.* 18.

Et sedebit . . . --Grostete Sermo (Tanner).

Etsi apud plurimos nostrum fratres dilectissimi—Anon. Epist. de contemnenda peste. *Univ. Coll.* 53.

Etsi multo jam temporis—Gul. · Ivy (?) de sacerdotio Christi (Tanner).

Etsi multorum scriptorum in philosophia—W. Burley in Arist. Ethic. prol. *Oriel* 57.

Etsi non dubito ven. patres . . . Natus est igitur L. Venetiis—Bern. Justinian, Vita Laur. Justiniani patr. Venet. (B.H.L.).

Etsi non ignorem optione senior . . . Cum A.D. 1454—Jo. de Tagliacotio, de Jo. de Capistrano (B.H.L.).

Et summa regiminis universalis est hoc ut dicit Avicenna— Rog. Bacon (?). *Bodl.* 438.

Et ut intentio nostra sub aliquibus certis limitibus—Th. Aqu. Summa theologiae i.

Et ut per omnia fides et mores—Jo. Baconthorpe, Comp. legis Christi (Tanner).

Et vidi, et ecce Agnus . . . Et loquitur de regno Dei— Bern. Sen. Sermo.

Euge serve bone et fidelis—Petrus Archidiac. Lond. Pantheol. partis iv. praef. (Tanner).

Eum qui venit ad me—[*ps.* Bon.] Rod. de Bibraco O.M. de septem itineribus aeternitatis. *Can. Eccl.* 8.

Evangelicae tubae comminatio—Ph. Repingdon Sermones, praef. *Laud. Misc.* 635.

Evangelii praedicationem liteo susci.—Wyclif Defensio sui contra impios.

Evangelium. Qui ex Deo est.—Anon. Spec. Christiani. *Laud. Misc.* 104.

Exacto septenario annorum curriculo—Nic. Trivet in Senecam (Tanner).

Exaltabunt Sancti in gloria . . . Jam Contemplari licet— Bern. Sen. Sermo.

Ex auctoritate Dei . . . excommunicamus—Steph. Langton Constitutiones 1222—*Exon. Coll.* 31 : (Wilkins).

Excellentiae vestrae recepi literas—Th. Aqu. de regimine Judaeorum ad comitissam Flandriae seu Brabant (Q.E.).

Excellentis ingenii et foecundae oratores—Bertrand. Vita S. Edmundi Riche (Hardy 185).

Excellentissimo etc. Licet vestrae benignitati magnificae— Simon Gand. ad Bonif. VIII. (Tanner).

Excelsus ille propheta David—Jo. Palmer contra quartum art. Bohemorum (Tanner).

Excommunicationem incurrit qui asserenda—Rob. Finingham, O.M. de casibus decretorum [=De Excommunicat. pars ii.] (Bale).

Excommunicationem incurrit qui cardinalem—Rob. Finingham, de excommunicationibus pars iii. (Bale).

Ex concavis speculis ad solem positis ignis accenditur— Rog. Bacon, de Speculis. *Bodl.* 874.

Ex dicto superius satis liquet quod scientia—Wyclif, De Ente, *sive* Summa Intellectualium Lib. ii. Tract : De Scientia Dei.

Exegisti a me vir jure tuo . . . Usura quid est?—Anon. [ex Henr. de Barthol. Ostien. et aliis]. *Can. Eccl.* 22. *Can. Misc.* 267.

Exemplum accipite fratres [*des.* in senecta uberi]. Alb. Mag. in lib. Job.

Exemplum accipite—T. Maldon in epist. Jacobi (Tanner).

Exhauriri nequit—Ric. Maidstone in Cantica Cant. (Tanner).

Exiit edictum—Grostete (?) Sermo (Tanner). *Exon. Coll.* 21.

Exiit edictum . . . Continuando sermones Sanctorum—
Wyclif Sermones.

Exiit qui seminat . . . . Ad evidentiam dicendorum—
Bern. Sen. Sermo.

Exiit qui seminat . . . De inspirationibus—Bern. Sen.
Sermo.

Exiit qui seminat . . . Ista praedicatio praeparat nobis
viam—Bern. Sen. Sermo.

Exiit qui seminat . . . Quia principaliter istud evangel.—
Bern. Sen. Sermo.

Eximiae probitatis et prudentiae—Gul. Botoner, Antiqui-
tates Angliae (Tanner).

Eximii prophetae David . . . In civitate Aquilana
amicus—Lud. Vicent. Miracula Bern. Sen. (B.H.L.).

Existimasti inique . . . Secundum enim Origen—Bern.
Sen. Sermo.

Exivi a Patre et veni etc. (*Prothema:* Accipietis virtutem
supervenicntis Spiritus sancti etc. Verba ultima sunt
scripta in Actibus) . . . Verba ista sunt Domini
salvatoris nostri loquentis de sua ascensione et ipsemet
describit—Bon., Sermo.

Exoniensis Ecclesia sicut ceterae cathedr. eccl.—Jo.
Grandison Martyrolog. Exon. (Tanner).

Exordium hic coepit alchymiae—G. Ripley Comp.
Alchymiae (Tanner).

Ex peccato primi—Th. Aqu. in iv^m. Sent. *Linc. Coll.* i.
(et editt.).

Expeditis his quae exiguntur ad proportiones—Rog.
Bacon (?) De Mathem. pars ii. *Digby* 76.

Expeditis praeparatoriis judicatoriis—Fr. Zabarella in ii.
lib. Decret. prol. *Nov. Coll.* 194.

Expedit vobis ut ego vadam . . . Sit omnis homo
velox . . . . Verba. ult. sumpta sunt de epist. Jac.
hodierna—Barth. Turon. O.P. Sermo (Not. et Extr.
32).

Explanationem liborum Boetii . . . Consolationes tuae—
Nic. Trivet, in Boeth. de consolatione philosophiae
(Tanner).

Expleta expositione Levitici—Nic. Trivet de computo
Hebraeorum (Bale). *Merton* 188.

Expletis quatuor partibus tertii libri—Rog. Bacon, Leges
multiplicationum (Wadding, Bale).

Expositio capituli de gradibus—Anon. Expos. super Rog.
Bacon de graduatione. *Can. Misc.* 334, 480.

Expositio sacrae scripturae fit per significationem vocis
vel rei—Anon. de intellectu S. Script. *Can. Misc.* 95.

Exprimitur autem in his verbis—R. de Hampole in Psalm.
Parce mihi. *Balliol* 224.

Ex rerum initiatarum—Grostete Sermo (Tanner).

Extenso ente secundum ejus maximam ampliationem—
Wyclif De Ente, *sive* Summa Intellect. Lib. i. Tract.
de ente primo.

Externis populis dominabitur — Grostete, Prophetia.
(Tanner).

Extiterunt aliqui et adhuc—Ric. de Hampole Commendat.
vitae eremiticae (Tanner).

Exurgens quaedam anima usque honorem Dei—Raim. de
Vineis, Cath. de Senis, cap i. *Can. Misc.* 182.

Ex utraque parte fluminis . . . Admirandae quippe sunt
—Bern. Sen., Sermo.

Ex variis quippe veterum scripturis chronographorum—
Jo. Fordun, Hist. Scot.

Ex verbis Dom. Salvatoris . . . Inter melliflua sancti—
Jo. Lilleshull Manuale sacerdotis (Tanner).

F

Facimus hunc librum—Ray. Lull. de operibus misericordiae.

Fac secundum exemplar . . . Summum ac principium
virtutis—Antiqua Leg. S. Francisci, prol. (B.H.L.).

Facta hypothesi quod hoc quod est intelligibile—Ray. Lull.
de perversione entis removenda.

Facta sunt encaenia . . . Omnia ista tria Evangelia—
Wyclif, Sermo.

Facta sunt encaenia . . . Propter quatuor a maritimis—
Bern. Sen. Sermo.

Factus est sermo domini ad me—Th. Ringstede, Glossae
epist. etc. (Bale).

Factum est post mortem Moysi servi—Jo. Baconthorpe in
Josuam (Tanner).

Falcasius sive Falco viverat (*sic*) visceribus—De obsidione
castri Bedford (Hardy § 129).

Falconum naturam quam multi scire cupiunt—Anon. de
scientia falconum. *Oriel Coll.* 28.

Fallacia est deceptio sive ut—R. Lavenham (Tanner).

Fallacia est oratio apparenter—Anon. *Magd. Coll.* 38.

Fallax gratia et vana . . . Non laudes virum—Coelestin.
V. de Vita hominis (La Bigne).

Fames in prima magna mortalitate—Th. Gascoigne
Diction. theol. (Bale).

Familiares Philemoni literas—Jo. Baconthorpe. (Tanner).

Febribus infectus requies fuerat mihi lectus—Jo. de
Bridlington, Vaticinium. *Digby* 186.

Fecimus librum de divina potestate—Ray. Lull. de
voluntate Dei infinita.

Fecit Deus duo luminaria etc. Per firmamentum—Anon.
super Matth. prol. *Laud. Misc.* 291.

Fecit Deus miras mirum—Jo. Gerland de miraculis B.V.M.
(Tanner).

Felix prior aetas quae tot sapientes—Grostete Comp.
scientiarum (Tanner).

Felix qui poterit causas . . . Felicitas Aristotelis—Pet.
Paduan. Summa problem. Arist. *Digby* 77 [cf. Summa
Alphab. Gualt. Burley].

Felix qui poterit causas . . . Felicitas quoque . . . *(Inc.)*
Quare aegritudines—Anon. [Pet. Paduan.] Summa
Problem. Arist. *Digby* 153 *cf. Digby* 206.

Felix qui poterit rerum etc. Hinc est quia iste libellus—
Anon. de causis naturalibus. *Magd. Coll.* 38.

Fenestram facies in archa, haec verba—Ric. Scrope (?)
super epistolas (Bale).

Ferrum cito [situ] rubiginem ducit et vitis non—Alex.
Neckam, in verba obscuriora Bibliae (Bale).

Fertur quendam fratrem inflatum superbia—Wyclif, de
Diabolo et membris ejus.

Fiant luminaria . . . Ecclesia dicitur—Steph. Langton in
Tobiam. *Laud. Misc.* 149.

Fiat tibi sicut vis . . . Amor de quo tractare volumus—
Bern. Sen. Sermo.

Fidei catholicae—Gul. Chartham in Clementinis (Tanner).

Fidelis et verus servus Dei fr. Angelus solitarius—Vita
Angeli de Gualdo (B.H.L.).

Fidelis sermo et omnium—Fr. de Mayronis de summa
trinitate etc. (Tanner). *Merton* 236.

Fidem vestram clipeis munire quaeritur an fides—Th.
Bungay, Sent. (Wadding: Bale).

Fides est ut dicit apostolus substantia rerum—Gul. Autissiodorensis, Summa theol. *Oriel Coll.* 24. cf. *Merton*
217, 219.

Fides, spes, caritas . . . Jam ad considerationem—Bern.
Sen. Sermo.

Fides, spes, caritas . . . Urget iterum caritas—Bern.
Sen. Sermo.

Fiet unum ovile et unus pastor. Hanc unitatem.—Simon
Boraston de unitate eccles. potestatis (Tanner). *Linc.
Coll.* 81.

Fili ad componendum dictam medicinam—Ray. Lull. (?)
Practica de furnis.

Fili ait scriptura accedens ad servitutem Dei—Anon. Spec.
Vitae Humanae, quinque partes. *Merton* 204.

Filia mea male a daemonio . . . . Secundum enim
sententiam—Bern. Sen. Sermo.

Filia populi mei etc. Quamvis solemnitas quadragesimalis
—Jac. Januensis Sermones. *Magd. Coll.* 203. *Exon.
Coll.* 2.

Fili carissime et amantissime [*des.* sicut tibi praecepimus]
—Ray. Lull. (?) de secreto naturae coelestis.

Fili duae sunt aquae extractae—Ray. Lull. (?) Apertorium.

Filii potentes alant parentes—Nic. Trivet in Senecam
(Tanner).

Filii prophetarum sunt fratres de—T. Scrope ord. Carm.
Comp. hist. et jurium (Tanner).

Filii sanctorum estis fratres hujus sanctae relig. pro-
fessores—Jo. Baconthorpe, Spec. Ord. Carm. *Laud
Misc.* 722.

Filiis gratiae . . . Flagitantibus plerisque fratrum et
scire cupientibus—Jordan. de Saxonia Vita S.
Dominici (B.H.L.).

Filiis gratiae . . . . fratribus ord. praedicat. . . . . Nulla
sunt omnino reputanda—Humb. de Romanis Epist. de
tribus votis religionis (La Bigne).

Fili jamdudum me rogasti—Ray. Lull. (?) Magia secunda.

Fili memorare novissima tua—Ric. Chefer de iv.
novissimis (Tanner).

Fili omnes sapientes occultaverunt secreta—Ray. Lull. (?)
Liber Sponsalitii.

Fili oportet quod intelligas operationes—*ps.* Ray. Lull.
Lib. Mercuriorum.

Filios enutrivi . . . Quatuor modi sunt reddendi—Jo. de
Annosis contra fratres. *Bodl.* 52.

Fili recordare quia recepisti bona—Ric. Maidstone
Sermones (Tanner).

Fili recordare quia . . . In fine epistolae ita dicitur—Bon.,
Sermo (Not. et extr. 32).

Fili recordare, quia recepisti . . . In hoc evangel. Christus
fecit—Bern. Sen., Sermo.

Fili, tu semper mecum es . . . . Ad desiderabilem
caritatem—Bern. Sen., Sermo.

Finalis intentio hujus artis—Ray. Lull. Ars universalis.

Finalis quidem—Ray. Lull. Ars demonstr. veritatis.

Finis medicinae ita laudabilis—Ric. Anglicus de signis
morborum (Tanner).

Finita utcumque exposit. Psalm—Ric. Ullerstone super
Cantica ecclesiae (Tanner).

Firmiter: Bene dicit nam dubius—[Henr. de Barth. de
Segusio ep. Ostiensis?] Glossa in Greg. IX. Decret.
libris quinque. *Nov. Coll.* 205.

Firmiter credimus: Haec decretalis intitulatur de summa
Trinitate—Aeg. de Columna super decretali de canone
missae. *Can. Misc.* 183.

Fiunt novissima hominis . . . Natura siquidem est divini
—Bern. Sen., Sermo.

Flecto genua mea—Jo. Orum Lectura in Apocal. (Tanner).

Flecto genua mea ad patrem domini nostri—Rob. Bacon (?)
[potius Bonav.] de veritate theologiae, vii. partes.
(Grey Friars).

Flecto genua mea ad patrem Dñi Nri . . . I. de Trinitate
. . . In principio intelligendun est quod sacra doctrina,
viz. theologia—Bon., Breviloquium, vii. partes.

Flecto genua mea . . . Dic quaeso O homo—Bon., Soli-
loquium de quatuor mentalibus exercitiis [= Dial.
inter animam et hominem].

Florentissimam civitatem nostram—Hieron. Johannis O.P.
Vita Villanae Bottiae (B.H.L.).

Flores apparuerunt in terra nostra—Albert. Hist. canonizat. S. Edmundi Cant. (Hardy B.H.L.).

Fluat ut ros eloquio—Ric. Maidstone contra haereticos
(Tanner).

Flumen Dei repletum est etc. Spiritali dulcedine—Conr.
de Ebraco Ord. Cist. de iv. Sent. *Can. Misc.* 573.

Fluminis impetus laetificat civitatem. Postquam primus
parens.—Ric. Armach. Lect. in Sent. (Tanner). *Oriel
Coll.* 15.

Fluminis impetus laetificat civitatem. Postquam primus
parens.—T. Walleys in Aug. de civit. Dei (Tanner).
Balliol 78A.

Fluvius egrediebatur de loco voluptatis—Th. Docking, in
Lucam (Wadding: Bale).

Fluvius egrediebatur de loco voluptatis—Ric. Snetesham
Lect. theol. (Tanner).

Fons ascendebat etc. In hoc verbo commendatur ortus virginis—Bon., Sermo.

Fons hortorum puteus aquarum—Gul. Woodford, in Epist. ad Rom. (Wadding: Bale).

Fons parvus crevit in fluvium etc. (Fons Vitae, eruditio possidentis sicut materialiter videmus). Carissimi gloriosae virginis excellens sublimitas—Bon., Sermo.

Fons parvus crevit etc. Carissimi, gloriosae Virginis excellens sublimitas—Bon., Sermo.

Fons sapientiae verbum Dei—Nic. Trivet de missa (Tanner).

Fons splendoris vas dulcoris—*ps.* Bon: [auctore quodam fratre minori] Sententiae Sententiarum.

Forma decens admiratione dignis—Alex. Neckam (Bale).

Forma est compositioni contingens—L. Bosden in sex principiis (Tanner).

Forma est compositioni etc. Intentio auctoris in hoc libello est diffusius tractare—Gul. Milverleye de sex principius. *Rawl. C.* 677.

Forma est etc. Intentio auctoris in hoc libro est tradere—Rob. Alyngton *sive* Gul. Mylverley in sex principiis. *Rawl. C.* 677. cf. *Oriel Coll.* 35. *Magd. Coll.* 47.

Forma est etc. Iste liber intitulatur—W. Burley in Gilb. Porret. de sex principiis. *Magd. Coll.* 146. *Can. Misc.* 385.

Forma est etc. Postquam Arist. in libro praedicamentorum —B (?) in Gilb. Porret. de sex principiis. *Can. Misc.* 181.

Formam primam corporalem—Rob. Grostete, de luce. *Digby* 104 (20). 220.

Formam primam quam quamdam—Grostete de inchoatione formarum (Tanner).

Forma religiosorum dicitur iste liber et bene—Anon. prol. *Balliol* 264 [cf. Primo considerare].

Forma vivendi probitatis—Eulogium Historiarum (*v.* Bale p. 485).

Fortissime Deus spirituum universae carnis—Urban IV. (III. ?) in Psal. l. (La Bigne).

Francisculus magistri Joan. de Burgo—Miracula Aegid. Assis. (B.H.L.).

Franciscus de civitate Assisii oriundus quae in finibus Spoletanae vallis est sita Joannes prius . . . . Hic postquam—Legenda Trium Sociorum S. Francisci.

Franciscus de civitate Assisii oriundus tantae fuit vanitatis —Barthol. Tridentinus, Vita S. Francisci (B.H.L.).

Franciscus igitur quem superius . . . de Assisia civitate
vallis Spolet. oriundus fuit—Richer, Narratio de S.
Franc. (B.H.L.).

Franciscus ord. fr. min. institutor et pater—F. Pipini Vita
S. Franc. (B.H.L.).

Franciscus ord. Min. dux et fundator filius Petri Bern.—
Epit. Vitae S. Fr. (B.H.L.).

Franciscus prius dictus est Johannes . . . Franciscus
servus et amicus—Epit. Vitae S. Fr. (B.H.L.).

Franciscus servus et amicus Altissimi, cui divina—Th. de
Celano, Vita ii. S. Francisci [=Memoriale].

Frater Ambrosius etc. hanc epistolam—Grostete super
prologo Bibliorum *sive* Hexemeron (Tanner: Bale).

Frater, Beatus Augustinus—Bon., Epist. de imitatione
Christi.

Frater Franciscus de Saponaria qui moratur—Philippus,
Miracula Angeli de Clareno (B.H.L.).

Frater Johannes . . . Quoniam in ultimo nostro capit.—
Jo. Milverton Epistolae 64 (Tanner).

Frater praedilecte [ac sodalis] . . . Ut enim habetur in
regula b.p.n. Francisci populo tenemur—Jo. Spicer
(Tanner) *sive* Rob. Silk O.M. Fasciculus morum.
Cf. Bodl. 687., *Laud. Misc.* 213, 568, *C.C.C. Oxon.* 218,
Linc. Coll. 52.

Frater qui confessiones auditurus est—Anon. de modo
confitendi. *Nov. Coll.* 88.

Frater Ricerius de Marchia Anconitana—Leo Assis., S.
Franc. intentio regulae (B.H.L.).

Fratres Carmelitae honesta conversatione—Nic. Cantilupe
de laude sui ordinis (Tanner).

Fratres dilectissimi qui philosophi—Anon. Altercatio
philosophorum. *Rawl. A.* 273.

Fratres scientes etc. Adventus Deo—Fr. de Mayronis,
Sermones (Tanner). *Balliol* 66.

Fratribus de ord. praed. frater qualiscunque ejusdem
ordinis . . . Symon Johannis diligis me plus hiis—
Anon. fr. Praed. de instructione puerorum. *Laud.
Misc.* 32.

Fratribus religionis animo—Rad. Marham Manipulus
Chronicorum (Tanner: Bale p. 488).

Frederice domine mundi imperator—Mich. Scot. de
animalibus (Tanner).

Frequens instantia et ignita caritas sociorum nexibus
aureis—Ray. de Pennaforte, Tract. de Jure, dedic.
(M.O.P.).

Frons meretricis facta est populo—Wyclif, de demonio meridiano.

Fructuosum arbitror seriem temporum—Jo. Everisden Series temporum ad 1336 (Tanner).

Fuerunt igitur post transitum S. Patris hi ejus successores —Chronicon xv. generalium ord. S. Franc. (Analecta Franciscana).

Fuerunt plurimi in primitiva ecclesia—Grostete de cessatione legalium (Tanner).

Fuit alia b. Agnes virgo Deo placita et hominibus— Laudatio Agnetis de Bohemia (B.H.L.).

Fuit in civitate Austriae de Foro Julii—Benevenutae de Boianis Vita (B.H.L.).

Fuit in civitate Senensi vir nobilis Andreas—Vita A. de Galleranis (B.H.L.).

Fuit in diebus Fred. hujus nominis primi in prov. Hispan. —Galvagni de la Flamma, Chron. Ord. frat. Praed. (M.O.P.).

Fuit in diebus Herod.—Th. Docking in Lucam (Bale).

Fuit in diebus Herod. . . . Hoc evangel. S. Lucae habet quatuor partes principales—Anon. [*ps.* Bon]. *MS. Dunelm.*

Fuit in diebus illis quibus Deus illustrare—Joh. Rigaldi Vita Antonii Paduan. (B.H.L.).

Fuit in diebus illustrissimi Petri antiqui regis Cathalon— [Anon: et Theod. de Aquis] Vita Alb. ord. Carm. (B.H.L.).

Fuit in partibus Umbriae de civitate Fulginei—Jo. Gorini Vita Pet. de Fulgineo (B.H.L.).

Fuit vir in civitate Senensi nomine Jacobus—Th. Antonii Epit. vitae S. Cathar. Senensis (B.H.L.).

Fuit vir quidam Petrus nomine—Vita Ursulinae Parmensis (B.H.L.).

Fuit vir unus in civitate Senensi regionis Tusciae—Raim. Capuan. Vita Cathar. Sen: pars i. (B.H.L.).

Fuit vir unus etc. In hoc primo—Jo. Baconthorpe in libros Regum (Tanner).

Fuit vir venerabilis modernis temporibus de terminis Fratrum Praedicatorum—Vita Bern. Guidonis (Not. et Extr. 27).

Fuit vir ven. vitae Assisii Franciscus nomine cujus pater— Epit. Vitae S. Franc. (B.H.L.).

Fulgeat regis diadema—Ray. Lull. (?) Comp. animae artis transmutationis.

Fundamenta ejus in montibus altis—Jo. Genesius de
Qualea (?) de civitate Christi (Wadding).

Fundamentum primum Jaspis. In prologo Oseae—Simon
Henton (Tanner). *Nov. Coll.* 45.

Fundamentum primum lapidis sapphiri—Landulph. Caracciolus, in iv. Sent. (Wadding).

Fundamentum quartum Smaragdus . . . Sepulchrum ejus
—Simon Henton in Abdiam (Tanner).

Funditur interea apud Marrochium . . . Hi tempore dñi
Innoc. III.—Passio Beraldi et soc. O.M. (B.H.L.).

Funiculus triplex difficile rumpitur. Funiculus iste quo
a terra trahimur—Thomas (?) super Symbolum Apost.
sive Scala Fidei. *Laud. Misc.* 41. *Can. Misc.* 144.

Fusius quidem dictum est de Astron.—Rog. Bacon, Introduct. ad Astrol. (Wadding).

G

Galenus in primo de regimine sanitatis—Jo. Gatesdene
Rosa medica (Tanner).

Galfridus filius Simonis appel.—Greg. Huntingdon Epist.
curiales (Tanner).

Gandeo plane detegere—Wyclif, Epist. ad Urbanum
Papam.

Gaudete in Domino semper, Phil. iv.—Th. Brynton
Sermones coram Papa (Bale).

Gaudia praeclara coeli tua praestat — Greg. Ripley Hist.
compassionis B.V.M. (Tanner).

Gaudia succumbunt lacrymis—Jo. Gerland(?) de triumphis
Eccles. (Tanner).

Generaliter intelligendum [*des.* praesentis operis]—Alb.
Mag. in lib. Arist. de motibus animalium.

Generaliter omne peccatum fugiendum—Anon. de vitiis.
Can. Eccl. 69.

Generatio mala . . . Volendo hodie tractare de amore—
Bern. Sen. Sermo.

Genus uno modo est collectio aliquorum—Anon. super
Porphyr. *Rawl. C.* 677.

Geomantia est ars punctorum qui sorte compulantur—
Barthol. de Parma, *Digby* 134.

Geometria assecutiva est arith.—Th. Bradwardine de
geom. speculativa (Tanner).

Geometriae duae sunt partes—Anon. de composit. quadrantis. *Univ. Coll.* 41.

Gesta ante initium regum et pontificum—Jo. Pike Hist. reg. Angl. (Tanner).

Gesta sacri cantabo ducis qui monstrat domandi—Vita metrica S. Francisci (B.H.L.).

Gesta sanctorum patrum quorum—Nic. Kenton Vita S. Cyrilli (Tanner).

Gesta spectabilia celeriter a memoria—Hugo Virley in Matth. Evang. (Tanner).

Gloriabuntur in te omnes . . . . Viso de gloria Christi— Bern. Sen. Sermo.

Gloria et honore coronasti . . . A posterioribus coepimus —Bern. Sen. Sermo.

Gloria haec est omnibus sanctis . . . . Admiranda siquidem est valde—Bern. Sen. Sermo.

Gloria haec est omnibus sanctis ejus . . . . Profecto omnium Sanctorum—Bern. Sen. Sermo.

Gloria majestas deitas—Alex. Neckam, Divina sapientia (Bale).

Gloriam regni tui dicent . . . Decet gloriosum Regem— Bern. Sen. Sermo.

Gloriosa dicta sunt—Nic. Trivet in Aug. de Civ. Dei (Tanner).

Gloriose magister rogo—Anon. Lucidarium [Elucidarius fidei]. *Ms. Ebor.* xvi. L. 8 [= Gul. Coventry (Tanner)].

Gloriosissimam civitatem Dei etc. In isto primo capit. tangit B. Aug. duas — Th. Anglicus [Walleys?]. *Balliol* 78ᴀ.

Gloriosissimi conf. Eadm . . . nuper.Cant. archiep. vitam et mores—Ric. de Dunstapel, etc. Quadrilogus de vita Edm. Rich (B.H.L.).

Gloriosissimo et metuendissimo principi dom. Ricardo— Rog. Dymmocke contra xli. haereses (Bale).

Gloriosissimus ergo pater Franc. vicesimo conversionis— Th. de Celano, Vita I. S. Francisci, pars iii.

Gloriosissimus pater S. Ant. de Padua unus de electis sociis S. Franc.—Vita Ant. de Padua (B.H.L.).

Gloriosius quicquam atque laudabilius—Laur. Gul. de Savona Triumphus etc. (Tanner).

Gloriosus atque sublimis Deus a rerum exordio—Jo. Holbroke Tabulae astron. (Tanner : Bale).

Gloriosus Deus cum multifariam . . . Vir ille electus— Nic. Arimin. O.M. Vita Rob. de Malatestis (B.H.L.).

Gloriosus Deus in ss. suis cujus magnitudinis . . . Administrante—Pet. de Prussia Vita Alb. Magni (B.H.L.).

Gloriosus Deus in sanctis suis qui cum eos ad gloriam elegit—P. de Monte Rubiano Vita Nic. Tolentin. (B.H.L.).

Gloriosus in majestate sua—Greg. IX. Bulla canoniz. S. Eliz. Thuring. (B.H.L.).

Grammaticam trivialis apex—Jo. Gerland (Tanner).

Gratia Dei et virtutes sunt scala et via—Aegid. Assis. Aurea verba (B.H.L.). *Univ. Coll.* 42.

Gratia Dei sum quod sum—Jo. Hadun in Paul. ad Cor. (Tanner).

Gratia dicendorum restat tractare de actubus—Wyclif, de anima.

Gratia Dom. nostri Jesu Chr.—Jo. Milverton de paupertate Christi (Tanner).

Gratia Dom. nostri Jesu. Chr.—Henr. Herp, Spec. Perfectionis (Wadding) [ed. Venet. 1524].

Gratia est bona voluntas Dei—Grostete de triplici gratia etc. (Tanner).

Gratia et benignitas Salvatoris . . . nuperrime in servo suo b. Ciccho—Vita Cicci (B.H.L.).

Gratias ago gratiae largitori—Barth. Florarius, Florarium (Tanner).

Gravissime vir Roberte [*expl.* pro servitio Dei et ecclesiae] —Ray. Lull. (?) de secreto lapidis philosophici.

Guda virgo religiosissima quae cum esset—S. Eliz. Thuring. Libellus de dictis iv. ancillarum (B.H.L.).

Gyrum coeli cireuivi sola. secundum Arist. doctrinam.— Ant. Andreas super Metaph. Arist. (Wadding). *Oriel Coll.* 26 [*vide* Duns in Metaphysica].

H

Habakkuk prophetavit destructionem—W. Norton O.M. Tabula super N. de Lyra, 1403. *Laud. Misc.* 156. *Merton* 12.

Habemus firmiorem sermonem propheticum—Th. Docking, in Isaiam. (Grey Friars).

Habet argentum venarum—Ph. de Greve, Summa theol. *Magd. Coll.* 66.

Habito de corporibus mundi prout mundum absolute
constituunt—Rog. Bacon(?) de corporibus coelestibus.
Digby 76.

Habito frequenter multiplici tractatu—Jo. Cuningham
contra Wyclif (Tanner).

Habito quod Deus est creativus—Wyclif De ente sive
Summa intellectualium.

Haec ad Colossenses epistola habet—Gul. Rothwell
(Tanner).

Haec Algorismus ars praesens dicitur--Alex. de Villa Dei,
Carmen de Algorismo. *Digby* 22, *Douce* 257.

Haec ars compendiosa — Ray. Lull. Ars compend.
inveniendi veritatem.

Haec de vita sancti nunc miracula videamus . . . .
Aurienna infans—Sic. Polent. Miracula Ant. de Padua
(B.H.L.).

Haec dicit Dom. Deus ad Edom—Steph. Langton in
Abdiam (Bale).

Haec dicit Dom. Deus, Convertimini etc. Secundum
morem—Anon. Sermones. *Balliol* 80.

Haec enim S. Salomea natione fuit Polonus—Stanislaus
O.M. Vita Salomeae reginae Haliciensis Ord. S. Clar.
(B.H.L.).

Haec est doctrina omnium experimentorum—Rog.
Bacon (?) Thesaurus Spirituum. (Grey Friars).

Haec est forma juramenti Arnaldi—Wyclif de juramento
Arnaldi.

Haec est generatio Regum Scotiae post tempus Pixtorum—
Anon. (Hardy 474).

Haec est manifestatio donorum . . . Ego inquit Angela
—Arnald. O.M. Vita Angelae Fulgin. (B.H.L.).

Haec est sententia Fratrum Minorum Angl. in materia
statuti Cantebrigiae—Gul. Folville, pro pueris
induendis (Wadding: Bale).

Haec est tertia distinctio hujus libri [*expl.* custodiae
Christi]—Ray. Lull. Liber iii. Quintae essentiae, de
cura corporum.

Haec est via, ambulate etc. Magnam misericordiam.—Gul.
de Lanicia, [*ps.* Bon.] Dieta Salutis. *Balliol* 349.
Merton 85.

Haec est via, ambulate . . . —Rob. Holcote(?) de septem
peccatis mortalibus (Tanner).

Haec nempe mulier gloriosa ex patre Birgero—Leg.
Birgittae (B.H.L.).

Haec omnia liber vitae—N. de Lyra, Postill. in Gen. prol. *M.S. Dunelm.*

Haec oportuit facere et illa non omittere . . . Postquam auxiliante deo scripsi—N. de Lyra, Tobias. *Bodl.* 251.

Haec oratio privilegia est—Ric. de Hampole super Orat. domin. (Tanner).

Haec propositio varias intelligentias habet—Ray. Lull. in Joh. Evang. i.

Haec quam diximus cellarum eremum alter—Hieron. Radiolensis de Johanne in eremo cellarum (B.H.L.).

Haec quid sunt, Joh. v. Carissimi eo fine facta sunt creata singula—T. Pentynge, Sermones (Tanner).

Haec rubrica continuatur ad praecedentia— Rob. Heete Comm. in tit. de accusat. (Tanner).

Haec sunt nomina filiorum Israel—Reg. Langham, Lecturae 30 Bibliorum (Wadding).

Haec sunt prima documenta legis—Godvinus, Meditationes (Tanner).

Hacc sunt verba quae die hesterna—Pet. Payne alias Clarke de temporali dominio cleri (Bale).

Hae sunt ordinationes [*expl.* qualia ipsa sunt]—Ray. Lull. Petitio ad acquirend. Terram Sanctam.

Haurietis aquas . . . In istis verbis duplex effectus—Petr. Tharun [de Tarentasia] Sent. lib. iv^m; prol. *Balliol* 61. *Laud. Misc.* 605.

Hebraica namque locutio sicut et Anglica plena est—Jo. Hadun, Collectan. (Tanner).

Hei quicunque legit Martini musa—Jo. de Hayda, Forma vitae honestae (Tanner).

Helias proficiscens in Damascum—Jo. Batus, Actus ordinarii (Tanner).

Heliconis rivulo modice dispersus—Walt. Dissy de Schismate (Tanner).

Henrico Dei gratia regi Anglico etc. Omnipotens—Jo. Capgrave de illustribus Henricis (Tanner).

Henricus autem bonae memoriae strenuus miles—Jo. Capgrave Vita Henr. de Bohun (Hardy).

Henricus de Corenhell. Ric. filius Reynerii. Isti fuerunt primi vicecomites Lond.—Anon. de antiquis legibus (Hardy).

Henricus igitur filius Ricardi regis Roman.—Jo. Capgrave (Hardy).

Heri hora septima . . . . Triplex potest esse hominis status—Bern. Sen. Sermo.

Hermannus Christi pauperum peripsima—Herman. Contract. de composit. astrolabii. *Digby* 51.

Heu magni sacerdotes in tenebris—*ps.* Wyclif de simonia sacerdotum.

Heu quam dolendum est de sponsa Christi—[W. de Remington?] Excitatio curatorum ad residentiam etc. *Bodl.* 158.

Heu quia per crebras humus—Jo. Gower Scrutinium lucis (Tanner).

Hic agitur de virtutibus: Virtus sic diffinitur—Th. Aqu. Summa de virtutibus. *Balliol* 50.

Hic aliqua dicenda sunt—Rog. Bacon, Perspectivae lib. ii. (Wadding: Bale).

Hic Amos propheta ille est—Gul. Lissy (Bale).

Hic Augustinus Anglis venit peregrinus—Th. Elmham Versus etc. (Bale).

Hic de indulgentiis aliquid dicamus—Ric. Fishacre ex com. in Sent. (Tanner).

Hic est Filius meus . . . Dilatamini, dilectissimi—Bern. Sen. Sermo.

Hic est Filius meus . . . Magna virtus reverentia—Bern. Sen. Sermo.

Hic est Filius meus . . . Quoniam in ista secunda dominica—Bern. Sen. Sermo.

Hic est liber mandatorum Dei . . . Sicut dicit Aug. lib iv.°—Nic. Gorham super Pentateuchum. *Laud. Misc.* 161.

Hic est necessarium—Ray. Lull. Ars memorativa.

Hic incipit liber iii. apud Graecos et satis rationabiliter hinc enim Arist.—Th. Aqu. in Arist. de anima iii. (Q.E.).

Hic incipit secunda pars ante legem—Jo. Baconthorpe in Exodum (Tanner).

Hic praenotantur nomina abbatum eccles. S. Albani—Mat. Paris Vitae Abbatum (Hardy).

Hic inc. vol. verae mathem. habens sex libros. Primus est de communibus mathem. et habet tres partes principales—Rog. Bacon, Comp. Philosophiae II. (?) (Grey Friars).

Hic est fratrum amator et populi Israel—Th. Aqu. in Hieremiam (Q.E.).

Hic nimirum de vallis Spolet. partibus civitate Assisii trahens originem — Bon., Leg. Minor S. Franc. (B.H.L.).

Hic ponit Ovidius primo et ante omnia quod postquam diluvio—Anon. Expos. allegorica in fabulas Ovidii. *Nov. Coll.* 191.

Hic ponitur secunda porta scripturae—Rob. Holcote in Joel (Bale).

Hic primo agendum est de abbate– Monaldus Justin-opolitanus, Summa casuum (Wadding).

Hic prior ecclesiae praesentis—Rob. de Syreston in laudem Joh. Fossor prioris Dunelm. (Tanner).

Hic prologus dividitur in quatuor.—Jo. Baconthorpe in Lucam (Tanner).

Hic quaeritur de locali—Grostete de locali Dei praesentia (Tanner).

Hic quamquam in civitate Massae prov. Tusciae—Ant. Florent. Vita Bern. Senensis (B.H.L.).

Hic ultimus liber dividitur in tres—Jo. Baconthorpe in Deuteron. (Tanner).

Hieremias propheta ob causam—Gul. Lissy in Aggaeum (Bale).

Hieronymum jugiter allegamus—Jo. Andreas Bonon. Opus Hieron. *Oriel. Coll.* 31.

Hierusalem evangelistarum dabo. Scola devota — Rob. Holcote in Sent. (Tanner). *Oriel Coll.* 15.

His autem fieri incipientibus . . . . *Prothema:* Parvus fons . . . Verba secundo proposita scripta sunt in Esther—Bon., Sermones de tempore.

His ergo radicibus et fundamentis — Grostete de natura locorum (Tanner).

His igitur praelibatis accedendum ad Matth. — Pet. Johannis [Olivi?] in Matth. Evangel. *Nov. Coll.* 49.

His igitur cavillationibus et—Ric. Clapole, Corruptorium b. Thomae (Tanner).

His novissimis nostris temporibus . . . Petrus Gundisalvi conf. ipse—Vita P. Gundisalvi (B.H.L.).

His omnibus praemissis commentator ad librum accessurus—Anon. Comment. in Alex. de Villa Dei Doctrinale Puerorum, prol. *Can. Misc.* 49.

Hispani contemptibiliter nos ab angulo nominant—Ric. Flemming de etymologia Angl. (Bale).

His qui in libro vitae in coelis—Liber de 30 gradibus scalae coelestis ex Jo. Climaci Scala Paradisi confectus. *Laud. Misc.* 323. *Can. Misc.* 333.

Historiae textum levigo sub lege metrorum—Vita metrica S. Clarae : prol ii. (B.H.L.).

Historiam gentis nostrae i.e. Anglorum venerabilis presbyter—De gestis Britonum ad 1298 (Hardy).

Historias recitare novas velut est nova fama—Berlini Bixoli Spec. Vitae. *Can. Lat.* 112.

Hoc anno impius Johannes destruxit—Chron. de Lanercost.

Hoc anno quinto die Junii—Th. Walsingham Auctar. Polychron. 1342—1417 (Tanner: Bale p. 459).

Hoc autem dicebant tentantes eum . . . . Mira est enim malitia—Bern. Sen., Sermo.

Hoc dicit quia in isto dono—Hen. Renham de vegetabilibus (Tanner).

Hoc est corpus meum — Jo. Cunningham Sermones (Tanner).

Hoc est praeceptum meum . . Quia autem finis mandatorum—Wyclif Sermo.

Hoc est secretum secretorum — Jo. Dastin Epistola (Tanner).

Hoc nomen Ecclesiastes interpretatur concionator—Steph. Langton (Tanner). *Balliol* 20. *Exon. Coll.* 24.

Hoc oro ut caritas vestra magis—Anon. ord. Carm. Sermo in concilio Constant. (Bale).

Hoc usi sermonis grave sancti et catholici—Walt. Odington, Objectiones etc. (Tanner).

Hodie intendo pauca tractare—Nic. de Sandwyco, Quaest. theol. (Tanner).

Hodie intendo pauca tractare de peccato originali—Anon. *Digby* 216.

Hodierna disputatione quaesitum est utrum morale peccatum—Sim. Tornac. Quaest. *Balliol* 210.

Hodie salus huic domui . . . Constat ex serie evangelii— Wyclif, Sermo.

Hominem ad videndum Deum—Jo. Parceval Comp. amoris (Bale).

Homines pestilentes dissipant civitatem—Arnold. de Villa Nova, Prophetia Catholica (Bale).

Hominum natura multipliciter est serva. Ista propositio.— Gul. Whetley de discipl. scholast. (Tanner: Bale p. 471). *Exon. Coll.* 28.

Homo ex dono conditionis primae—D. Boys contra varios gentilium ritus (Tanner).

Homo nosce tuam vitam nosce—Benedictus Icenus, Alphabetum Arist. (Tanner).

Homo peccator sum . . . Ratio, exemplum, et auctoritas —Bern. Sen. Sermo.

Homo quidam descendit de Jerusalem . . . His verbis mystice humani generis lapsus—Gerard. Zutphan. de reformatione animae (La Bigne).

Homo quidam erat dives . . . In exercitibus antiquorum —Bern. Sen. Sermo.

Homo quidam erat . . . Notandum quod dives iste erat— Jac. de Voragine (?) Sermones dominic. *Laud. Misc.* 408.

Homo quidam erat dives . . . Tria profecto sunt, in quibus plerumque—Bern. Sen. Sermo.

Homo quidam fecit coenam . . . . Dicit philosophus: Contraria—Bon., Sermo (Not. et extr. 32).

Homo quidam fecit . . . Sciens salvator laborantibus— Jo. Peckham Collationes (R.S.).

Homo quidam habuit duos filios . . . Quia scribitur II. Reg. xv. —Bern. Sen. Sermo.

Homo quidam pater . . . Apud antiquos in exerc.—Bern. Sen Sermo.

Homo quidam poenitentialis natione Lombardus—Vita Nic. erem. Neap. (B.H.L.).

Honeste ambuletis—Jo. Peckham Sermones dominicales 25 (Wadding).

Honesti ambuletis etc. In primo libro Decretalium docuit papa clericos—Anon. "Quaestionarius," in iii. et iv. Decret. *Nov. Coll.* 197.

Honora patrem tuum . . . Cum enim Dominus intendat —Bern. Sen., Sermo.

Honora viduas . . . In hoc serm. intendo describere— Bern. Sen. Sermo.

Hora est jam nos de somno surgere—W. Dissy Sermones de tempore (Tanner).

Hora est jam nos . . . . —Nic. de Lyra, Sermones de tempore (Wadding, *MS. Toleti*).

Hora est jam nos . . . Clamat praeco vigilantissimus— Anon. Serm. *Can. Misc.* 107.

Hora est jam de somno . . . . Ecclesia facit hodie mentionem de adv. Chr.—Wyclif, Sermo.

Hora est jam nos . . . . Est triplex somnus—Anon. Sermones. *Laud. Misc.* 506.

Hora est . . . . His verbis fratres—Rod. Acton (?) Sermones (Tanner). cf. *Linc. Coll.* 112.

Hora est jam nos . . . His volentibus — Sim. Boraston Sermones. *Merton* 216.

Hora est etc. Hoc tempus dicitur tempus adventus—Gul.
Peraldi Lugdun. Sermones. *Univ. Coll.* 75. cf. *Magd.
Coll.* 33. *Merton* 214.

Hora est . . . Hodie ecclesia invitat nos ad celebr. advent.
—Anon. Sermones dom. *Laud. Misc.* 177.

Hora est jam nos : In ista totali epistola—Nic. de Aquae
Villa Sermones dominic. *Regin. Coll.* 255.

Hora est jam nos de somno . . . . Omnes quatuordecim
libri apost.—Wyclif, Sermo.

Hora est jam nos . . . Secundum hoc exponitur de somno
culpae—Th. Waleys O.P. Sermones. *Laud. Misc.* 376.

Hora est jam nos . . . Sicut dicit sapiens, Eccl. iii. Omnia
—Nic. de Gorham (?) Sermones. *Can. Misc.* 485.
Linc. Coll. 58.

Hortamur vos . . . Diffusa est gratia—Bon., Collationes (9)
de septem donis Spiritus Sancti.

Hos esse procedendi modos contra illos—Th. Aqu. super
quaest liberi arbitrii, etc. *Can. Eccl.* 19.

Hostia consecrata quam videmus in altari—Wyclif de
Eucharistia conclusiones quindecim.

Hostia viva vale fidei fons gloria matris—Jo. Peckham de
sacr. altaris. *Rawl. C.* 558.

Hujus mandati auctoritate translatae sunt—Narratio de
translat. Eliz. Thuring. (B.H.L.).

Humanae conditio naturae jam senescente—Jo. de Burgo
Pupilla oculi (Tanner). *Balliol* 220.

Humanae naturae conditio secundum genuinam—Th.
Salesbery de arte praedicandi (Tanner).

Humanae vitae labilis decursus—Jac. de Voragine
Sermones. *Magd. Coll.* 48.

Humanae vitae labilis decursus . . . . Praeparate in
occursum Dei etc. Cum rex vel aliquis princeps—
Anon. [Jac. de Voragine?] ord. Praed. Sermones.
Exon. Coll. 2.

Humana natura—' Rogerina Minor ' (Wadding *sub* Roger
Bacon).

Humanus affectus quamvis in singulis naturaliter vigeat—
Anon. de Corpore Christi. *Can. Eccl.* 208.

Humiliamini sub potenti—Jo. Wichingham, Sermones
(Wadding).

Humiliavit semetipsum . . . . Hodie salvator noster pro
peccatoribus humiliari—Anon. O.P. Sermones de
passione Christi A.D. 1433. *Can. Misc.* 303.

Humili (?) paternae plantationis—Hugo Legat, Commentarii (Bale).

Humilis servus Christi et devotus—Wyclif Epistola ad
Episc. Lincoln.
Humilitates vera dignitates—Alex. Neckam in Cantica
Cant. *Balliol* 39 (cf. Bale).
Humilitas vera gloriam excellentiae—Alex. Neckam in
Cantica Canticorum (Bale). cf. *Magd. Coll.* 149.
Hunc praerogativa etc. Vitis quam dextra plantavit—Rob.
Heete Oratio in laudem jurisprudentiae (Tannor).
Hunc quem habes non est . . . Vulgariter dici solet quod
—Bern. Sen., Sermo.

I

Ibat Jesus in civitatem . . . Ad alliciendum cives—Bern.
Sen. Sermo.
Ibunt hi in supplicium . . . Hodie, dilectissimi fratres,—
Bern. Sen. Sermo.
Ibunt in supplicium . . . Videndum nobis superest—Bern.
Sen. Sermo.
Idem sapiamus et in eadem permaneamus regula. Istud
verb. dupliciter exponitur . . . [*Expl.* in pulcritudine
pace Ad quam pacem auctor pacis et amator nos
perducat]—Bon., Sermo super Reg. Fratrum Min.
Ideo [vero] petitur declaratio constitutionis—Ric. Armach.
contra Joh. XXII. Vas electionis (Tanner: Bale).
Ideo qui creavit coelum et terram . . . Intentio itaque
nostra est in hoc libro—Albumassar, Astrol. *Digby*
194.
Idoneae ministrae non sunt mulieres ad conficiendum
euchar. sacrament.—W. Hunt (Tanner).
Igitur b. Elizabeth de Ungaria oriunda regis ac reginae—
Vita Eliz. Thuring. (B.H.L.).
Igitur haec et alia miracula quae scripto commendare—
Canonizatio Will. ep. Bituric. (B.H.L.).
Igitur quoniam post tempus spiritualibus epulis—Anon.
[Jo. Clipstone?] Sermones. *Magd. Coll.* 112 (Bale).
Ignem veni mittere . . . Christi nempe, qui amoris—
Bern. Sen. Sermo.
Ignis a facie ejus exarsit . . . . Solemnitas hodierna,
dilect.—Bern. Sen. Sermo.
Ignis purus est summe calidus—Ric. Billingham
Termini naturales. (Tanner).
Ignorante quodam socio—Wyclif, de imaginibus.

Ignorantia fuit causa—H. Virley Determ. (Tanner).

Ignorantia sacerdotum et infra. Ne quis per ignorantiam—
Gul. Lyndwood Provinciale (cf. Bale, p. 238).

Ignorantia sacerdotum populum decipit—Gul. de Pagula (?)
Oculus sacerdotis iii. *Rawl. C.* 72. *Balliol* 83. (cf.
Bale, *sub* Gualt. Parker).

Ignorantia sacerdotum populum praecipitat—Jo. Peckham
sive Gul. de Pagula, Instructio simpl. sacerdotum.
MS. Ebor. (Wadding; Tanner) .

Illa hostia alba et rotunda—Wyclif, de Eucharistia
Confessio.

Illorum quae insunt Deo communiter—Wyclif. De Ente
sive Summa Intellectualium Lib. II. Tract: De
Intellectione Dei.

Illumina oculos meos . . . . Apta petitio—Bern. Sen.
Sermo.

Illustrissime princeps ceteris regibus Christianis—T.
Walden Propos. ad regem Polon. (Tanner).

Illustrissimo duci Gloucestriae Joann.—*ps.* Wyclif contra
mendicitatem validam.

Illustris sobolis clarissimi genitores—Adam, Vita Hugonis
ep. Lincoln. (B.H.L.).

Immensi vinculo debiti constrictus—Jo. Folsham Sermones
(Tanner).

Imperator inter cetera quae te oportet—Mich. Scot.
Physionomia. *Can. Misc.* 555.

Implete quatuor ydrias aquae etc. Hoc habetur iii.
Regum xviii., et praemittitur ibi—Alex. de Hales (?)
super evangel. *MS. Dunelm.*

Imprimis supponatur ens esse: hoc enim nec probari
potest—Wyclif De Ente *sive* Summa Intellectualium.

Impugnante quodam ingenioso—Wyclif, de necessitate
futurorum.

In absconditis parabolarum conversabitur—Rob. Holcote (?) Th. Guallensis (?) Th. Ringstede (?) in Prov.
Salom. (Tanner).

In absconditis parabolarum jocundissimus ut ait Poly-
crates—Th. Ringstede in Prov. Salom. *Linc. Coll.*
86.

In anno Chr. 1325 in civitate—Rob. Anglicus de
impressionibus aeris (Tanner: Bale p. 469).

In anno primo etc. Liber iste a quo incipit—N. de Lyra,
super Esdra. *Bodl.* 251.

In antehabitis dictum est—Alb. Mag. in Arist. praedicamenta.

In baculo meo transivi . . . . Sicut dicitur Sap. ii., Umbrae—Anon. Sermones [S. Andr.]. *Can. Misc.* 485.

In baculo meo transivi—N. de Lyra, Sermones de sanctis (Wadding, *MS. Toleti*).

In capite ejus corona stellarum . . . . Ad. gloriam et honorem Virg. Matris Dei—Bern. Sen. Sermo.

Incendium amoris in animum—R. de Hampole, Quomodo pervoni ad incend. amoris *Balliol* 224 A.

In ceteris autem casibus—Rob. Finingham, de casibus Papae reservatis [De Excommunicat. pars v.] (Bale).

In Christo sibi carissimis fratribus—Bern. Sen. Epist. ad patres fam. ultramont.

Incipiamus in nomine Divini [*Expl.* in corpore toto]— Rog. Bacon (?) de compositione medicinarum. *Bodl.* 438.

Incipere dupliciter solet exponi—Gul. Heytesbury de incipit et desinit (Tanner).

Incipiendum est a primis naturae—Jo. Dumbleton Summa naturalis phil. Arist. (Tanner). *Magd. Coll.* 32.

Incipientibus aedificare quaerendus—Hugo de Folierre, de eo quid noceat mundo renuntiare volentibus. *Bodl.* 745.

Incipit argumentum in epistolam—Gul. Rothwell in Paul. ad Galatas (Tanner).

Incipit b. Contardi historia qui natione et prole dicitur fuisse de Ferraria—Vita Contardi (B.H.L.).

Incipit Compendium studii theologiae et per consequens philosophiae—Rog. Bacon, Comp. Studii Theol. (Grey Friars).

Incipit de progenie . . . Filiabus in Christo . . . Pluries rogatus a quibusdam—Albertus de Verona Vita Beatricis Atestinae Patavii (B.H.L.).

Incipit Fons Paradisi Divinalis—Ray Lull. (?) super iv. sensus S. Script. *Bodl.* 465.

Incipit epistola ad Hebraeos circa—Th. Docking (Wadding: Bale). *Balliol* 30.

Incipit tertia porta scripturae—Rob. Holcote in Amos (Bale).

Incipiunt chronica paucorum scil. ab origine mundi— Chron. S. Martini [Dover] (Hardy).

Incipiunt medicinae simplices ex diversis doctoribus— Gul. Holme (Grey Friars).

In cirre ciatu pueris potanda (?) — Jo. Wheathamstede Opus metricum (Bale).

In civitate inclita Senarum quae est civitas Virginis—Jo.
de Capistrano Vita Bern. Senensis (B.H.L.).

In civ. inclita Senarum quae est civitas Virg. nuncupata
—Vita Bern. Sen. (B.H.L.).

In civitate Putei Arvernensis fuit quidam—Pet. a
Vallibus Miracula Coletae (B.H.L.).

In commemoratione B. Mariae—Th. Ringstede (Bale).

In conjugio errant simplices—Anon. de errore conjugii
etc. *Laud. Misc.* 2.

In conversionis meae primordio—*ps*. Bon., Pharetra.

Increpatio malorum—R. de Hampole de modis praedicandi. *Balliol* 224 A.

In debito regimine corporis et prolongatione vitae—
Rog. Bacon, in lib. sex Scient. *Can. Misc.* 334, 480.

In Dei tabernaculo—*ps*. Bon. [potius Fr. Marchesinus de
Regio Lepide] Confessionale.

In desolatione et fletibus—Ray. Lull. Arbor scientiae [*v*.
'Arbor ista'].

In diebus Assueri. Postquam deceptus est—N. de Lyra,
Esther. *Bodl.* 251.

In diebus illis fuit vir de tribu Aaron—T. Scrope de sanctis
patribus ord. Carm. (Tanner).

In diebus unius judicis—Jo. Baconthorpe in Ruth
(Tanner).

In diebus unius judicis—N. de Lyra, Ruth. *Bodl.* 251.

In diebus etc. In testa parva nucleus—Anon. in Ruth.
Can. Eccl. 186.

In disputatione de quolibet propositae fuerunt.—Rob.
Holcote Quaest. 91 quodlib. *Balliol* 146.

In disputatione de quolibet quaerebatur—Rob. Walsingham Quodlib. (Tanner).

In disputatione de quolibet quaesitum fuit de Deo
creatore—Th. Sutton Quaest. quodlib. 35 (Tanner).

In disputatione nostra generali de quolibet—Jo.
Walsingham (?) Quodlib. (Tanner). *cf. Balliol* 63.

In domo tua etc. In prima ecclesia—Anon. Sermo. *Univ.
Coll.* 60.

Induamur armis . . . Consueverunt homines uti armis—
Anon. Sermones Advent. *Can. Misc.* 518.

In ducatu Spoletano castro quodam—Berengar. de S.
Africano Vita Clarae de Cruce (B.H.L.).

Induimini Dominum nostrum deposita—Pet. de Padua
Sermones (Wadding).

In dulcedine Domini . . . fratri Simoni de Esseby—
Eccleston de adventu Minorum in Angl. prol. (R.S.).

In duobus prophetis praecedentibus—Rob. Holcote in Abdiam (Bale).

Indutus planeta sacerdos—Haymo Faversham, de missae ceremoniis (Wadding).

In ecclesia S. Andreae de civitate Trevisii fuit unus sacerdos — Ray. Capuan. (?) Vita Benedicti XI. (B.H.L.).

In ecclesiastica historia Joannem—Rob. Ivor in Apocal. (Tanner).

In Ecclesiastico legitur—Steph. Langton in Judith, prol. *Exon. Coll.* 23.

Ineffabilis misericordia nostri redemptoris—W. Hylton de consolatione (Tanner).

In effectibus divini secreti adeo mirabile—Arnold. de Villa Nova, de semine scripturarum, introd. *Can. Misc.* 370.

In epistola ad Hebraeos probatur—Jo. Baconthorpe (Tanner).

In evangelio super illum locum, Faciamus hic tria tabernacula—Th. Aqu. Quodlib. *Univ. Coll.* 124.

Inevitabile est quin fiant — Anon. Moralitates super Apocalyp. *Balliol* 149.

In exitu Israel de Ægypto—Anon. de confessione. *Bodl.* 57.

In exordio hujus libelli ista sunt—Alex. de Hales (?) Exoticon etc. (Bale).

Infelices autem sunt: Notandum quod . . . . sapiens reprobavit idolatras—R. Holcote, in lib. Sap. *Magd. Coll.* 6.

Inferius describuntur allegationes per plures magistros— Gul. Occham Tract. de potestate imperiali. (Grey Friars).

Infinita bonitas Dei—Ray. Lull. Liber lapidarius abbrev.

Infinitae sunt partes Socratis—Gul. Heytesbury de probationibus conclusionum (Tanner).

Infirmitatem contractam — Bon. (?) de sacramentis ecclesiae. *Merton* 144.

Influentia spiritualis—R. Lavenham in Paul. ad Titum (Tanner).

Infra annum certe mundi—Jo. de Muris Astron. (Tanner).

In Genesi legimus, Fiant luminaria—Steph. Langton in lib. Tobiae, prol. *Exon. Coll.* 23.

In Genesi namque qui est primus—Rob. Rose in Exodum (Tanner).

Ingenitae lucis splendor genitura perennis—Vita metrica
S. Clarae (B.H.L.).

Ingenium creationis morborum—Bern. de Gordonia.
Oriel Coll. 4

Ingenuitas fidei Christianae terrenae considerationis—J.
Peckham de Trinitate (R.S.).

In funiculis Adam traham . . . Osculetur etc. Liber iste
qui est—Henr. Lincoln. episc. in Cantica Cant.
(Tanner). *Balliol* 21.

Ingluvie cogente lupus dum devorat ossa—Alex. Neckam,
Nov. Æsop. (Bale).

Ingredientibus hoc mare—R. Kilwardby Constitutiones.
Balliol 301.

Ingressus Angelus ad eam dixit—Grostete in verbis
Gabriel (Tanner).

In hac Chana passi sunt quatuor Fratres Minores—
Odoric. de Portu Naonis, Passio Th. de Tolentino et
Soc. O.M. (B.H.L.).

In hac contracta quae Tana dicitur—Odoric. de Portu
Naonis, Passio Th. de Tolentino et Soc. O.M. (B.H.L.).

In hac epistola ad Galatas—Jo. Baconthorpe, in Epist. ad
Galatas (Tanner).

In hac epistola respondet Hieronymus—R. Lavenham in
epist. Hieron. (Tanner).

In Hispaniarum partibus vir erat . . . Didacus nomine—
Jordan. de Saxonia Vita S. Dominici (B.H.L.).

In Hispaniis civitate Ulysbona quae ad occident.—Vita
Ant. de Padua (B.H.L.).

In historiarum descriptionibus posteritatis . . . Tempore
illo—P. Raim. de S. Romano (?) Vita Ant. de Padua
(B.H.L.).

In historico namque contextu chronographorum—Ran.
Higden, Polychron. prol. *Univ. Coll.* 177. (Hardy §§
659, 660).

In hoc actu et in hac determinatione—Gul. Woodford (?)
contra Wyclif De civili dominio (Wadding : Bale).

In hoc elenchorum sophisticorum—Alb. Mag. in lib.
Elenchorum Arist.

In hoc libro qui dicitur de coelo et mundo sunt quaedam—
W. Burley (Tanner). *Magd. Coll.* 63.

In hoc libro qui intitulatur de sensu et sensato intendit
Arist. determinare de natura—Anon. Comment.
Univ. Coll. 185.

In hoc magisterio tres fornaces—Ray. Lull. de furnis.

In hoc opusculum tertii — Jo. Somer Tertium Kalend. (Wadding).

In hoc opusculo iv. sunt tractatus . . . quid annus verus—Jo. de Liveriis etc. de correctione Kalend. *Can. Misc.* 248.

In hoc primo perihermeniarum—Jo. Baconthorpe (Tanner).

In hoc prooemio reprehenduntur illi—Th. de Capua Summa dictaminis. *Oriel Coll.* 54.

In hoc tractatu est determinare de causis—W. Burley de longitudine etc. vitae. *Magd. Coll.* 146.

In hoc tractatu intendimus perscrutari—Anon. de coelo et mundo. *Magd. Coll.* 112.

In hoc tractatu perscrutatur de causis—Anon. de morte et vita. *Magd. Coll.* 112.

In hoc tractatu primo videndum est de suppositione—Rod. Strode. *Can. Misc.* 219.

In Hollandia quaedam civitas sita est nomine Schyedam—Jo. Brugman Vita Lidwigis (B.H.L.).

In homine quinque sunt sensus—W. Burley de [sensibus] sensibilibus (Tanner). *Oriel Coll.* 12.

In honore verbi Dei—Chron. monast. Hagenby ad 1307 (Hardy 522).

In hujus expositionis initio—Jo. de Ridevall, Ovidii Metamorphoseos fabulae 218 moraliter expositae. (Grey Friars).

In ignorantia effectus—Ray. Lull. Liber de orationibus etc.

In illis temporibus dixit Jesus . . . pauci vero electi. Per paterfamilias significatur Deus—Petrus Johannes [Olivi?] O.M. Expos. Evang. per annum etc. *Can. Eccl.* 26.

In illius nomine qui major est—Rog. Bacon, in Avicenna de anima (Grey Friars).

In illo tempore erat vir vitae ven. Didacus—Vita Didaci ep. Oxomensis (B.H.L.).

Inimicus homo hoc fecit. Numerosa seges — T. Walden Fascic. Zizan. (Tanner : R.S.).

In ingressu filiorum Israel in terram—Steph. Langton super Exodum (Tanner).

In initio et fine bonorum operum—Ric. de Hampole de regula bene vivendi (Tanner).

In injuriis justitiam—Alverus Pelagius, Quinquagesilogium, cap. 1. *Can. Misc.* 525.

In intellectu creato quaedam vis est—Gul. Paul. de notitia actuali (Tanner).

In ista prima distinctione—Pet. Aquilanus *sive* Scotellus,
Comp. super Sent. (Wadding).

In ista rubrica duo notantur—Th. Ringstede Commune
sanct. (Bale).

In isto actu duo intendimus—Jo. Cunningham contra
Wyclif (?) (Tanner).

In isto libro qui liber—Grostete in meteor. (Tanner).

In isto libro qui liber Metheororum intitulatur—W.
Burley super meteor. *Digby* 98.

In isto supponendo tempus esse—Wyclif. De Ente, *sive*
Summa Intellectualium. Tract: De Tempore: prol.

Initio medio ac fini mei tractatus adsit gratia—Albertanus
Brix. de doctrina dicendi et tacendi. *Magd. Coll.* 7.

Initium evangelii [*des.* generationem cui est honor etc.]—
Alb. Mag. in Marcum.

Initium mei tractatus sit in nomine Domini—Albertanus
Brix. de amore Dei. *Magd. Coll.* 7.

In Jesu Christo sempiterno sponso . . . Petro—Pet. de
Dacia Legenda Christinae Stumbel., pars iii.
(B.H.L.).

In laude nunc spiritus omnis exultet—Jo. Hoveden Cantica
50 (Tanner).

In lege perf. libert. Jac. i. Rev. domini famosi constat
triplex esse lex—Jo. Stone Sermones (Tanner).

In libro de coelo et mundo qui est secundus in ordine—
Anon. *Can. Misc.* 219.

In libro Numerorum—Grostete Sermo (Tanner).

In librum qui Flores Hist. intitulatur—Mat. Westm.
Flores Hist. ad 1323 (Hardy 635).

In manibus suis abscondit lucem—T. Walden in Sent.
(Tanner).

In materia augmentationis—Jo. Chilmark. *Nov. Coll.*
289.

In materia de eventu—R. Lavenham de eventu futurorum
(Tanner).

In materia de generatione—Jo. Chilmark (Tanner).

In materia de peregrinatione — Jo. Sharpe (Tanner).
Merton 175.

In materia de propositione—Gul. Milverley (Tanner).

In materia de religione privata ponitur — Wyclif, de
Religione Privata (I.).

In materia peregrinationum—Th. Palmer (Tanner: Bale).
Merton 68.

In materia saepe tacta de ampliatione—Jo. Cuningham
contra Wyclif (Tanner: Fasc. Zizan. R.S.).

In materia universalium ante—Th. Walden in Porphyrium (Tanner).

In medio ecclesiae aperiet os ejus . . . In verbis istis docet—Bon.. Collationes (23) in Hexaemeron.

In mense octavo per quem—Steph. Langton in Zachariam (Bale).

Innominato magistro spiritum intelligentiae—Bon., Epist. de tribus quaestionibus ad magistrum innominatum.

In nomine Dom . . . ad instructionem multorum circa hanc artem.—Rog. Bacon (?) Spec. Secretorum. *Digby* 28.

In nomine Dom . . . incipiam scribere secreta secretorum —Alb. Mag (?) Semita recta de arte alchem. *Can. Misc.* 81.

In nomine Dom. Jesu Christi Ego Raymundus Lullus— Ray. Lull. Historia quando R.L. . . . . scientiam transmutationis didicerit et quando ac qua de causa trajecerit in Angliam ad Regem Robertum.

In nomine Dom. Jesu Christi [*expl.* ut tibi descripsimus]— Ray. Lull. Testamentum ultimum etc.

In nomine Domini nota de beatitudinibus—[Th. Aqu.?] Liber de beatitudinibus. *Balliol* 50.

In nomine Dom. Amen. Quoniam antiquorum industria— Processus super homagiis Scotorum (Hardy).

In nomine Dom. Amen. Quoniam pium esse creditur meritorum—Processus super homagiis Scot. (Hardy).

In nomine Jesu . . . . Caritas me pungit — Bern. Sen. Sermo.

In nomine Jesu omne genuflectatur . . . Deficit sensus— Bern. Sen. Sermo.

In nomine Jesu omne genuflectatur . . . Peragrata jam parte max.—Bern. Sen. Sermo.

In nomine nostri Dom. etc [*expl.* pro auro potabili]—Ray. Lull. de calcinatione solis.

In nomine Patris et filii etc. [*expl.* apud Londinum ad principem Carolum etc.]—Ray. Lull. Apertorium animae . . . in omni transmutatione metallorum ac lapidum etc.

In nomine patris inseparabilis potentiae—Gul. Hemmyng Practica novorum advocatorum (Tanner).

In nomine SS. Trinitatis. Amen. Recipe—Ray. Lull. Testamentum novissimum.

In nostra disputatione de quolibet—R. de Media Villa, Quodlibeta tria (Grey Friars) [*sive* 80? (Wadding)].

In nostra disputatione generali nuper facta quolibet—
Anon. Quaest. quodlib. 24. *Balliol* 63.

In nova signa et in muta mirabilia—Ric. de Media Villa
super quartum Sent. *Bodl.* 744. *Laud. Misc.* 629.

In occidentali plaga Hollandiae sita est—Th. Kempensis
Epit. Vitae Lidwigis (B.H.L.).

In octava divisione ubi magister tractat de simplicitate
divinae essentiae — Fr. de Mayronis, de formalitatibus. *Digby* 77.

In omnibus curiosius semper—T. Walden de fide per
dialogos, lib. vii. (?) (Tanner).

In omnibus operibus tuis memorare novissima . . . .
Intelligatis modo—Grostete de poenis purgatorii.
C.C.C. Oxon. 155 (Tanner).

In omnibus perfecti, ad Ephes. vi. Reverendi sicut patet—
Th. Ashwell, Sermones (Tanner).

In omnibus rebus curiosus existis—Gul. Occham Dial. I.
(Grey Friars : cf. Bale, p. 381).

In omni opere suo dedit confessionem sancto—Th. Aqu.
in Psalmos (Q.E.).

In omni praedicamento quanto a praedicante magis
ordinate—*ps.* Bon., de Arte praedicandi (*MS. Neapoli.*
Vide S. Bon. Opera ix., p. 6).

In omni scriptura et sermone—Will. Ruffus de modo
praedicandi. *Magd. Coll.* 168.

In oppositione habenda aliud—Jo. de Muris de eclipsibus
(Tanner).

In ordine sapientialium—Gul. Alvern. de fide etc. *Linc.*
Coll. 70. *Magd. Coll.* 109.

In partibus Alamanniae ubi fides orthodoxa—Miracula
Eliz. Thuring. (B.H.L.).

In peccato vestro . . . In his verbis notatur secunda
flamma—Bern. Sen. Sermo.

In perfectione in humana creatura—Jocelin. de Cassellis
super Clementinis. *Exon. Coll.* 17.

In personae singularitate—Aug. Triumphus, Epist. canon.
glossatae etc. *Balliol* 31.

In postilla quam feci super Matthaeum—Jo. Baconthorpe
in Numeros (Tanner).

In praefatione hujus libri tanguntur quatuor—Anon. in
Isaiam. *Magd. Coll.* 55.

In praesenti lectura co-operante—T. Maldon Quaest. ord.
(Tanner).

In praesenti quaestione quaeram—Jo. Folsham Quaest.
theol. (Tanner).

In prima parte Arist. intendit—Jac. de Sicilia in Arist. De anima. *Can. Misc.* 424.

In prima parte istius capituli — Rob. Holcote in Habakkuk (Tanner).

In primis attende quod beata virgo—Jo. Baconthorpe Speculum Carmel. (Tanner).

In primis debet sacerdos interrogare—Anon. Directorium sacerdotum. *Can. Misc.* 76; 260. *Morton* 11.

In primis enim quod nos et imperialem auctoritatem— [Marsilius de Padua?] Respons. ad objecta Papae. *Can. Misc.* 188.

In primis est sciendum quod totus processus—Gul. Nottingham, Concord. Evangel. (Grey Friars).

In primis igitur ad pii regis commendationem—Gauf. de Belloloco, Vita Lud. IX. (B.H.L.).

In primis unusquisque qui salvationem animae suae— Anon. Tabula super Speculum Timoris. *Rawl. C.* 72.

In primitiva Ecclesia—Jo. Beleth Rationale de officiis (Tanner).

In primo capite libri quem prae—R. Lavenham Comp. Gualt. Reclusi (Tanner).

In primo capitulo primi libri Ethic.—Rog. Swineshead in Ethica Arist. (Bale).

In primo gradu Arietis homo aliquando laborat—Anon. *Digby* 122.

In primo igitur sentire diximus subjectum theol.—[Th. Aqu.? *sive* Aeg. de Columna?] Quaestt. xvii. de theol. *Magd. Coll.* 217 [cf. Pertransibant plurimi].

In primo libro prima veritas est ista, Quod illa disciplina Fr. de Mayronis (?) de Civ. Dei Aug. *Can. Misc.* 386.

In primo libro qui liber meteororum intitulatur—W. Burley. *Balliol* 93.

In primo narrationis ordine—T. de Celano Miracula S. Franc. (B.H.L.).

In primordio temporis ante omnem—Geof. le Baker Chronicon. (Tanner: et editt.).

In primordio temporis ante omnem — Gerard. de Frachineto O.P. Chronica (Bale) *et* Gul. de Nangis Chron. (Bale).

In principio creationis mundi—Grostete de reparatione lapsi (Tanner).

In principio creavit—Alan. de Lynn. Elucidarium Script. [Tabula septem custodiarum?] (Tanner).

In principio creavit Deus coelum—Ric. Grasdale de aetatibus mundi (Tanner).

In principio creavit Deus coelum et terram—Breve
Chron. ad 1307 [1464] (Hardy § 526. cf. Bale 493).

In principio etc. et hoc exponit b. August. quantum ad
hoc—Anon. 'Tabula septem custodiarum,' de
doctorum expositione super Vet. et Nov. Test. *Magd.
Coll.* 150.

In principio creavit : Hoc exponit B. August. anagogice—
Pet. Wythymleyd 'Tabula septem custodiarum' super
Test. Vetus. *Balliol* 216.

In principio creavit : Post notam quae dicitur in glossa—
Anon. Postilla in Gen. *Can. Eccl.* 186.

In principio erat verbum . . . Moraliter in istis verbis
duo—Anon. Dist. in S. Joh. Evang. *Can. Misc.* 107.

In principio etc. Mores in istis verbis tanguntur—Jo..
Tilney Postill. in Evang. S. Joh. (Tanner).

In principio erat verbum. Supposita luminali expositione
—*ps.* Bon. [Jo. Wallensis?] Collationes in Johannem
(S. Bonav. Opera, vi.).

In principio metaphysicae quam prae manibus habemus—
Duns, Quaest. metaph. prol.

In principio narrationis nostrae illius gratiam—Anon.
Medela animae vulneratae. *Laud. Misc* 473.

In principio primum principium a quo cunctae illumina-
tiones . . . Incipit speculatio pauperis in deserto.
Cap. 1. De gradibus ascensionis in Deum et de
speculatione. *(Inc).* ' Beatus vir cujus est.'—Bon.
Itinerarium mentis ad Deum.

In prinicipio, protestor publice, sicut saepe feci alias—
Wyclif, Declarationes Johannis Wickliff.

In principio quadragesimae secundi anni—Henr. Marl-
borough Chronica etc. (Tanner).

In principio secundum quod testatur—Jo. Wallensis,
Breviloq. de Sapientia Sanctorum (Wadding).

In principio solutionis convenit—Ray. Lull. Regulae
introd. ad practicam artis demonstrativae.

In priori forma novitiorum—David ab Augusta, *seu*
Bon. (?) de reform. interioris hominis. *Laud. Misc.*
493.

In priori libro determinavit auctor de quibusdam proprietatibus—Th. Aqu. de somno et vigilia (Q.E.).

In prologo Oseae scribitur Accipe—Sim. Henton in
Hoseam. *Nov. Coll.* 45.

In prologo postillationum Nic. Gorham—Jo. Hadun in
Evang. Lucae (Tanner).

In prooemio hujus libri quod durat—W. Burley de memoria etc. *Magd. Coll.* 146, 80.

In proverbiis legitur—Steph. Langton in lib. Hester, prol. *Exon. Coll.* 23.

In provincia B. Francisci in peculiari Domini civitate— Antiqua Leg. S. Franc., pars ii. (B.H.L.).

In psalterio decachordo psallam tibi—Nic. Trivet in Psalt. (Tanner).

In purgando errores circa universalia sunt tria introductoria praemittenda—Wyclif De Ente, *sive* Summa Intellectualium. I. De Universalibus.

In quadam silva juxta Parisios—Ray. Lull. Declaratio per modum dialogi contra 218 opiniones, etc.

In quadam silva magna sub umbra—Raymund Lull. Disputatio quinque hominum sapient. A.D. 1294.

In qualibet arte diffusio—Th. de Hanneya Grammat. (Bale).

In quibus est compositio—Th. Aqu. (?) de quo est et quod est (Q.E.).

In quodam ergo sermone ad populum—Aegid. de Foeno contra flagellatores (Tanner). *Balliol* 210.

In quolibet homine peccatore—Wyclif de dilectione.

In rebus humanis triplici de causa—Grostete, de utilitate artium (Tanner).

In rege qui recte regit—H. Bracton, de Consuetud. Angl. (Tanner).

In regni Siciliae provincia Aprutinae in Teatina dioecesi— Vita Angeli a Furcio (B.H.L.).

In sacro loco qui dicitur mons Alvernae . . . Vir iste ss. dum adhuc—Vita Jo. Firmani de Alverna (B.H.L.).

In salutatione ista—Th. Aqu. in Ave Maria (Q.E.).

In sanctae crucis virtute—Greg. Huntingdon Attentarium (Tanner).

In scientia naturali corpus [*des.* dividitur]—Alb. Mag. in iv. lib. Meteorum Arist.

In secundo quolibet quaeruntur quaedam de Deo—Gul. de Wodeford Quaest. *Balliol* 63.

In Senensi urbe quae Virginis civitas—Vita Bern. Senensis (B.H.L.).

Insignia patrum praecedentium reservari—Th. de Celano, Vita II. S. Francisci, prol.

Insignium virorum illustres describere vitas . . . . Administrante—Rud. de Novimagio, Vita Alb. Magni (B.H.L.).

Insinuavit mihi nuper—Nic. Trivet de perfect. justitiae (Tanner).

In solio residens—Jo. Stowe Actus scholast. (Bale).

In speculo brevi et aperto inspicere volentibus—*ps.* Bon. [Pet. Joh. Olivi?] in Cantica Cant. (*vide* S. Bonav. Opera vi.).

Instantiae tuae—Gervas. Ricobaldi de Ferraria, Pomerium sive Chronicon, praef. *Can. Misc.* 415 (Muratori ix., 105).

Instantibus hiis precibus immo tuis propositis—Jac. Carthusiensis de tentationibus et consolationibus claustralium. *Laud. Misc.* 586.

In statutis Oxon. concilii—Rob. Finingham, Casus conciliorum Angl. (Bale, Wadding).

Instructio sacerdotis ad se praeparandum ad celebrandam missam—*ps.* Bon. (?).

In superiori quidem libello recolimus nostro modo—Th. Waldensis de fide cathol. liber iv. *Magd. Coll.* 153.

In superiori tract. nostri opusculo . . . Anno siquidem dom. incarn. 1231—Vita Ant. de Padua, pars ii. (B.H.L.).

Intellectionem intelligere natura praecedit . . . Quoniam passio—Duns, Theoremata.

Intellectus humanus suum habet—Gul. Paul. de perfectione intellectus (Tanner).

Intelligatis modo carissimi devotissime—Grostete de poenis purgatorii, cap. i. (Tanner). *C.C.C. Oxon.* 155.

Intelligendum est quod in universo tria sunt agentia per se—Walt. Burley. *Digby* 77.

Intelligentia opus est in visione—*ps.* Th. Aqu. in Daniel (Q.E.).

Intelligere potest dicere—Hen. Renham Physica (Tanner).

Intendentes igitur pro communi exhortatione—Anon. Expos. decalogi, praef. *Magd. Coll.* 68.

Intendentibus primum de logica—Alb. Mag. in Porphyrii Isagogen, sive de Praedicabilibus.

Intendimus componere rem admirabilem—Ray. Lull. de conservatione vitae.

Intendit per subtilitatem—Mich. Scot. de anima (Tanner).

Intendo componere sermonem rei admirabilis—Rog. Bacon de sermone rei admirabilis sive de retardatione senectutis (Grey Friars).

Intendo per Dei gratiam sententiam Arist. de libris Polit. magis fructiferam—Anon. *Balliol* 146 A.

Intentio Arist. in hoc libro est investigare—Rob. Grostete in Posteriora Arist. *Digby* 207.

Intentio auctoris in hoc libello—Gul. Milverley in sex principia (Tanner). *Rawl. C.* 677.

Intentio Augustini in opere—Jo. Baconthorpe in Aug. de Civ. Dei. (Tanner).

Intentio in hoc tractatu—W. Burley de longitudine etc. vitae (Tanner).

Intentio mea est secundum verba—Jo. Baconthorpe, in Arist. de anima (Tanner).

Intentio mea in hoc libro est compilare sententias astrologorum de accidentium pronosticatione—Jo. de Eschendone, Summa judicialis, etc. *Digby* 225.

Intentio mea in hoc opusculo fuit juxta triplex regimen trifolium—Sim. Bredon. *Digby* 160.

Intentionem tractatus Arist. de coelo Alexander ait—Gul. de Morbeka translat. Simplicii comment. super Arist. libros de coelo et mundo. *Balliol* 99.

Intentioni quatuor evangelistarum — Alex. Neckam Moralia Evangel. (Bale).

Intentioni quatuor evangelistarum—Grostete Com. in evangelia (Tanner: Bale).

Intentio nostra in hoc libro est quod oportet—Anon. de generatione, etc. *Magd. Coll.* 112.

Intentio nostra in hoc tractatu—Rob. Grostete Comp. de sphaera. *Laud. Misc.* 644. *Digby* 98.

Intentio nostra in scientia naturali—Alb. Mag. in viii. lib. Arist. de physico auditu.

Intentio philosophi in hoc libro qui intitulatur—W. Burley, de somno et vigilia (Tanner). *Magd. Coll.* 146.

Intentio philosophi in hoc primo—Hen. Parker in Arist. Meteora (Tanner).

Intentio venerabilis viri Fulgentii—Jo. de Ridevall, Comment. super Fulgentium. (Grey Friars).

Inter alia doctor meus reverendus . . . intromittit se— Wyclif Determinatio de dominio contra unum monachum.

Inter alia quae ad fidem—Martini Poloni Tab. super Decret. prol. *Exon. Coll.* 31

Inter alias orationes—Th. Aqu. in Pater noster. (Q.E.).

Inter alias sacras virgines de quibus non est hodie . . . . Æternus autem—Vita Rosae Viterb. tertii ord. S. Franc. (B.H.L.).

Inter alias sacratissimas s. universalis ecclesiae consuetudines—Anon. *Bodl.* 654.

Inter alia verba de quibus Regina coeli—Ray. Lull. de
gaudiis Virginis.

Inter alia virtutum et laudum praeconia—*ps.* Bon., de
vita Jesu Christi. *Laud. Misc.* 496. *Bodl.* 168, 529.

Inter alia virtutum et laudum praeconia de S. Virgine
Cecilia legitur *(Inc. com.)* Cum per longissima
tempora—Anon. Comment. in Evang. *Can. Eccl.* 5.

Inter celebres Vet. Test. translationes—Nic. Trivet in
Psalt. (?) (Tanner).

Inter cetera incarnationis Christi mysteria—Th. Aqu:
Catena SS. Patrum super Lucam. *Oriel Coll.* 13 (et
in editt.).

Inter cetera otii mei secreta—Jo. Capgrave Manipulus
doctrinae Christ. (Tanner).

Inter cetera quae mihi scripsisti ostendere.—W. Hylton
de tolerandis imaginibus (Tanner: Bale).

Inter ceteras praeclaras et praecipuas virtutes—Com-
mercium B. Franc. cum Domina Paupertate (B.H.L.).

Inter eos qui mundi concedunt—Nic. Trivet Hist. ad
Christi nativitatem (Tanner).

Inter evangelistas Matthaeus ex Judaea—Th. Aqu. in
Matth. (Q.E.).

Inter evangelistas Matthaeus praecipue versatur—Th.
Aqu. in Matth. (Q.E.).

Interim dum praedicta agerentur—Grostete (?) Sermones.
Exon. Coll. 21.

Inter melliflua sancti psalterii—Joh. Mirc [*sive* Lilleshull],
Manuale sacerdotis, pars i., cap. 1. *MS. Ebor.* (cf.
Tanner).

In terminis relativis—Gul. Heytesbury de relativis
(Tanner).

Inter multas et varias occupationes nostras—Aegid. de
Columna de septem laudibus divinae sapientiae.
Merton 137. *Magd. Coll.* 21.

Inter multas et varias religiosam—Nic. Trivet in Regulam
S. August. (Tanner).

Inter natos mulierum . . . Hodie carissimi natalis dies b.
Joh. colitur.—Anon. Sermones. *Laud. Misc.* 172.

Inter omnes philosophorum codices—Anon. Lib. alchem.
Can. Misc. 81.

Inter omnes scripturas magis necessarias—Jo. Franciscanus
Chron. 1307—1400 (Tanner).

Inter omnes stellarum errantium—R. Wallingford (?) de eclipsi (Tanner).

Inter omnia opera minime—Gul. Leic. de Montibus Introd. ad artem còncionandi (Tanner).

Inter omnia visibilia . . . Fuit in episcopatu Leodiensi— Vita Julianae Montis Cornelii (B.H.L.).

Inter opera nostrae salutis—T. de Stureia de sacramentis (Tanner).

Inter philosophicae [physicae] considerationis studia—Jo. Peckham Perspectiva. *Digby* 98. (Wadding).

In terra pax hominibus—T. Walden Sermones coram rege (Tanner).

Interroga de diebus—Paulinus Minorita *sive* Jordanus, Spec. sive Satyrica historia (Potthast).

Interrogasti me—Alex. Halensis de anima. *Oriel Coll.* 58. *Magd. Coll.* 80.

Interrogasti me, honoret te Deus—Gul. Northfeld de differentia spiritus et animae (Bale).

Interrogationi tuae respondere—Rog. Bacon, de secretis (Wadding).

Interrogatus a quodam Socrates—Bern. de Gordonio Lilium medicinae. *Oriel Coll.* 4.

Interrogavit amicus suum amatum—Ray. Lull. de meditationibus totius anni.

Inter scripturae sacrae chronographos prima causa dissentionum—Chron. ad 1309 (Hardy § 567).

Inter thesauros sapientiae—Jo. Peckham Quaest. quodli- betalis (Wadding).

Intrabo in agros priscorum—R. Higden, Polychron. (cf. Hardy § 633).

In tractando de dominio oportet inprimis supponere— Wyclif de Dominio Divino, lib. i., cap. 1. (ed. Poole).

In tractando de tempore sunt aliqua—Wyclif De Ente, *sive* Summa Intellectualium I. Tract: De Tempore.

In tractatu dom. Thom. Langley—Jo. Blakeney in epigram. Langley (Tanner).

Intrantes domum invenerunt etc. et in evangelio hodierno —Ma. (?) O.M. Sermo in concilio Basil. *Balliol* 164.

Intravit Jesus in templum . . . In quo sacro eloquio— Bern. Sen. Sermo.

In tristitia et languore—Ray. Lull. de mirabilibus orbis.

Introducendis in facultatem theologicam—Gul. Leic. de Montibus, Numerale sive Distinct. theol. *Laud. Misc.* 345. (Tanner: Bale).

Introduces eos et plantabis—N. de Lyra, super Josuam. *Bodl.* 251.

Introductio est brevis et apta [aperta?] demonstratio—Rob. Bacon (?) Summulae dialectices. *Digby* 204.

Introductoria artis demonstrativae tradere volentes—Ray. Lull. *sive* quidam Lullista.

In universalibus principiis [*des.* agnosci]—Alb. Mag. in libros de plantis et vegetabilibus.

In valle lacrymarum positus pater ille beatus—Th. de Celano Vita II. S. Francisci, iii., cap. 1.

Invariabili impermutabilique suo—Jo. Wheathamstede, Epistolae (Bale).

Invenio aliam legem—Henr. Herp., Spec. Aureum in X. praeceptis (Wadding).

Invenit gratiam in deserto . . . Videtur mihi juxta S. Scripturae—Ric. Armach. Sermo. *Bodl.* 144.

Invenit in templo . . Porro ad ea quae—Bern. Sen. Sermo.

Invenit quidam ex sapientibus—Nic. Lynn de planetarum domibus (Tanner).

Investigantibus astronomiae rationes — Rob. Grostete Theorica Sphaerae. *Digby* 97.

Investigantibus naturae chilindri compositionem—Rob. Grostete. *Laud. Misc.* 644. *cf. Digby* 98. *Univ. Coll.* 41.

Investigationem istam—Ray. Lull. de investigatione vestigiorum productionis Divinarum personarum.

Invidia proprium est alterius—T. Scrope de Carmelit. institut. (Tanner).

In vigilia. Homo quidam Baiocensis diocesis—Miracula Ludov. IX. (B.H.L.).

In villa Flandriae quae dicitur Ipris fuit puella—Th. Cantiprat. Vita Margaritae de Ipris (B.H.L.).

Inviolabilis antiquitatis auctori—Nic. Kenton pro Mariae commem. (Tanner).

In virtute sanctae crucis.—*ps.* Th. Aqu. Expos. missae (Q.E.). *Laud. Misc.* 32.

In virtute sanctae crucis—Jo. Gryme (Tanner) Jo. Cornubiensis (Tanner) Greg. de Huntingdon (Bale).

In virtute sanctae Trinitatis et sanctae crucis—Anon. de sacramento altaris. *Univ. Coll.* 77.

Invisibilia Dei etc. Summus· divinalis—Berthtold de Mosbur O.P. super Procli Diadochi element. theol. *Balliol* 224 B.

Ipsam legem Christus legit. Haec verba ponuntur xxv.—
Rob. Heete super lib. i. Decretal. (Tanner). *Nov.
Coll.* 192.

Ipse mittet quasi imbres—Rob. Dodford, in parab.
Salomonis (Tanner).

Isaac sanctus patriarcha olim legitur—Jac. Carthus. de
modo curandi vitia. *Laud. Misc.* 586.

Isentrudis de Slitzenrode—Miracula S. Eliz. Thuring.
(B.H.L.).

Ista ars hac intentione est compilata—Ray. Lull. Ars
compendiosa medicinae.

Ista ars sequitur modum et doctrinam—Ray. Lull. super
artem inventivam.

Ista est lex Adam—Adam Godham Com. in iv. Sent. prol.
(Grey Friars).

Ista lectura est ad declarandum artem generalem—Ray.
Lull. Lectura artis quae intitulatur brevis practica
tabulae generalis.

Ista subscripta sequerentur post cap. de hiis que expellunt
venenum—Rog. Bacon (?) de expulsione veneni.
(Grey Friars).

Ista sunt verba Domini scripta Mat. vi. In hoc tractatu
orationis Dominicae—Henr. de Hassia. *Laud. Misc.*
194.

Ista tripartita sequitur . . . Tolle caput mundi—Jo.
Gower Chron. Ric. II. (Tanner).

Iste est liber Arist. intitulatus—Grostete de coelo et mundo
(Tanner).

Iste est liber generationis—Grostete (Tanner).

Iste est liber universalium Porphyrii introductorius—
Paul. Venet. *Can. Lat.* 286, 452.

Iste liber [*expl.* audiat]—Ray. Lull. Liber de convenientia
quam habent fides et intellectus in objecto.

Iste liber [*expl.* perduci]—Ray. Lull. Liber clericorum.

Iste liber docet quam maxime—Ric. Fishacre in Psalt.
(Tanner).

Iste liber est de aeterna Christi—Jo. Clipston in Joannem
(Tanner.)

Iste liber est praedicamentorum Arist. in quo determinatur
de ordine—Paul. Venet. *Can. Lat.* 286.

Iste liber intitulatur sex—W. Burley in sex principia
(Bale).

Iste liber quem in praesens intendimus— W.Burley in lib.
perihermenias (Tanner).

Iste liber sicut et alii—Jo. Cuningham in Ezech. (Tanner).

Iste pauper clamavit etc. Verbum istud scribitur in Psalmo et intelligi potest—Bon., Sermo de B. Antonio.

Iste Sophonias est porta iudi—Rob. Holcote in Sophoniam (Bale).

Iste titulus varius invenitur—Greg. Huntingdon Expos. Donati (Tanner).

Iste tractatus a paupere indigente—*ps*. Wyclif Confessio derelicti pauperis.

Iste tractatus de Magnete duas partes continet—Pet. Peregrini de Maricourt. *Digby* 28.

Iste vir Dñi ab infantia sua—De vita Coelestini V. (B.H.L.).

Isti fuerunt reges Britonum—Breve Chron. ad tempora Edw. I. (Hardy 527).

Isto modo procedunt inquisitores in partibus Carcasson.— Anon. de modo procedendi contra haereticos (M. et D.).

Istud et respicit quod praeconceperat—Steph. Langton in Jonam (Bale).

Istud opus compilatum est per modum legendae . . . Et nota quod b. Franc.—Speculum Perfectionis (B.H.L.).

Istum librum transtulit Raymundus—Ray. Lull. de Trinitate et Incarnatione.

Istum modum procedendi tenent in negotio—Ric. Armach. Defensorii curatorum pars. *Bodl.* 162.

Italica regione Tusculanis oris fuit vir quidam—J. de Tauxiniano Vita Jo. de Columbinis (B.H.L.).

Ita enim [est] lex Adami Domine—Adam Godham in Sent. (Wadding : Tanner).

Itaque post primo—Grostete (?) Sermo. *Exon. Coll.* 21.

Ite vos in vineam. In evangelio Dominicae jam instantis— Anon. Sermo. *Balliol* 75.

J

Jacob patriarcha sanctus etc. Hic est—Gul. Lissy, in Abdiam (Wadding : Bale).

Jacet Perusii in conventu fr. Conrad—Anon. Epit. Vitae Conradi de Offida (B.H.L.).

Jam ad materiam significationis—Anon. de significatione etc. *Nov. Coll.* 289.

Jam coeli convexa tenens—Jac. Caietanus de Stephanescis de canonizat. Coelestini V. (B.H.L.).

Jam die festo . . . Hodie dicemus, quas cautelas—Bern. Sen. Sermo.

Jam dudum rex serenissime—Ray. Lull. Liber lucis mercuriorum.

Jam explevimus omnia quae [des. physicorum]—Alb. Mag. in lib. Arist. de juventute et senectute.

Jam foetet . . . Dilectissimi nos hic habemus videre— Bern. Sen. Sermo.

Jam foetet . . . Quadruplex nempe culpa—Bern. Sen. Sermo.

Jam freta fretus eo transcurri—Th. de Newmarket Carmina (Bale).

Jam hiems transiit etc. Legitur fratres cariss. verbum— Jo. Taverham Sermones (Tanner).

Jam incidit tractare—Wyclif de dissensione facta in Curia Romana.

Jam nunc matri virgini anima—Jo. Wilton Stimulus compassionis (Tanner).

Jam restat dicere ad auctoritates quas pro istis—Jo. Cuningham contra Wyclif (Tanner).

Jam restat excludere—Jo. Deirus, Resp. ad mendacia etc. (Tanner).

Jam sequuntur regulae de insolubilibus—Jo. Venator [i.e., Hunter]. Can. Misc. 219.

Jam ultimo restat—Wyclif Summa Theol: Lib ix. De Potestate Papae.

Jam ultimo restat videre quid—Wyclif, de velocitate motus localis [Tract. iii. de Logica].

Jejunium triplex est jejunium magnum et generale— Coelest. V. de praeceptis ecclesiae (La Bigne).

Jesu benigne vitis vera—Anon. Oratio. Univ. Coll. 42.

Jesu Christi celeri inter—Jo. Hoveden de beneficiis Dei ex Bernardo (Tanner).

Jesu Christi celeri meditatione—Jo. Wilton de beneficiis Dei (Tanner: Bale).

Jesu Christi . . . suppliciter gratiam invocantes . . . Eo namque die—T. de Celano Vita S. Franc. I., iii. [Miracula].

Jesum Nazarenum a Judaeis innocenter condemnatum— Anon. Stimulus Amoris Dei. Laud. Misc. 181.

Jesu praeceptor miserere nostri . . . Verba ista sunt decem leprosorum—Steph. de Gaigni O.P. Sermo (Not. et extr. 32).

Jesus Christus qui est Dominus—Wyclif Octo beatitudines.

Jesus ineffabilis—*ps.* Bon. Opus Contemplationis.

Jesus salutis hostia salutis sacrificium—Bon. (?) de septem verbis Dom. in cruce.

Jesu vena dulcedinis—Jo. Hoveden Meditationes etc. (Tanner).

Joannes Chrysostomus super Matthaeum de stella Christi—Anon. frater Minor, Liber Exemplorum. *MS. Dunelm.* (Not. et extr. 34).

Joannes evangelista in hoc prologo—Jo. Baconthorpe in Joan. evang. (Tanner).

Joannes filius junior Henrici II.—W. Hunt Collect. historiarum (Tanner).

Joannes interpretatur gratia—Jo. Goldeston in evang. Joh. (Tanner).

Joannes. Quia circa rerum propter hominem—Ric. Armach. de pauperie salvatoris (ed. Poole).

(S) Joel apud Hebraeos—Gul. Lissey in Joelem (Wadding).

Jonas interpretatur columba dolens—Rob. Holcote in Jonam (Bale).

Joseph ab Arimathaea tulit . . . Postquam omnia quae audistis—Bern. Sen. Sermo.

Judaei an credere debeant praedi.—Jo. Baconthorpe de Judaeorum perfidia. (Tanner).

Judica me Deus et discerne causam—Ric. de Hampole de non judicando proximo (Tanner).

Judicium de peccatis Christus—Jo. Baconthorpe de generali judicio (Tanner).

Judicum liber Hebraice dicitur Sophtim—Jo. Baconthorpe (Tanner).

Julius Caesar divinis humanisque rebus singulariter instructus—Rog. Cestrensis Policratica (Hardy § 633).

Justitia est forma cum qua—Ray. Lull. de justitia Dei.

Justitia et judicium praeparatio—Th. Stubbs Meditationes (Tanner).

Justitia quae est via ad regnum ut supradictum est in duobus—Jo. Wallensis, Summa Justitiae *sive* Tract. de septem vitiis. (Grey Friars).

Justitia suffragiorum bb. pater ad quae porrigenda—Octav. de Martinis de vita Bonaventurae. (B.H.L.).

Justus cor suum tradidit . . . Unde clamat apost. hora est jam . . . sed quidam—Rob. de Sorbona iter Paradisi (La Bigne).

Justus Dominus. Quia justitiam Dei esse probavimus diversam—Anon. Sermones. *Can. Misc.* 282.

Juvenum rogatibus quibus afficior superatus—Wyclif, Logicae continuatio.

Juxta consuetudinem in hoc libro primo praemittit prooem—Duns in Metaphysica, I., i.

Juxta doctoris egregii Augustini sententiam—Pet. a Vallibus Miracula Coletae ord. S. Clar. (B.H.L.).

Juxta hunc textum—Gul. Heytesbury Consequentiarium (Tanner).

Juxta hunc textum in libro perihermenias—Jo. Thorp Regulae consequentiarum (Tanner).

Juxta mores modernorum—Jo. Lathbury Comment. in Lament. (Grey Friars).

Juxta processum Arist.—R. Lavenham Summulae logic. (Tanner).

L

Laetetur mons Syon et exultent . . . Anno grat. 1217— Hist. Captionis Damietae (Hardy).

Lapidem quem reprobaverunt . . . Hi siquidem qui in praec.—Bern. Sen. Sermo.

Lapis quandoque generatur—N. Horsham contra dolorem rerum (Tanner).

Laudamus itaque vinum—Arnold. de Villa Nova, de confectione vini et. *Digby* 43. *Can. Misc.* 480.

Laudandum est valde cum hi qui—Ric. Ullerstone in Psalmos (Tanner).

Laudemus viros gloriosos . . . . Licet B.V.M. mater Domini—Legenda de orig. ord. Servorum B.M. (B.H.L.).

Laudes Deo [*expl.* rubedinis et claritatis]—Ray. Lull. Liber divinitatis.

Laudes ecclesiae—Alb. Mag. in cap. xi. Prov. seu de muliere forti.

Laudismus de S. Cruce—Bon. (?) Opuscul. rhythmicum.

Laus honor O Christe tua gloria sit—*ps.* Bon. [potius Anon. frater Minor] Carmen Leoninum de doctrina proficiendi.

Lavamini etc. Non solum opera—Jo. *sive* Th. Wallensis in Isaiam. *Laud. Misc.* 345 (Tanner).

Lavit nos etc. Verbum propositum continet—Bon., Sermo.

Lectio certa prodest—Gir. Cambr. Sex dialogi de electione sua, etc. praef. (Hardy).

Lectionum pervigili cura—Scoti [Michael?] de cosmographia. *Can. Misc.* 378.

Lectura ad declarandam artem generalem cujus subjectum —[Ray. Lull.?] *Digby* 85.

Lecturus haec quae de trinitate—Jo. Baconthorpe in Aug. de Trinitate (Tanner).

Leges humanas an papa poterit revocare—Jo. Stanbery de potestate papae (Tanner).

Legimus apud Eusebium in Eccl.—Jo. Wallensis in Apocal. (Tanner: Wadding).

Legimus hodie . . . —Grostete sermo (Tanner).

Legitur enim quod ab ordinis—Gul. Coventry Compend. historiarum (Tanner).

Legitur Exod. xvi. quod Dominus—Th. Docking, in Deuteron. (Wadding: Tanner). *Balliol* 28.

Legitur in Ecclesiastico xliv. Laudemus . . . [Cap. 1]. Si veterum catholicorum principum scrutentur— Leopold Bebenberg, de veterum principum German. zelo etc. (La Bigne).

Legitur in Ezechiele—Innoc. IV. Comment. in Decret. libros v., prol. *Exon. Coll.* 29.

Legitur in sacra pagina [scriptura] sanctus—Ray. Lull. de sanctitate Dei.

Leva in circuitu oculos tuos—Edw. Dinley Sermones 24 (Tanner: Bale).

Levamini et mundi estote: Non solum opera—Th. Walleys in Esaiam. *Novi. Coll.* 30.

Lex autem simpliciter ut ad omnes leges—Anon. Comp. justitiae commutativae. *Nov. Coll.* 115.

Lex Christiana timorem docet—Jo. Baconthorpe Sermones (Tanner).

Lex Christi statim post passionem—Jo. Baconthorpe de cessatione legalium (Tanner).

Lex quidem tribuit—G. de Hengham (Bale).

Libellus iste qui Stimulus amoris—Anon. Frater Minor Stimulus Amoris. *Bodl.* 475. *cf. Bodl.* 480.

Libellum ab excellentia vestra mihi exhibitum, s. pater Urbane papa, diligenter perlegi—Th. Aqu. contra errores Graecorum, (Q.E.).

Liber abbreviatus approbatus verissimus—Arnold. de Villa Nova, Lib. philosoph. prologus. *Digby* 164.

Lib. xii. prophetarum in duo—Rob. Holcote super xii. prophetarum libros (Tanner).

Liber generationis J. C. [ad hujus expositionem valet] August. contra Faustum—Pet. Wythymleyd 'Tabula septem custodiarum' super Test. Nov. *Balliol* 216. *Magd. Coll.* 78.

Liber generationis etc. In hoc—Jo. de S. Fide in Matthaeum (Tanner).

Liber generationis etc. Tria insinuantur—Anon. Sermones in S. Matth. Evang. *Magd. Coll.* 27.

Liber hujus operis secundus de tempore gratiae ordinatus —Rog. Wendover Flores Hist. lib ii. prol. (ed. Coxe).

Liber incipit de generatione—T. Walden in Arist. (Tanner).

Liber iste . . . —Ray. Lull. de militia clericali.

Liber iste dicitur Genesis—*ps*. Th. Aqu. in Gen. (Q.E.).

Liber iste dividitur in partes octo; prima pars tractat de servitio divino—Sim. de Gandavo Regula Anachorit. *Magd. Coll.* 67.

Liber iste dividitur in tres partes—Nic. Gorham in Apocal. (Bale).

Liber iste graece dicitur Paralipomenon quod sonat Liber residuorum—Steph. Langton. *Laud. Misc.* 149.

Liber iste principaliter dividitur in tres partes, in exordium—Jo. Scotus in Apocalypsim (?) *Laud. Misc.* 434.

Liber iste quem in praesentiarum legendum—Jo. Platearius Salern. in Nic. Florent. Antidotarium. *Digby* 197.

Liber iste vocatur Hebraice Vaiicra—Jo. Baconthorpe in Leviticum (Tanner).

Liber quem prae manibus habemus—Sim. Stokes Lecturae scholast. (Tanner).

Librum Hester variis — Steph. Langton Expos. in lib. Hester. *Exon. Coll.* 23.

Librum scribat mihi ipse qui judicat ait Job. Hic notanda sunt quinque. Primum est quis est iste liber—Rob. de Sorbona de conscientia (La Bigne).

Licet B. Gregorius admoneat—Jo. Wallensis Pastoralia (Tanner; Wadding).

Licet capitulo xxv. (?) rogarem.—Wyclif Summa Theol. Lib. iv.

Licet circa diversas formas—Laur. Somercote Summa de formis elect. episcop. (Tanner).

Licet cum malis valde laudabile—Steph. Langton in Job.
(Tanner).

Licet dixit insipiens . . . tamen videtur supponendum—
Wyclif, Trial. lib. i., cap. 1.

Licet ex meritorum qualitate meorum . . . Hanc enim
Dominus infimam—Vita Oringae (B.H.L.).

Licet merita scientiae—Barth. Brixiensis Hist. decret.
prol. *Oriel Coll.* 29.

Licet ex responsionibus mei Armachani—Ric. Kylington
contra R. Conway (Tanner).

Licet Hieronymus istum binarium—Steph. Langton in
Aggaeum (Bale).

Licet mihi inter meditandum—Alfred. Anglicus de musica
(Tanner).

Licet modo in fine temporum . . . Aureus in Jano—Alex.
de Villa Dei, Compotus (prol). *Digby* 22, *Douce* 257
[cf. Simon Bredon (Tanner: Bale)].

Licet multa et varia de ritibus et conditionibus—Odoric.
de Portu Naonis O.M. Iter in Orientem, prol.
(B.H.L.).

Licet multi probatissimi viri—Fr. de Mayronis, Interro-
gationes, etc. (Wadding).

Licet nonnulli circa vocabula bibliae—Alex. Neckam
(Bale) : Anon. Canonicus regularis. *Laud. Misc.* 30.

Licet omnipotens et bonus Deus dona . . . Fuit autem b.
Augustinus—Vita August. Novelli (B.H.L.).

Licet ordo placitandi in curia—Ran. Hengham, Magna
(Tanner).

Licet opera poenitentialia—Fr. de Mayronis Sermones
quadrages. 59 (Tanner).

Licet per apostolos et alios—Ric. Grasdale de dilatatione
fidei (Tanner).

Licet quotidie vetera recentibus obruant—Guido de
Columna, de Bello Trojano (Bale).

Licet socii estis etc. Si quia hodie solemnizat de bono
Dionysio—Anon. Sermones. *Nov. Coll.* 88.

Licet totum Evangelium annuatim deferat—Wyclif Opus
Evangelicum, *sive* De Serm. Dom. in Monte, Pars I.,
prol.

Licite aliquis diligere potest—Gul. Harsyck Distinct. theol.
(Tanner).

Licitum est et meritorium—Gul. Woodford de oblationibus
fiendis in locis sanctorum (Tanner).

Lignum vitae . . . In quibus verbis loquemur de amore
fructuoso—Bern. Sen. Sermo.

Lignum vitae desiderium veniens *(Prothema :* Lingua placabilis etc : Sicut Dominus in prima conditione) . . . . Et ideo istud assumsimus—Bon., Sermones de sanctis [de S. Andrea].

Lignum vitae desiderium veniens. Prov. xiii. . . . . Lingua placibilis . . . Sicut dominus in prima conditione mundi—Bon., Sermones de sanctis.

Lincolniensis apex praesul—Ric. Bardeniensis, Vita Rob. Grostete (Tanner).

Lingua congruit in duo opera—Grostete de lingua (Tanner). *Linc. Coll.* 105.

Linguae tuae petulantiam—Barth. Facius contra L. Vallam. *Balliol* 131.

Litera est minima pars vocis—Greg. Huntingdon Regulae versificandi (Tanner).

Literalis sensus S. Script. . . . Sicut dicit Hieron. in Epist. ad Paulinum—H. Virley de figuris historiarum (Tanner).

Literas vestras affectuose recepi et attente perlegi—Steph. de Senis Epist. de vita S. Kath. de Senis. *Magd. Coll.* 141.

Locuti sumus de doctrina figurae—G. Ripley, Ars brevis (Bale).

Logica est ars et scientia—Ray. Lull. Logica parva.

Loqui cupiens de virgine gloriosa—Alb. Mag. Spec. in salutationem angelicam.

Loqui etc. Sciendum quod tres fuerunt Valerii—Nic. Trivet (Tanner).

Loqui perhibeor et tacere non Jo. de Ridevall, (?) Com. in Valerium ad Ruf. de uxore non ducenda. (Grey Friars).

Luce ergo de coelo progrediente—Vita Petri de Luxemburgo (B.H.L.).

Lucerna posita sub modio—Th. Elmham Hist. Henr. V. (Tanner).

Lucerna splendens . . . . Nomine candelabri—Steph. Langton in Judith. *Laud. Misc.* 149.

Lucifer princeps tenebrarum circa—Nic. Oresme Bulla Luciferi (Tanner).

Lucius a luce dicitur—Nic. Trivet in Epist. Paul. ad Senecam (Tanner).

Ludere volentibus ludo paro lyram—Rob. Baston de Scot. guerris (Tanner: Hardy § 449, 503, 606).

Ludus scaccorum datur hic correctio morum—Simeon Ailward de ludo scaccorum (Tanner).

Lumen poenitentiorum seu confessorum—Antoninus Florent (?). *Can. Eccl.* 67.

Lusisti utiliter ubertimque—Gilb. de Hoyland (?) in S. Matth. (Tanner).

Lux incomprehensibilis ac majestatis—G. Ripley Castellum xii. portarum *sive* de calcinatione etc. (Bale).

Lux lucis et fons luminis—Vita minor Hedwigis Silesiae ducissae (B.H.L.).

Lux orta est justo etc. In verbo proposito quod sumitur de Psalmo describitur B. Virginis nativitas—Bon. Sermo.

Lux vera quae illuminant omnem hominem—Gul. Thorne Vitae Abbatum S. Aug. Cantuar. (Hardy).

Lux vera quae illuminant omnem hominem—Th. Sprott, Chronicon (Tanner).

Magister aggrediens intentum—Anon. in Sent. *Balliol* 196.

Magister et dominus Gondisalvus—Rob. Holcote *sive* Gul. de Kyngesham in Ecclesiasticum (Tanner : Bale).

Magisterium in cura vice modorum—Jo. de Rupescissa O.M. de quinta essentia, liber ii. *C.C.C. Oxon.* 124.

Magister Jacobe, amice carissime, dudum me rogastis— Arn. de Villa Nova, Medic. *Can. Misc.* 480.

Magister quod est mandatum—*ps.* Th. Aqu. de dilectione Christi et proximi (Q.E.).

Magister reverende et amice percarissime—Wyclif Responsum ad decem quaestiones.

Magister scimus quia verax es . . . Discipulorum Phari- saeorum—Bern. Sen. Sermo.

Magister sequar te quocumque ieris. Mat. viii. In verbis istis commendatur B. Franciscus ex duobus—Anon. Sermo. *Bodl.* 838.

Magister, volumus a te signum . . . . Curiosorum et superborum—Bern. Sen. Sermo.

Magna est differentia inter praedicationem—Jo. Watton Spec. Christiani (Tanner). *C.C.C. Oxon.* 155.

Magna et ineffabilis ac multum—Anon. Sermo in Quid enim prodest homini etc. *Can. Eccl.* 22.

Magnam abundantiam consolationis divinae—Ric. de Hampole [*ps.* Wyclif] Comment. in Psalmos (Bale p. 265).

Magnam et praeclaram—Gul. Ivy (?) de mendicitate Christi (Tanner).

Magna spiritualis suavitatis [jocunditatis]—Ric. de
Hampole super Psalt. (Tanner).

Magnificae bonitatis etc. Quoniam a Johanne et de
Johanne pro revelanda veritate—W. de Monte
Lauduno supér constit. Clement. *Exon. Coll.* 17.

Magnis me monstris—F. Petrarcha ad J. Boccacium.
Balliol 146 B.

Magnorum et multorum petitionibus—Th. Bradwardine
de causis (Tanner: Bale).

Magnum Dñum et magnam virtutem ejus merito laudarem
. . . Quantum ad memoriam possum reducere—Pet.
de Dacia Vita Christinae Stumbel. (B.H.L.).

Magnum nobis diebus istis novissimis—Lud. Vicent. Vita
Bern. Senensis (B.H.L.).

Magnus Deus in semetipso—Grostete de statu causarum
(Tanner).

Magnus dominus et laudabilis nimis in Civitate Dei—
Jo. de Ridevall, Comment. in S. Aug. De Civ. Dei.
(Grey Friars).

Magnus dominus et laudabilis—Th. Ashburn, Extractiones
ab Augustino (Tanner).

Magnus mundus in semetipso—Grostete quod homo sit
minor mundus (Tanner).

Majestatis interminae supremaeque deitatis—Pet. a
Vallibus Vita Coletae ord. S. Clar. (B.H.L.).

Malachias interpretatur angelus Domini—Rob. Holcote
in Malachiam (Bale).

Malos male perdet . . . Triplex potest distingui fides—
Bern. Sen. Sermo.

Malum est in eis perseverare ea—Wyclif de studio
lectionis.

Mandata Dei et lex Altissimi data sunt—Card. Ottoboni
Constitutiones 1268 (ed. Oxon. 1679).

Mandatis vestris obtemperando—Gul. Woodford, de
sacram. altaris (Bale).

Manifesta te ipsum mundo . . . Mira quidem est pugna—
Bern. Sen. Sermo.

Manifestavi in praecedentibus quod cognitio linguarum
et mathematica—Rog. Bacon, pars vii. de morali
philosophia. *Digby* 235. (*c.f.* Wadding.)

Manifesto quod multae praeclarae radices—Rog. Bacon,
Comp. Stud. Theol. pars iv. (Bale).

Manifestum est [*expl.* quae dicta non sunt]—Ray. Lull.,
Lib. facilis scientiae.

Manifestum est per philosophum prout recitat Galenus in
xi. de ingenio—Hieron. de S. Fide contra Judaeos
cap. 1 (La Bigne).

Manus in S. Scriptura frequenter — Grostete Sermo
(Tanner).

Manus quae contra omnipotentem tenditur facile dejicitur
—Bon. (?) *sive* quidam frater minor, Defensio
mendicantium (Q.E: *sub* Th. Aqu.).

Mariae carmina quondam exametra—Gualt. Wiburne,
Carmen de B.V.M. (Bale).

Mariae praecellentissimae matris—Alex. Hales Mariale
(Tanner).

Martyrium autem quatuor fratrum nostrorum in illa civit.
Thana—Odoric. de Portu Naonis Passio Th. de
Tolentino et Soc. O.M. (B.H.L.).

Masculum [et] immaculatum solus Christus erat—T.
Walleys in Levit. (Tanner). *Nov. Coll.* 30.

Materia divinarum scripturarum—Ray. Lull. in Sent.
(Tanner).

Materia hujus libri duplex est—Jo. Baconthorpe in Job.
(Tanner).

Materia hujus primi libri potest trahi—Nic. Trivet in tres
libros Sent. (Tanner)

Materia Oseae triplex est—N. de Lyra, xii. Prophet. min.
Laud. Lat. 21.

Mathematica utitur tantum parte aliquota—Rog. Bacon
de Mathematica. *Digby* 76.

Matthaeus cum primo praedicasset evangelium . . . .
Hebraice—Jo. Goldeston (Tanner).

Matthaeus ex Judaea: Praesens prologus in tres partes
. . . *Lib.* 1. Liber generationis . . . Sicut fluvius—
Jo. Scot. (?) in Matth. *Laud. Misc.* 434.

Matthaeus qui et Levi ex publicano—Jo. Baconthorpe in
Matth. (Tanner).

Maxima cognitio naturae et scientia—Arist. de coelo et
mundo, tr. Arab.-Lat. (Jourdain).

Maxima cognitio naturae et scientiae—Mich. Scot de
constit. mundi (Tanner).

Maxime et forte incredibili gloria virorum illustrium—
Paul. Venet. [*sive* Francis. de Senis] in Porphyr.
Isagogen, prol. i. *Can. Lat.* 286, 452.

Maxime pontificum triplicem qui—Bapt. Mantuanus, Vita
Lud. Morbioli (B.H.L.).

Me cordis angustia cogit mira—Rob. Baston de Scotorum
bello (Tanner).

Medicinae calefacientes capi—Jo. Gatesdene de medicinis
etc. (Tanner).

Meditantibus nobis nuper quam **fugax**—Humfridus dux
Glouc. Epist. (Bale).

Meditari debes quia mortaliter—**Grostete**, Meditationes
(Tanner).

Meditationem nunc tandem incipiam—Anon. de arte
lacrymandi (Bale).

Meditatio simplicis de fidei rimatione—Nic. de **Lyra** (?)
de privilegio virginali (Bale). *Merton* 187.

Medius vestrum stetit . . . Ego vox clamantis—Bon. (?)
Sermo in quarta dominica Advent. *MS. Dunelm.*

Me dolor infestat foris—Pet. Babyon, Comaedia (Tanner).

Melchisedech Dei altissimi sacerdos—Jac. Vitriac. Hist.
Hieros. abbrev. *Merton* 118.

Memento mirabilium ejus quae—T. Walleys de statu
animarum post mortem (Tanner).

Memento miser homo quoniam—Ric. Hampole Meditatio
ex S. Script. (Tanner).

Memini me ad suadelas—Jo. Godard de triplici compu-
tandi modo (Tanner).

Memorabilia philosophorum studia—Galf. Hardeby
Quodlib. Oxon (Tanner).

Memorabilis Christi virginis Christinae vitam scribere
disponentes . . . . Igitur memorabilis—Th. Canti-
pratanus, Vita Christinae mirabilis (B.H.L.).

Memorandum quod ab origine mundi usque ad hoc—
Annales Cantuar. (?) ad 1325 (Hardy 643, 644).

Memorandum quod Robertus de Olleyo—Gul. Sutton sive
Button de fundatione Osney regist. (Tanner).

Memorandum quod stellae fixae alium—Gualt. Odington
(Tanner).

Memor ardens caritas et summa cordis bonitas—Bon. (?)
de proprietate amoris. *Bodl.* 61.

Memoratio et reminiscibilis—Gul. Slade Conclusiones
ethic. (Bale).

Memor esto unde excideris—Jo. Wilton Sermones (Bale).

Memor fui operum . . . Nota hic materiam—Bonif.
Mediolan. O.M. super quartum Sent. prol. *Laud.
Misc.* 736.

Memoriam fecit—*ps.* Th. Aqu. de sacram. eucharist. ad
modum decem praedicamentorum etc. (Q.E.).

Memoriam fecit mirabilium . . . . Hodie tract. intena.
de quarta ala—Bern. Sen. Sermo.

Memoriam fecit . . . . Quoniam amorosus—Bern. Sen. Sermo.

Memor semper fui . . . . postquam te mundo subtractum —Coluccii de saeculo et religione etc. prol. *Can. Misc.* 399.

Mens humana per se moveri habet—Anon. de gradibus et speciebus. *Digby* 33.

Mente concipio laudes conscribere—Jo. Peckham Psalt. B.V.M. (R.S.).

Me plerumque per caritatis actum—Anon. frater Minor, Examinatorium peccatorum, prol. *Can. Misc.* 264, 269.

Mere dignum et justum est nos agere—T. de Stureia in canon. missae (Tanner).

Meum est propositum gentis imperitae—Rob. Baston contra artistas (Tanner).

Michaeas interpretatur humilis—Steph. Langton in Michaeam (Bale).

Michaeas qui interpretatur humilitas—Rob. Holcote in Michaeam (Bale).

Mihi diu cogitanti consulentique etiam sacros viros— Dominicus Bandinus de Aretio, Fontes memorabiles. *Balliol* 238.

Mihi dudum mandatum daretis—Roland, Reductor. physiognomiae (Tanner).

Mirabilia divinorum operum humano generi . . . .Ven. igitur Christi athleta—Vita Bonifatii ep. Lausan. (B.H.L.).

Mirabilis Deus in ss. suis sec. miserationem . . . Pasqualis puer—Miraculà Bernard. Senensis (B.H.L.).

Mirabilis Deus in ss. suis . . . Igitur vir Dei fr. Hen. de Calstris—Vita H. de Calstris (B.H.L.).

Mirabilis facta est scientia [*des.* limitatum]—Alb. Mag. Summa Theol.

Mirabilis facta est senten. tua (?)—Jo. Cuningham in Sent. (Tanner).

Mirabilis in altis Dominus . . . . Scripsit autem—Gul. Carnotensis Vita Lud. IX. (B.H.L.).

Mirabilis semper Deus in sanctis suis—N. de Aretio Vita Bened. de Aretio O.M., prol. (B.H.L.).

Mirabiliter natus est Isaac—Nic. de Hanapis Exempla Virtutum et Vitiorum. *Bodl. Arch.* 1860.

Miracula quae refert Matth.—Jo. Baconthorpe Concordia Christi et prophetarum (Tanner).

Miror, optime miles, paucis diebus—Anon. Somnium Viridarii, seu Dial. inter militem et clericum de' jurisdictione etc. *Laud. Misc.* 731.

Miserator et misericors Dominus—Simon Langton de poenitentia Magdalenae (Tanner).

Miserere mei, Domine . . . . Angustiantis, atque misericordiam—Bern. Sen. Sermo.

Miserere mei, Domine. . . . In quibus verbis tria continentur—Bern. Sen. Sermo.

Misericordia Domini plena est terra . . . . Nota ad evidentiam—Bern. Sen. Sermo.

Misericordiam et judicium . . . In quo sacro eloquio— Bern. Sen. Sermo.

Misericordias Domini etc. Misericordiam Domini in aeternum cantare—Ric. de Hampole de octo viridariis. *Magd. Coll.* 71.

Misericordia secundum etymologiam—Th. Stubbs de misericordia Dei (Tanner).

Miser sum ego . . . De infelici carnis—Bern. Sen. Sermo.

Miserunt principes . . . . In his navalibus bellis—Bern. Sen. Sermo.

Misit de summo et accepit me—Grostete de praemiis apostolorum (Tanner).

Misit verbum suum et sanavit eos—Th. Aqu. in quartum lib. Sent. (Q.E.).

Missae sunt epistolae—Nic. Gorham, super Epist. vii. Canon. *Laud. Misc.* 467 [cf. *ps.* Th. Aqu. (Q.E.)]

Missionem filii legimus duplicem—Grostete Com. in Evangelia (Tanner).

Missis in orbem apostolis et discipulis Dom. praedicare . . . . Anno Verbi incarn. 590 vel. circiter—Hist. Monast. S. Bertini (M. et D.).

Missus est . . . . Annunciante angelo—Grostete Sermo (Tanner).

Mittite in dexteram . . . Secundum nempe mysticum— Bern. Sen. Sermo.

Modo ad materiam propositionis categoriae—Jo. Chilmark de quantitate etc. (Tanner).

Modus autem procedendi et divisio huius operis patet sic. Plangit enim in duobus primis—*ps.* Bon. [Jo. Peckham?] Postilla in Lam. Jerem.

Modus operandi pro eclipsi—Lud. Kaerleon (Tanner).

Monachi Fossae Novae—Raim. Hugo, Translatio Th. Aquin. (B.H.L.).

Monasterium monialium D. patris Benedicti . . . fundavit
—Vita Julianae Venet. (B.H.L.).

Mons sapientiae verbum Dei—Nic. Trivet, de missa
(Bale).

Mons Sina non conjungitur—Jo. Baconthorpe in Lucam
(Bale).

Montes Israel ramos vestros etc. Adventus Dominici
fratres redivivam—Anon. Sermones. *Magd. Coll.* 168.

Moralium dogma . . . . Triplex est capiendi—Anon.
Moralium dogmata philos. *Balliol* 285.

Mores adversus tyrannos et de oppressoribus pauperum—
Anon. *Laud. Misc.* 2.

Moriemini in peccatis vestris . . . . In multis quidem
errasse—Bern. Sen. Sermo.

Moriemini in peccatis vestris . . . . Triplex est genus
mortis—Bern. Sen. Sermo.

Mors est moesta nimis—Anon. Versus in obitum Edw. I.
regis Angl. *Magd. Coll.* 6.

Mortuus est dives . . . Licet enim beatus Joan.—Bern.
Sen. Sermo.

Mortuus est dives . . . Sicut enim malas consuet.—Bern.
Sen. Sermo.

Morum gratia de insigniis—Bartholi a Saxoferrato de
insigniis et armis etc.—*Nov. Coll.* 204.

Moses dixit tremebundus sum et—Jo. Baconthorpe, Epist.
ad Timoth. (Tanner).

Moses qui tradente Domino—Grostete de cura pastorali
sive contra praelatorum ignaviam Epist. (Tanner).

Mos hominum esse dignoscitur . . . Anno igitur . . . 1394
de modio—Jo. Marienwerder (?) Vita Dorotheae
(B.H.L.).

Motore primo primitus invocato—Rog. Swineshead
Descript. motuum (Tanner).

Motum accessionis et recessionis—Gul. Anglus de motu
capitis (Bale).

Motus sum per quosdam legis Dei amicos—Wyclif, Logica.

Motus sum per quosdam veritatis amicos—Wyclif, de
fundatione sectarum.

Mox idem Johannes insignitus diademate—Super electione
Regis Scotiae etc. (Hardy).

Mulier si primatum habeat—Nic. Trivet in Valerium de
non ducenda uxore (Tanner).

Multae praeclarae radices—Rog. Bacon de utilitate
linguarum (Wadding).

Multae sunt rationes erroneae—Gul. Bintrey, Defensio mendicantium (Tanner).

Multae tribulationes justorum . . . . O abyssus divinae sapientiae—Bern. Sen. Sermo.

Multa flagella peccatoris . . . . Incipit enim: Beati quorum—Bern. Sen. Sermo.

Multa hujus argumenti in determinatione de suffragiis viatorum—Jo. Sharpe de pluralitate beneficiorum (Tanner).

Multa sunt animalia [*des.* de differentiis eorum dicta sunt] —Alb. Mag. in lib. Arist. de spiritu et respiratione.

Multa sunt rev. in Chr. pater ac domine—Jo. de Giglis de canoniz. sanctorum (Tanner).

Multi circa animam erraverunt—Rob. Grostete de anima. *Digby* 104.

Multifariam multis modis—Rog. Bacon (?) Spec. Alchemiae (Grey Friars).

Multifariam multisque modis . . . . Ante ejus obitum dicitur—Miracula Thomasii de Costacciario (B.H.L.).

Multifarie multisque modis olim Deus electos—Constant. Mediceus *sive* Theod. de Appoldia, Vita Dominici, prol. (B.H.L.).

Multifarie multisque modis olim fratres carissimi loquens Deus . . . B. itaque pater et almus conf.—Christoph. de Parma, Vita Franc. Patritii de Senis (B.H.L.).

Multifarie multisque modis olim loquens Deus—Roderic. Cerratensis Vita Dominici, prol. (B.H.L.).

Multifarie: Incipit epist. ad Hebraeos circa cujus initium —T. Docking. *Balliol* 30.

Multi homines sunt qui desiderant scire—Ray. Lull. de confessione.

Multi leprosi . . . Nota quod sicut habemus animam— Bern. Sen. Sermo.

Multi nobiles ac pietatis studeo maxime—Th. Rudborne Chron. (Hardy).

Multiplici ratione audiendum—Ric. Fishacre in Solom. parabolas (Tanner).

Multipliciter philosophi loquebantur—G. Ripley Dictata aegri (Bale).

Multis et mirabilibus in his meis libris—Anon. de confectione auri et argenti, etc. *Digby* 162.

Multi sunt qui credunt—Ray. Lull. de creatione.

Multi sunt sacerdotes—Gul. de Pagula (?) Oculus sacerdotis ii. *Rawl. C.* 84. *Balliol* 83.

Multi sunt vocati . . . Verissima, et admirabilis—Bern.
Sen. Sermo.

Multorum fratrum ordinis nostri—Jac. de Cessolis O.P.
de ludo scaccorum, prol. *Can. Misc.* 56.

Multorum tam laicorum quam clericorum—Jo. Sharpe de
sacram. altaris (Tanner).

Multotiens mihi divina quaedam ac mirabilis—Arist. de
mundo, tr. Gr.-Lat. (Jourdain).

Multum coangustat—Grostete de ordine causarum a Deo
(Tanner).

Multum conferre dinoscitur non solum—Jo. Chillingworth
Tabulae astron. (Tanner).

Multum esse delectabile—Ray. Lull. Propter bene
intelligere diligere et possificare.

Mundanae machinae fundamenta—Nic. Trivet de officio
missae (Tanner). *Merton* 188.

Mundus dicitur quasi undique motus—Greg. Huntingdon
Imago mundi (Tanner).

Mundus est qui alio nomine—Jo. Freas de cosmographia
mundi (Bale).

Murmurabant Pharisaei . . . Omnis quippe vox Christi
—Bern. Sen. Sermo.

Musica est peritia modulationis—Anon. de plana musica.
Bodl. 515.

Mystica theologia est secretissima—Grostete Comment. in
Dionys. Areopag. (Tanner). *Linc. Coll.* 101.

N

Nacto olim otio a tumulta (?) saeculi—Th. Otterburn
Chron. (Tanner: Bale p. 485).

Nahum interpretatur germinans—Rob. Holcote in Nahum
(Bale).

Nahum propheta ante adventum—Gul. Lissy, in Nahum
(Wadding: Bale).

Nam primo transiens mare majus me transtuli Trape-
sondam—Odoric. de Portu Naonis Iter in Orient.
(B.H.L.).

Narrabo nomen tuum—Gul. Melton in Epist. ad Hebr.
(Tanner).

Natis et educatis in Christi—Grostete, de cura pastorali
(Tanner).

Naturae sagacitas ex ejus—Aegid. Rom. super libros Elenchorum. *Balliol* 119.

Natura est duplex naturans—T. Walden, Introd. ad
naturalia (Tanner).

Natura est primus motus et quietus—Anon. Comp.
Physicum de generatione et de anima. *Can. Misc.*
404.

Natura est principium motus—Jo. Garisdale de terminis
natural. (Tanner). *Nov. Coll.* 289.

Natura etc. Hic liber de—T. Walden de coelo et mundo
(Tanner).

Naturalibus et doctrinalibus—Alb. Mag. in lib. xiii.
metaphys. Arist.

Naturalis philosophiae principales partes sunt viii.—Rog.
Bacon (?) Com. in viii. lib. Phys. *Digby* 150.

Naturalis scientia est anima—Aegid. Rom. in Physica.
Balliol 118.

Naturam rerum in diversis auctorum scriptis—Anon. *Can.
Misc.* 356.

Natus est b. Jacobus A.D. 1220—Bonav. Camasseus Vita
Jac. de Mevania (B.H.L.).

Navis per se descendit flumen—Anon. Angl. Narrationes
morales etc. *Laud. Misc.* 527. *Digby* 16.

Necessarium clero—Ric. Armach. Informatio brevis contra
fratres [pars Defensorii curatorum]. *Bodl.* 158.

Necessarium reor militaturis Deo in coenobio Villariensi—
De gestis abbatum Villariens. (M. et D.).

Necesse est illi qui vult componere medicinas—Rog.
Bacon, Canones practici de medicinis, etc. (Grey
Friars).

Necesse est ut scandala veniant. Condilecti . . . caritate
complexi—Ric. Rotherham de pluralitate beneficiorum (Tanner). *Balliol* 80.

Nec miles in bello nec sacerdos—Steph. Langton de
similitudinibus (Tanner).

Ne falso forsan arbitreris—Alb. e Sartiano (Wadding).

Ne fastidiosus occurram—W. Hemingburgh Chron.
(Hardy).

Ne ignorantiae vel potius invidiae—Gul. Angl. de urinis,
praef. *Can. Misc.* 46.

Ne inflatura mundanae sapientiae . . . Ego inquit Angela
—Arnald O.M. Vita Angelae de Fulgineo (B.H.L.).

Ne in posterum—Ubert. de Casale (*vide* Knoth, Ubertino
von Casale).

Ne inter occupationes multiplices et sollicitudines vehementes—Innoc. III. (?) Prooem. in vii. psalm. paenitent. (Migne).

Ne lux regiminis abbatis sexti—Jo. Amundesham, Acta Joh. Whethamsted (Tanner: Bale).

Nemicerius episcopus ad Caltidium—Greg. Huntingdon Explan. Graec. nominum (Tanner).

Nemo ambigit humanae divinaeque—Ric. de Hampole super mulierem fortem (Tanner).

Nemo peccat in Spiritum Sanctum—Wyclif, Epist. de peccato in Spiritum Sanctum.

Nemo quippe in occulto . . . Secundum enim Isidor. ii.—Bern. Sen. Sermo.

Nemo vos seducet inanibus verbis . . . Hoc loco hodie—Ric. Armach. Sermo A.D. 1356. *Bodl.* 144.

Ne quis per ignorantiam se excuset—Jo. Peckham, Const. Prov. (Wadding).

Ne rudium turba scolarium—Franc. de Brutis, Grammat. *Can. Misc.* 196.

Nescitis quid petatis . . . Multum officit caritati—Bern. Sen. Sermo.

Ne sit taediosum legentibus—R. Lavenham Spec. naturale (Tanner).

Ne tardes converti . . . . Nam subito rapit—Ric. de Hampole de emendatione peccatoris (La Bigne).

Ne tardes converti . . . Nota quod penitentis—Anon. de modo confitendi. *Nov. Coll.* 96.

Nihil opertum . . . Quidam Ricardus nomine Bagard—Miracula Sim. de Montfort (B.H.L.).

Nihil totum quantum est—Green de quantitate (Tanner).

Nimis oleus nomen Caym—Wyclif, de fratribus—ad scholares.

Nisi manducaveritis carnem . . . . Juxta veridicam Doctorum—Bern. Sen. Sermo.

Nisi quis renatus etc. In verbo proposito salvator nos informare—Bon., Sermo.

Nobilis generositatis . . . Ysabellae comitissae de Arundelia . . . . Quid enim—Rad. Bocking Vita Ric. Wyche ep. Cicest. (B.H.L.).

Nobis ignota ne deponentia—Nic. Brekendale Deponentale (Tanner).

Nocet cerebrum argento—Bern. de Gordonio. *Oriel Coll.* 4.

Noctis sub silentio tempore brumali—Dial. inter corpus et animam [Walter Mapes?]. *Digby* 28. *Bodl.* 110.

Nolite, diligere mundum . . . Tripliciter quippe solet—
Bern. Sen. Sermo.

Nolite judicare secundum faciem . . . In praecedentibus
tribus seim.—Bern. Sen. Sermo.

Nolite judicare secundum faciem . . . . Ista est utilis et
pulchra—Bern. Sen. Sermo.

Nolite judicare secundum faciem . . . . Omnis quippe
injuria—Bern. Sen. Sermo.

Nolite judicare secundum faciem . . . Pater . .
protestor — Ric. Armach. Sermo coram papa, *sive*
Defensorium curatorum. *Bodl.* 158 (Bale).

Nolite omni spiritui . . . Navigantibus hoc saec.—Bern.
Sen. Sermo.

Nolite thesaurizare . . . . ut discutiam thesaurizationis
materiam—Jo. de Capistrano. *Can. Misc.* 537.

Nolumus vos ignorare . . . . Consuetudo gentilis super-
stitum—Wyclif, Sermo.

Nomen est vox significativa—T. Walden Summul. logices
(Tanner).

Nomen libri Perihermenias qui—W. Burley (Tanner).

Nomen Virginis Maria . . . . Da mihi Virgo Gloriosa
virtutem—Bern. Sen. Sermo.

Nomen Virginis Maria . . . Non est facultatis humanae—
Bern. Sen. Sermo.

Nomen Virginis Maria . . . Testis est conscientiae Deus
—Bern. Sen. Sermo.

Nominum quinque sunt divisiones—Jo. Blakeney, Necessi-
loquium grammat. (Tanner).

Non est mei propositi . . . in hoc sermone obstrusas
explicare sententias—Justus Abbas, Sermo etc. (La
Bigne).

Non debet videri superfluum si ea quae ab ipsis compila-
toribus—Gerard. de Fracheto Suppl. ad Vitas
Dominici (B.H.L.: M.O.P.).

Nondum communis naturae necessitas—*ps.* Enoch, Vita
Angeli Ord. Carm (B.H.L.).

Nondum erant abyssi et ego jam concepi—Jo. Baconthorpe
de conceptione Mariae (Tanner).

Non enim hominis est quibus sane verbis dici possit . . .
A.D. 1219 a prima conversione—Jo. Tisserand. (?)
Passio quinque frat. Min. Martyr. in Marochio
(B.H.L.).

Non enim veni solvere legem . . . In ordine sapientialium—Bern. Sen., Quadragesimale de Evangelio
aeterno, prooem.

Non est vestrum nosse tempora vel—T. Walleys de temporibus in potestate Patris (Tanner).

Non excusatur qui verum non fateatur—Jo. Gower de peste vitiorum (Tanner).

Non gloriatur sapiens—Rob. Caracciolus, Sermones etc. (Wadding).

Non habebis deos alienos—Simon Henton (Tanner).

Non habebis deos alienos . . . Hoc est in corde—Thomas Docking, Expos. Decalogi. (Grey Friars).

Non habebis deos alienos . . . In hoc primo mandato sicut liquet—P. de Aureolis *sive* Wallensis (?) de praeceptis. *Bodl.* 400, 687. *Digby* 173. *Magd. Coll.* 13.

Non hic Pegasides non ficta—Maph. Vegius Vita metr. Ant. de Padua (B.H.L.).

Non. ignoras rev. protonotarie—Maur. de Portu in Fr. Mayronis (Tanner).

Non immerito fratres hodierno—Jo. Clipston Sermones (Tanner).

Non in solo pane . . . Jam in pelago—Bern. Sen. Sermo.

Non in solo pane . . . Quoniam ista Dominica—Bern. Sen. Sermo.

Non invenio in exemplari Gr. nomen auctoris—Grostete in lib. Dionys. (Tanner: Bale).

Non invenit locum poenitentiae Joh. XXII.—Gul. Occham, Opusculum adversus errores Joh. XXII. (Grey Friars).

Non is utique liber inutilis—Jo. Peckham de vanitate rerum mundan. (Wadding).

Non licet mulieribus publice docere—W. Hunt (Tanner).

Non misit me baptizare sed evangelizare—Th. Docking, Quaest. in Lucam (Wadding: Bale).

Nonnullis rebus saepenumero annexa est—Franc. Castil. Vita Antonini Florent. prol. (B.H.L.).

Non omnis qui dicit . . . Dicitur vulgariter; Qui bene faciet—Eustacius O.M. Sermo. (Not. et extr. 32).

Non parvum aestimo beneficium [*Des:* peccatorem non esse] Bon., Meditatio de beneficiis. *Rawl. C.* 116.

Non perjurabis in nomine meo . . . Cogit me caritas— Bern. Sen. Sermo.

Non permanebit spiritus meus . . . Quia sumus pondere —Anon. Sermonum pars iii. *Magd. Coll.* 96.

Non potest civitas abscondi . . . Verba sunt salvatoris— Caesar. Heisterbac. Sermo de Eliz. Thuring. (B.H.L.).

Non potest ostendi jure aliquo—Sim. Stokes contra Carmelitas (Tanner).

Non praeteribit generatio haec . . . In quibus sac. verb. tria genera torment.—Bern. Sen. Sermo.

Non secus illo pacto—Alb. de Sartiano (Wadding).

Non solum audiendis scripturae sacrae verbis—Chron. Angl. a Bruto ad 1305, auctore [R. Remington? (Tanner) *sive*] Pet. de Ickham?—*Digby* 168 (cf. Hardy 473, 488, 495, 556).

Non solum parochialis curati suorum parochianorum— W. Hunt de dominio papae (Tanner).

Non sum propheta . . . —Hugo de Novo Castro de Victoria Christi etc. (Wadding).

Nonum Topacius dictum est—Simon Henton in Sophoniam (Tanner).

Non vituperetur ministerium—Jo. Batus, Sermones (Tanner).

Nos autem ad eorum quae dicenda sunt intelligentiam— Alb. Mag. de morte et vita. *Digby* 150.

Nos ergo nostris nunc temporibus—Vita Eliz. Thuring. prol ii. (B.H.L.).

Nosque patere morsibus . . . . Lavamini—Jo. *sive* Th. Wallensis in Isaiam, *Laud. Misc.* 345.

Nosti carissime quod ea quae de ordinatione claustri—Nic. de Lyra (?) [Hug. de S. Victore] de claustro anime. *Laud. Misc.* 12.

Nostra conversatio in coelis est. Verba sunt Apost. ad Cor. Quae si ad omnes—Grostete Sermo ad religiosos. *Rawl. C.* 531.

Nota cordialiter quod quodam die—Jo. Norton Spiritualis musica monachorum (Tanner).

Notandum autem est hic praesentibus et posteris incidenter —Bern. Guidomis, de insurrectione haereticorum etc. (Not. et extr. 27).

Notandum est in principio—Guido O.P. Sermones. *Linc. Coll.* 113.

Notandum igitur quod cum tria sunt symbola—Alex. de Hales, de articulis fidei. *Laud. Misc.* 12.

Notandum quod cum animae fideles . . . Estote fortes in bello—Anon. Libellus considerationum gratiae Dei etc. *Laud. Misc.* 181.

Notandum quod in exordio surgent ecclesiae—Anon. de artic. fidei. *Can Misc.* 528.

Notandum quod in omni judicio quatuor sunt inquirenda, scil. natura planetae—Roger. Bacon, de inventione cogitationis (Grey Friars).

Notandum quod in sacra pagina vocatur infernus . . . .
Legitur in vita patrum—Anon. Lib. sent. moralium.
Can. Misc. 97.

Notandum quod materia prima—W. Burley de sensibus
(Tanner).

Notandum quod meditationes sunt—Utred Bolton Meditat.
devot. (Tanner).

Notandum quod multiplici specie visibili apparuit
Dominus—Anon. Figurae expositae etc. *Laud. Misc.*
255.

Notandum quod peccatum ratione—Jo. Barningham, de
enormitate peccati (Tanner).

Notandum quod quinque sunt essonia—Ran. Hengham,
Parva (Tanner).

Notandum secundum Lincolniensem dicto 163—Rob.
Alington, Lectura (Bale).

Notandum secundum physicos aqua et vinum—Jo. Stanbery de iv. minimis (Tanner).

Nota pro motu octavae spherae—T. Werkworth (Tanner).

Nota quandam opinionem quae concedit—Wyclif (?) ad
probandum universalia, etc. *Magd. Coll.* 92.

Nota quod ad augmentationem—Jo. Chilmark (Tanner).

Nota quod accidiosus est sicut canis—Anon. 'Accidia'
[alphabet.]. *Can. Misc.* 368.

Nota quod Antichristus 4 corni *(sic)*—Wyclif, de Antichristo.

Nota quod duae sint partes—Ric. Kendale de legibus
constructionum (Tanner).

Nota quod in lege et in prophetis quinque erant—Anon.
Notabilia theol. *Univ. Coll.* 11.

Nota quod omnia nomina terminantia—Jo. Leyland de
generibus (Bale).

Nota quod praelati debent vigilare—Anon. in Acta Apost.
prol. *Magd. Coll.* 55.

Nota quod quatuor evangelistae etsi omnes . . . B. Lucas
istud evangel.—Hugo de S. Neoti (Tanner).

Nota quod Ruth—T. Walleys (Tanner).

Nota quod secundum astronomos—R. Lavenham de distantia planetarum (Tanner).

Nota quod tres sunt species infidelitatis—Anon. *Can.
Misc.* 267.

Nota septem sunt in mundo—Bon. (?) Collatio de contemptu mundi.

Nota secundum Bedam de gestis Angl. et Alphredum—Th.
Aulaby de origine Univ. Cantab. (Bale).

Notatur primo capitulo quomodo—R. Lavenham in Tobiam
(Tanner).

Nova bella elegit Dominus—*ps*. Th. Aqu. in i. et ii. Maccab.
(Q.E.).

Novellae cujusdam singulariter dilectae . . . Contigit ergo
anno supradicto—T. de Senis Vita Mariae de Venet.
O.S. Dom. (B.H.L.).

Novella quaestio quae nobis Jo. Peckham de confessionibus fratrum (Tanner).

Noverint universi in hoc erumpnoso — Ric. Rolle de
Hampole, Incendium Amoris. *Laud Misc.* 202. [*Vide*
Admirabar.]

Noverint universi quod anno a nativit. 1304—Vita Pet.
Armengol (B.H.L.).

Novitio inquirenti quare haec duo—Utred Bolton de substantialibus regulae monach. (Tanner).

Novitiorum studia—Ric. de Pophis [Rosis] Summa dictaminis. *Bodl.* 158. *C.C.C. Oxon.* 55. *Merton* 194.

Novum matris ecclesiae gaudium — Innoc. IV. Bulla
canoniz. Ed. Riche (B.H.L.).

Novus homo Franciscus novo et stupendo miraculo—Th.
de Celano, Miracula S. Francisci, de miraculo
stigmatum (Anal. Bolland. XVIII.).

Novus igitur homo Franciscus novo et stupendo miraculo
—Bon., Miracula S. Francisci [Leg. Major].

Nox expectat lucem et non — Simon Islip, Sermones
(Tanner).

Nulla differunt—Gul. Milverley de differentia (Tanner).
Nov. Coll. 289.

Nulla est affirmatio—Anon. [Ric. Armach?] Tract. de
Universalibus. *Digby* 2, *Digby* 24.

Nulla sunt aequivoca quorum—Jo. Tartays de aequivocis
(Tanner).

Nullum majus bonum—Ray. Lull. de divinis dignitatibus.

Nullus mortalium potest verbis—Henr. de Costesy de
virtute psalmorum (Tanner).

Numerosa seges haeresum Wyclif—T. Walden (?) Fascic.
Zizan. (R.S.).

Numerus dierum medius motus—Jo. Chillingworth Tab.
Astron. (Tanner).

Numerus quem pro praesenti — Simon Bredon, Arith.
(Tanner).

Numinis ira mei—Jo. Freas de laude calvicii (Bale).

Numquid ad praeceptum elevabitur aquila—Anon. Angl. in Apocal. (Bale).

Numquid ad praeceptum tuum. Cum inter quatuor sancta animalia—*ps.* Bon. [Jo. Wallensis?] Expos. in evangel. Joh. (*cf.* Wadding).

Numquid Deus posset revelare aliquam legem—Gul. Nottingham, Determinatio pro lege Christianorum. (Grey Friars).

Numquid Domini nostri crucifixi—W. Hylton *sive* Th. Palmer de imaginibus etc. (Tanner: Bale).

Numquid Dom. nostri Jesu Chr.—Jo. Sharpe Quaest. de adoratione imaginum (Tanner). *Merton* 68, 175.

Numquid licitum sit monachis O.S.B. carnes edere—Utred Bolton de usu etc. carnium (Tanner).

Numquid nosti ordinem coeli . . . Quoniam omni negotio —Jo. Wallensis, Ordinarium, vel Alphab. vitae religiosae, prol. et pars i. (Grey Friars).

Numquid nosti ordinem coeli . . . Job. xxxviii. Verba ista sunt Domini—Pet. de Tarentasia [Innoc. V.] super Sent. i. et ii. *Digby* 203. *Balliol* 60.

Numquid praeter divinum adjutorium—Sim. Stokes conclusiones (Tanner).

Numquid sicut et omne continuum linea—Rog. Whelpdale Quaest. (Tanner).

Nunc aliqua transeunt—Anon. de virtutibus etc. *Laud. Misc.* 2.

Nunc autem manent Fides . . . Jam perspeximus—Bern. Sen. Sermo.

Nunc autem manent Fides . . . . scilicet, in se comprehendunt—Bern. Sen. Sermo.

Nunc autem manent . . . . Visum est in praec.—Bern. Sen. Sermo.

Nunc dicemus creationem mercuriorum rubeorum—Ray. Lull. (?) Tractatus etc.

Nunc est dicendum primo—Martin. de Clivo, Sermones (Tanner).

Nunc est propinquior etc. Prope est Dominus—Guido, O.P. Sermones. *Linc. Coll.* 113.

Nunc manent Fides . . . . Per jam dicta—Bern. Sen. Sermo.

Nunc manent Fides . . . Religionis Christianae, mundae —Bern. Sen. Prooem. in Sermones.

Nunc nimirum et alia quae non . . . Guda de Bytenkop— Miracula Eliz. Thuring. (B.H.L.).

Nunc quaestio in medium proponitur quam sancti patres—
Anon. Dial. de perfectione vitae human. *Can. Eccl.*
92.

Nunc reges intelligite etc. ut in psalmo quod intelligitur—
Anon. doctor Paris. de schismate. *Balliol* 165 B.

Nunc sec. Hieron. aspergamus de sanguine—Landulf de
Saxonia, Vita Christi, pars iii. *Laud. Misc.* 462.

Nunc spiritualem intellectum exigi—Rob. Rose in
Leviticum (Tanner).

Nuper fuit quaedam scedula publice—Jo. Malvern contra
pestem (Tanner).

Nuptiae factae sunt. Praehonorabiles magistri—Anon.
Sermo. *Balliol* 75.

O

O altitudo divitiarum etc. constat non est parum admirabilis—R. Fishacre in Sent. *Balliol* 57. *Nov. Coll.*
112.

O altitudo divitiarum—Alb. Mag. in Psalmos.

O altitudo divitiarum—H. de Goriken de praedestinat.
Univ. Coll. 42.

Ob divinam providentiam et curam—Th. Cobham de
baptismo (Tanner).

Objicientium circa dicta de universalibus—Wyclif, De
Ente, *sive* Summa Intellectualium Lib. I. Tract.
Purgans errores circa universalia.

Obligatio est oratio mediante—R. Lavenham de arte
obligatoria (Tanner).

Oblivioni raro traduntur quae certo—Jo. Chillingworth
Algorismus (Tanner).

Obmissis causis aliisque consueverunt inquiri—Blasius de
Parma, de coelo et mundo. *Can. Misc.* 422.

O bone Deus—Ray. Lull. de magnit. et parvitate hominis.

O bone Jesu fac—Bern. Sen. Aspirat. pro qualibet die
hebdom.

Ob rogatum quondam—Gul. Buser [1402], Obligationes.
Can. Lat. 278.

Obsecro in Domino Jesu—Gul. Flete ad Provincialem Ord.
S. Aug. (Tanner).

Obsecro vos fratres amantissimi — Nic. Kenton Propositiones ad clerum (Tanner).

Obtenebrentur stellae caligine etc. Hic tangitur triplex diversitas—Bon., Sermo.

Occasione quorundam librorum [*des.* causata]—Alb. Mag. Spec. Astronomicum.

O Christi vicarie monarcha terrarum—Jo. Peckham *sive* Guido de Marchia, Carmen etc. *Digby* 166 (Wadding: Tanner).

O Christi vicarie monarcha terrarum—Bern. Sen., Dial. inter religion. et mundum.

O clemens Domine magne Deus—Ray. Lull. Lapidarium ultimum.

Octavo Kal. Jan. nocte Dominica Christus natus—Annal. de Hida (Hardy).

Octavus Berillus . . . . Quatuor sunt prophetae—Sim. Henton in Habakkuk (Tanner).

Octo modi sunt dilatandi sermonem. Primus est ponendo orationem—Bon., Ars concionandi (pars iii.).

O Deus alme pater audet cui dicere nullus—Wilkinus de Spoleto de providentia divina (Bale).

O Deus immense sub quo—Jo. Gower de regimine principum (Tanner).

O Domine mi rex utinam—Simon Islip Spec. Edw. III. (Tanner).

O Domine Jesu Christe quemadmodum tu in duplici— Ray. Lull. Liber contemplationum.

Oeconomica et politica differunt non solum—Arist. Oecon. (Jourdain)

Officii nostri debitum exequimur—Jo. Thursby Constit. 1367 (Tanner).

Officium ut ex debito fiat—Ric. Wyche de officiis ecclesiae (Tanner).

Oleis ut . . . quae casa—Jo. Gatesdene (Tanner).

Oleum benedictum philosophorum—Ray. Lull., de quinta essentia. *Can. Misc.* 195.

Oleum effusum . . . . Nomen Jesu venit in mundum et statim—Ric. de Hampole Encomium nominis Jesu (La Bigne).

O mira principia sanctitatis exordia—Vita rhythmica Steph. ep. Diensis (B.H.L.).

Omne dictamen tria requirit—Ric. Kendale (Tanner).

Omne esse vel est purum etc. Volentes de esse—Aegid. de Columna Theoremata etc. *Merton* 137.

Omne instrumentum musicae—Jo. de Muris (Tanner).

Omne mobile potest—Anon. de motu. *Nov. Coll.* 289.

Omnem motum alteri in velocitate—[Jo. Peckham?] (*vide* Tanner *sub* Th. Bradwardine).

Omnem motum successivum—Th. Bradwardine de proportionibus motuum. *Digby* 76, 228. *Can. Misc.* 177.

Omne peccatum ut dicit b. Aug.—Alex. Fabricius, Destructorium vitiorum (Bale).

Omne quantum nullum—Anon. de quantitate. *Nov. Coll.* 289.

Omno quod ens est aut ens—Grostete de potentia animae (Tanner).

Omne quod natum est etc. Secundum quod dicitur—Fr. de Mayronis Sermones. *Balliol* 67 A. (Tanner).

Omne quod potest transire . . . De loco purgationis— Bern. Sen. Sermo.

Omne regnum in se divisum . . . . Copiosus est sermo— Bern. Sen. Sermo.

Omne regnum in se divisum . . . Ecce ad manus est— Bern. Sen. Sermo.

Omne regnum in se divisum . . . Licet satis evidenter— Bern. Sen. Sermo.

Omne regnum in seipsum divisum . . . . Favente Dom. Jesu Christo—Bern. Sen. Sermo.

Omnes Christiani in spiritus fervore—Wyclif, de religiosis privatis.

Omnes homines immo omnes naturae intellectuales—Nic. Bonet, Metaphys. *Can Misc.* 327.

Omnes homines naturaliter scire desiderant. Scientia illa tria sortitur nomina—Aeg. de Columna in libros xii. Metaph. Arist. *Digby* 150.

Omnes homines natura scire desiderant—Th. Aqu. (?) de totius logicae Arist. Summa (Q.E.).

Omnes homines natura scire—Jo. Folsham in Metaph. Arist. (Tanner).

Omnes homines natura scire etc. In principio metaphysicae quam prae manibus habemus—Duns, Quaest. Metaph. prol.

Omnes homines natura scire etc. Juxta consuetudinem in hoc libro—Duns in Metaphysica, I. i.

Omnes homines etc. Juxta consuetudinem suam in aliis— Ant. Andreas O.M. in Metaph. *Oriel Coll.* 65.

Omnes homines etc. Sicut dicit philosophus in x. suae metaphys.—Sim. de Feversham in Metaphys. *Merton* 292.

Omnes homines natura scire desiderant. Signum autem est—Arist. Metaphysica. tr. Gr.-Lat. (Jourdain).

Omnes homines qui sensibilia sensu percipiunt—Alkindus
de radiis stellarum. *Digby* 91.

Omnes qui pie volunt vivere in Christo etc. Praemittitur
[autem] huic libro—*ps.* Bon. [Jo. Vitalis a Furno
O.M. (?)] Comment. in Apoc. (*vide* S. Bonav. Opera,
vi.).

Omnia debitum dimisi tibi—Humf. Necton (?) Sermones
(Tanner).

Omnia domine Jesu Christe sapientia numero—Jo.
Peckham de numeris (R.S.). *Linc. Coll.* 81.

Omnia honeste . . . Tu fili carissime cum signum pul-
sationis campanae—Bon. (?) *sive* David ab Augusta (?)
Formula in regulari observantia servanda. *Laud.
Misc.* 167.

Omnia illa sine quibus Deus non potest esse—Ray. Lull.
de inventione Dei.

Omnia in eo finem faciunt—Jo. Dastin Liber mixtionum
(Tanner).

Omnia in sapientia fecisti Domine—Nic. Cantilupe in i.
Sent. (Tanner).

Omnia per ipsum facta . . . In primo libro determinavit
—Ric. de Mediavilla in Sent. *Balliol* 198.

Omnia quae a primaeva. In hoc tract. determinatur de
arte numerandi—P. de Dacia? Jo. de Sac. Bosco?
(Tanner). *Digby* 166. *cf.* 190 (19).

Omnia quae a primaeva etc.—Gualt. Britte, Theoremata
planet. (Bale).

Omnia tempus habent—Rog. Bacon, Computus naturalium.
(Grey Friars).

Omnia tempus habent et suis spaciis—Jo. de Basingstoke
de ordine evangeliorum (Bale).

Omnia ut dicit Boethius quae a primaeva rerum—Jo. de
Sacro Bosco de algorismo. *Univ. Coll.* 26.

Omnibus hominibus qui recte sapiunt—Rob. Grostete de
venenis.

Omnibus quae de corpore mobili—Alb. Mag. in tres lib.
Arist. de anima.

Omni devotione et solicitudine—Jo. Clipston de communi
sanctorum (Tanner).

Omnipotens Deus—Ray. Lull. de praeceptis legis etc.

Omnipotens Deus benedictus—Ray. Lull. Liber de Anti-
Christo.

Omnipotens Deus. Summa de essentia—*ps.* Bon.

Omnipotens Dominus Deus noster cujus nomen—Ray.
Lull. contra Anti-Christum.

Omnipotens sempiterne Deus—Ray. Lull. de modo sublimandi argentum.

Omnipotentis Dei . . . . In primis jam sunt anni 18— Miracula Rosae Viterb. (B.H.L.).

Omnipotentis postulato suffragio, rev. patres episcopi— Jo. de Capistrano (?) de ornatu mulierum. *Can. Misc.* 523.

Omni quippe regno desiderabilis—Marsilius de Padua, Defensor Pacis. *Magd. Coll.* 86 etc.

Omnis actio laudabilis sive—Ric de Hampole (?) quomodo pervenerit ad incendium amoris (Tanner).

Omnis aetas hominis ab adolescentia—Gul. Badby *sive* Gul. Blesensis episc. Wigorn. de poenitentia (Tanner: Bale).

Omnis ars et omnis doctrina similiter—Arist. Ethica, tr. Gr.-Lat. (Jourdain).

Omnis ars et omnis incessus et omnis—Arist. Ethica, tr. Arab.-Lat. (Jourdain).

Omnis ars etc. Cujus ratio et duo sunt principia—Anon. Quaest. in Ethic. *Oriel Coll.* 33.

Omnis ars etc. Primum capit. de eo quod est aliquis finis— Anon. in Arist. Ethic. *Merton* 13.

Omnis ars etc. Scientia moralis quae est—W. Burley in Arist. Ethic. *Oriel Coll.* 57.

Omnis causa primaria etc. Cum ergo removet—Anon. in Arist. de causis. *Merton* 140.

Omnis cognitio nostra vel est sensitiva—W. Burley in lib. poster. (Tanner).

Omnis divina scriptura—Boston Buriensis Catalog. Script. (Tanner).

Omnis doctrina . . . . Circa quod est intendendum quod omnis cognitio—W. Burley super lib. i. Poster. *Rawl. C.* 677.

Omnis doctrina et omnis disciplina—Jo. Baconthorpe in Posteriora (Tanner).

Omnis doctrina et omnis disciplina cogitata—Arist. Libri Posteriorum (Jourdain).

Omnis forma inhaerens—Rog. Bacon, de graduatione medicinarum (Grey Friars).

Omnis homo a natura non degenerans—*ps*. Th. Aqu. de usuris etc. (Q.E.).

Omnis homo est omnis homo—Ric. Billingham, Abstractiones (Tanner).

Omnis homo est omnis homo—Gul. Heytesbury, Sophismata xxxii. (Tanner).

Omnis homo est homo. Circa primum principale—Anon. in Gul. Heytesbury Sophismata. *Can. Misc.* 137.

Omnis homo est omnis homo. Probatur quod iste—Anon. [Th. Wallensis *sive* Herveus?] in Arist. Logic. *Can. Lat.* 311.

Omnis justus vitam suam judicare debet—T. de Eccleston de adventu Fratrum Minorum, prol. (R.S.).

Omnis morbus naturaliter venit—Anon. de morbis etc. *Digby* 123.

Omnis numerus praeter binarium—[Gul. Strodi *sive* Heytesbury?] Sophismata Logic. *Oriel Coll.* 33.

Omnis perfecta cognitio—Reg. Langham O.M. Conclusiones Sent. (Tanner).

Omnis plantatio quae non—Jo. Deirus de praedicatione verbi Dei (Tanner).

Omnis proportio vel [aut] est communiter dicta—Anon. [Th. Bradwardine] de proportione. *Univ. Coll.* 26. *Nov. Coll.* 289. (Bale).

Omnis propositio affirmativa—R. Lavenham de regulis consequent. (Tanner).

Omnis propositio est vera vel falsa—Gul. Heytesbury (Tanner).

Omnis, qui se exaltat . . . secundum Beat. Greg. Moral. xviii.—Bern. Sen., Sermo.

Omnis res per quascumque causas nascitur . . . . Haec regula potest sic exponi—Anon. Axiomata philosophica juridicalia. *Univ. Coll.* 11.

Omnis sapientia a Dom. Deo est—Gul. Kingesham super Ecclesiasticum (Tanner).

Omnis sapientia a Dom. Deo. Hic inc. lib. ecclesiasticus qui primo fuit hebraice scriptus—N. de Lyra super Ecclesiasticum. *Bodl.* 251.

Omnis sapientia: hoc nomen omnis quandoque vocat universitatem—Steph. Langton Expos. in Ecclesiasticum.. *Exon. Coll.* 24.

Omnis sapientia: nota quod iste liber dicitur Liber Sapientiae—Steph. Langton in Ecclesiasticum. *Exon Coll.* 52.

Omnis sapientia etc. Rev^di mei prout recitat B. August— Jo. Tompson super Ecclesiasticum (Tanner).

Omnis scientia et sapientia — Grostete, Hexaemeron (Tanner).

Omnis quicumque invocaverit etc. In istis verbis notantur —Th. Aqu. Sermo. *Balliol* 227.

Omnis tractatio scripturarum ut ait Augustinus—Bon., Ars
concionandi, prooem.

Omnis utriusque sexus cum ad discretionem—Gul. de
Pagula (?) *sive* J. Peckham (?) Cilium oculi sacerdotis
(Tanner). *Balliol* 86.

Omnium artium doctrinam duplicem . . . Tractaturus
Tullius—Anon. praef. et comment. in Ciceronis Novam
Rhetoricam. *Magd. Coll.* 82.

Omnium philosophorum discretissimi intimique—Th. de
Novo Mercato super Dion. Exigui de compoto eccles.
Digby 81.

Omnium theologorum omniumque—Laur. Gul. de Savona,
Triumphus etc. (Tanner).

Onus quod vidit Abacuch—Steph. Langton (Bale).

Onus verbi Domini. Haec prophetia—Gul. Lissy in
Malachiam (Bale).

Operis injuncti novitatem, pater . . . Herfordensis antistes
ecclesiae—Rob. de Leicestria, de compoto Hebraeorum
etc., 1294. (Grey Friars).

Opinio est quantum—Anon. capp. viii. de quantitatum
compositione. *Nov. Coll.* 289.

Oportet in principio—Sim. de Boraston de ordine judiciario.
Linc. Coll. 81.

Oportet nos determinare de esse generationis et cor-
ruptionis—Arist. tr. Arab.-Lat. (Jourdain).

Oportet te iterum prophetare—Jo. Andever in Apocal.
(Tanner).

Optatus mihi dies advenerat . . . Beati pauperes . . .
Pauperes spiritu non inflati—Anon. " Paupertas," xxii.
divisiones. *Linc. Coll.* 18. *MS. Dunelm.*

Optimis moribus et virtutibus adornato. Quia virtutes.—
Alvarus Pelagius, de planctu ecclesiae (Wadding).
Magd. Coll. 56.

Opusculum istud est de prognosticatione—Gul. Merlee
(Tanner).

Opus divino favore instituimus—Anon. Instructiones
Sacerdotum, libb. vii. *Magd. Coll.* 10.

Opus fac evangelistae—Steph. Patrington de Sacerdot.
functione (Tanner).

O qui fontem gratiae—Jo. Hoveden in laudem Mariae
(Tanner).

O quis dabit capiti pelagus aquarum—Pet. Pateshull
Lament. fratrum (Tanner).

Oratio grammatica autem fit mediante verbo—Rog. Bacon,
Gram. [Comp. Phil. ?] (Grey Friars).

Oratori necessaria est sapientia—Gul. Botoner, Epistolae
(Bale).

Orbis terrarum spatia breviter literis—Pet. Candidus
Decembr., Peregrinae Hist. libri iii. *Can. Misc.* 320.

Ordinavit in me caritatem Cant.—Jo. Baconthorpe, Comp.
vitae Christ. (Tanner).

Ordinis essentialis divisio—Duns, de primo rerum princ.

Ordo desposcit—Albert. Hist. transl. S. Edm. Cant.
(Hardy).

O recolende bone pie rex Henrice patrone.—Jo. Gower ad
Henr. IV. (Tanner).

Organo apostolicae vocis—Jac. Carthus. de malis saeculi.
Laud. Misc. 586.

Originis caducae pondus . . . Noster igitur beatissimus in
Christo pater ex Gallia—Vita Joh. Bassandi (B.H.L.).

Osculetur me etc. Cum debeat hortari—Alb. Mag. in
Cantica Canticorum.

Osculetur me etc. Expedito primo Salomonis libro—N. de
Lyra, super Cantica Cant. *Bodl.* 251.

Osculetur etc. Intentio principalis hujus—Aeg. de
Columna, in Cantica Cant.

Osculetur me osculo—Henr. Herpius, de theol, mystica
(Wadding).

O sexus fragilis—Jo. Gower contra carnis lasciviam
(Tanner).

Os justi meditabitur sapientiam—Rob. Holcote, Sermo
(Tanner).

Ossa xii. prophetarum—Gul. Lissy in Oseam (Wadding).

Ostendam tibi . . . Ad S. Script. praeconia—T. Maldon
in Sent. (Tanner).

Ostendam vos fabricatores mendaciorum—Ubert. de Casale
(*vide* Knoth, Ubert. von Casale).

Ostende nobis Domine . . . In quo sacro eloquio demon-
stratur—Bern. Sen., Sermo.

Ostendere quid sit crepusculum—Jo. Chillingworth, De
ascensionibus nubium (Tanner).

Ostendit mihi Dominus. — *ps.* Bon., Principium S.
Scripturae.

Ostenso in epistola ad Rom.—Jo. Baconthorpe in Corinth.
(Tanner).

Ostensum quippe in principio hujus Compendii Phil.—
Rog. Bacon, Optica [Comp. Phil. III. ii. (1)] (Grey
Friars).

Ostenso superius in postilla quam feci—Jo. Baconthorpe,
Ad Philippenses (Tanner).

O vos omnes qui laboratis—Jo. Norton, Thesaurus cordium
etc. (Tanner).

O vos omnes sacerdotes qui laboratis—Anon. Angl. A.D.
1343, Regimen animarum. *Rawl. C.* 156.

P

Pace morieris — Jo. Cuningham de passione Christi
(Tanner).

Panis ei datus. Quaerit propheta—T. Docking (?) Lectura
super Apocalypsin. *Balliol* 149.

Papa Innocent. III. confirm.—Nic. Cantilupe, Historiarum
appendices (Tanner).

Parabolae Salom. etc. Circa princip. hujus libri adver-
tendum—Th. Ringstede (Tanner).

Parasti lumen ad revel.—Jo. Richesdale Sermo de purificatione. B.V.M. (Tanner).

Parate viam domini Johannis—Ric. Armach., Sermones
(Tanner).

Parce mihi Domine . . . . Exprimuntur autem in his
verbis—Ric. de Hampole, Parvum Job (Tanner).
Univ. Coll. 45. etc.

Parisiis fuit magna contrarietas—Ray. Lulli et Averroistae
disputatio.

Parisius quidam Raymundista et Averroista disputabant—
Ray. Lull. de efficiente et effectu.

Parit tristitiam Joan. xvi. circa—Th. Bromius, Sermones
(Tanner).

Partibus expositis textus nova cura perangit—Gul. Brito
super prologos Bibliae *MS. Dunelm.* [sive Jo. Clipston
(Tanner) Nic. Gorham (Bale)].

Partium orationis quaedam sunt declinabiles—Rog. Bacon,
Syncategoremata. *Digby* 204.

Parvuli petierunt panem—Lud. de Rocha O.M. de modo
praedicandi (*v.* S. Bonav. Opera ix., p. 6).

Parvulus natus est nobis—Ric. Chefer, de nativitate
Christi (Tanner).

Parvus majori paret veloxque viator—Jo. Wallensis (?) in
fabulas Ovidii (Tanner).

Passio Christi intelligitur cum Leo—Jo. Baconthorpe in
evang. Marci (Tanner).

Pastore absente tentat lupus rapax—Angelus de Clareno,
Hist. de vii. tribulationibus (Wadding).

Pater jacet in senectute et dicit filio suo, Fili mi vive
sapienter—Walt. de Henley, Housbundria [Lat.].
Digby 147.

Pater noster etc. Haec epistola est supplicatoria—Jo.
Waldeby, Itin. Salutis. *Laud. Misc.* 296.

Pater, peccavi in coelum . . . Sicut enim ait Chrysost.—
Bern. Sen., Sermo.

Patri in Dño . . . Aegidio . . . . Rogatus a nonnullis
amicis—Nic. Cantiprat. Suppl. ad vitam Mariae
Oigniac. (B.H.L.).

Patientiam habe . . . Mat. xviii.—N. de Lyra, Job.
Bodl. 251.

Patres nostri omnes sub nube—Ric. de Mediavilla, super
distinctiones Decrett. (Wadding).

Patri patrum sanctissimo . . . Johanni . . . Fuit quidam
nomine Geraldus—Phil. de Slane O.P. Abbrev. Gir.
Cambr. Topogr. Hib. (Hardy).

Pauca theologica rudimenta pro erudiendis—Jo. Peckham,
Diffinitio theol. (R.S.).

Paucissimae reperiuntur Sancti Bernardini—Bern. Sen.
Sermones de Sanctis, prolog.

Paulus apostolus—*ps.* Bon. de resurrectione a peccato ad
gratiam.

Paulus docet ad Ephes. iv. quomodo Christi Ecclesia—
Wyclif, de detectione perfidiarum Antichristi.

Paulus etc. secundum Tulliana principia—T. Walden in
Paul. ad Rom. (Tanner).

Paulus etc. Quamvis praesens clausula—Th. Bromius in
Paul. ad Rom. (Tanner).

Paulus. Litera dependet—Alb. Mag. in epist. S. Pauli.

Paulus servus . . . Paulus Apostolus qui cum Saulus prius
vocaretur—Anon. super S. Paulus ad Romanos.
Laud. Misc. 162.

Paulus vocatus . . . . Paulus primo Saulus hoc est primo
superbus—Anon. super S. Paul. ad Cor. I. *Laud*
Misc. 162.

Pauper discipulus Jesu Christi—Wyclif, Ad quendam
discipulum.

Pauperes fiducialiter requiescent—R. Lavenham, Defensorium pauperum (Tanner).

Pauper et inops . . . Canitur hodie in laudem B. Martini—
Grostete Sermones ad fratres mendicantes. *Laud*
Misc. 402. *Exon. Coll.* 21.

Paupertate melior est argenti marca—Rob. Baston, Disput.
inter Divitem et Lazarum (Tanner).

Pax vobis etc. Carissimi solent peregre—Th. Ashwell, Collationes (Tanner).

Peccatum est dictum vel factum vel concupitum—Th. Aqu. Summa de vitiis. *Balliol* 50.

Peccatum est vitandum sextiplici—Rob. Grostete, de septem vitiis seu de venenis. *Laud. Misc.* 206.

Peccatum meum contra me est . . . . Carissimi quia scriptum est—Bern. Sen., Sermo.

Peccatum rationabiliter Christus pro—Jo. Baconthorpe de peccatis etc. (Tanner).

Peccatum vitandum est—Jo. Wallensis de vitiis. *Exon. Coll.* 7.

Penes quid habet intentio et remissio—Rog. Swineshead (Tanner).

Penes tractationem terminorum—Ad. Pountney, Logic. (Tanner).

Penuria studentium in materia morali—J. Felton, Sermones, prol. *Laud. Misc.* 414.

Per abyssum Scriptura designat—Gul. Wells in Psalt. (Tanner).

Peractis exsequiis domini Innocentii more solito—Werner Canon. Bunnensis, Vita Urbani V. (B.H.L.).

Perfecti estote . . . —*p.s.* Th. Aqu. de divinis moribus (Q.E.).

Perfectissima atque plenissima justitia est Deum toto corde amare—Anon. *Rawl. C.* 504.

Perfectus omnis erit [erat] si sit—Jo. Peckham contra insipientem (Wadding: Tanner).

Perfidia abominabilem facit—Alan. de Lynn, Moralia bibliorum (Tanner).

Perfunctus maiori parte desiderii . . . Annum iv. supra lxx. agebat—Bern. Justinian. de obitu Laurent. Justin. (B.H.L.).

Per hoc praesens publicum instrumentum . . . 1493— Miracula Coletae (B.H.L.).

Pericula in falsis fratribus—Utred Bolton contra querelas fratrum (Tanner: Bale).

Per istas fallacias possunt convenire theologi—Ray. Lull. de fallaciis.

Perlecta litera cum glossis—Alb. Mag. in xii. Prophetas. *Balliol* 22.

Perlecto libello a vobis exhibito—Th. Aqu. de forma absolutionis ad Magistrum Ordinis (Q.E.).

Per me reges regnant—N. de Lyra, in iv. libros Regum. *Bodl.* 251.

Per quandam silvam—Ray. Lull. Ars memorativa.

Per reverendum in Christo patrem . . . Arist. determinans
—W. Burley in Physic. (Tanner).

Perrexit Jesus in monte Oliveti . . . . Quamvis heri
dixerimus—Bern. Sen., Sermo.

Perspectiva cum sit una—Jo. Peckham, Perspectiva
Particularis (Wadding).

Pertractandum venit de Causalibus—Wyclif, de Causalibus
[Tract. iii. de Logica].

Pertractata de orationibus sanctorum—Jo. Sharpe, de
suffragiis viatorum (Tanner).

Pertractata quaestione de oratione—Nic. Fakenham, de
valore missae (Wadding et Tanner).

Pertractato superius de substantialibus—Utred Bolton de
perfectione religionis (Tanner).

Pertransibunt plurimi—*ps.* Th. Aqu. de concordantiis
dictorum Thomae (Q.E.). cf. *Magd. Coll.* 217 (?)

Pertransibunt plurimi etc. Licet haec verba—Ger. Bonon.
ord. Carm. Quaest. theol., praef. *Merton* 149.

Perveniens ad tempus—Ray. Lull. de vera credentia et
falsa.

Petiisti a me saepius Victorine pater ut nonnullas orationes
Ciceronis—Anon. de orat. Ciceronis pro Q. Ligario,
praef. *Balliol* 128.

Petite, et dabitur vobis . . . Tractaturi de sacra oratione
—Bern. Sen., Sermo.

Petitionem unam parvulam deprecor—Ric. Ullerstone de
reform. ecclesiae. *Magd. Coll.* 89.

Petite ut gaudium vestrum sit plenum Joh. xvi.—Adam
Hamelington, Sermones (Tanner).

Petrus. Rev. magister et domine prout—Nic. Radclyf,
Dialogus (Tanner).

Philippenses sunt Macedones—Th. Docking, in Paul. ad
Philippenses (Wadding : Bale). cf. *Balliol* 30. *Sive*
Gul. Rothwell (Tanner).

Philemoni familiares literas mittit — Th. Docking
(Wadding : Bale). cf. *Balliol* 30.

Philomena [*sive* Philomela] praevia temporis amoeni.—
Bon. (?) *sive* Jo. Peckham. *Laud. Misc.* 368 [Jo.
Hoveden. *Laud. Misc.* 402]. cf. *Digby* 28.

Philosophantes famosi primi fuerunt Caldaei—Rob.
Grostete, Summa Philosophiae. *Digby* 220.

Philosophia dividitur in tres partes — *ps.* Alb. Mag.
Philosophia pauperum, seu Isagoge in lib. naturales
Arist. seu Summa naturalis Alberti. cf. *Digby* 150.

Philosophiae servias oportet—Th. Aqu. (?) super lib. Boëtii de consolatione (Q.E.).

Philosophiae servias, ut tibi etc. Ista propositio scripta est a Seneca—Gul. Whetely in Boët. lib. de consolatione philos. *Exon. Coll.* 28.

Philosophia in duas partes divisa . . . . Utrum ad felicitatem—Jo. Dedicus in Ethica Arist. (Tanner).

Philosophos plurimos . . . . Iste liber dividitur in duas partes—Gul. Occham. Physica (?) (Grey Friars).

Philosophus hic ruam de coelo—Jo. Baconthorpe, de coelo et mundo (Tanner).

Philosophus in libro de animalibus—T. Walleys in Genesim (Tanner: *cf.* Bale).

Philosophus in octavo physic. ponit aliquas—Jo. de Hollandia tract. 1369. *Can. Misc.* 177.

Philosophus in prooemio ostendit—Jo. de S. Fide de coelo et mundo (Tanner).

Philosophus in tertio de anima volens ostendere—Aeg. de Columna, super Arist. Poster. *Can. Misc.* 373.

Philosophus libro de longitudine—Anon. Sermones *sive* 'Congesta'; pars quinta. *Magd. Coll.* 212 .

Philosophus libro duo physicorum—Jo. Tytleshale *sive* Dimsdale de anima (Tanner). *Oriel Coll.* 33.

Philosophus primo physicorum—Pet. de Alvernia super Meteora. *Balliol* 312.

Placens Deo factus dilectus—Alb. archiep. Livon., Sermo in transl. S. Edmundi (Hardy).

Placuit sanctae universitati olim capituli generalis—Th. de Celano, Vita ii. S. Francisci, prol.

Plange fidelis anima—Bon. (?) Planctus de passione Domini.

Plenam virtutibus b. Francisci vitam scripsit in Italia—Bernard de Bessa, Liber de laudibus B. Francisci. (Anal. Francisc.).

Pluet super peccatores . . . In quo verbo tria reperiuntur —Bern. Sen., Sermo.

Plura quam digna de musicae specula—Gualt. Odington *sive* de Evesham de musica (Tanner: Bale).

Plures artes seu scientiae per quas scitur de futuris—Nic. Oresm. contra judic. astron. *Can. Misc.* 248.

Plurimas et insignes Francorum imperium provincias—Vita Rochi conf. Montepessul. (B.H.L.).

Plurimorum scribentium grati laboris — Jo. Dumbleton, Summa theol. (Tanner). *Magd. Coll.* 32. *Merton* 306.

Pluries affectavi—Arnold de Villa Nova, de semine
scripturarum. *Can. Misc.* 370.

Poena canonica triplex est spiritualis—Coelest. V. de
censuris (La Bigne).

Poeniteas cito peccator—Anon. tract. metricus de
poenitentia etc. *Balliol* 22.

Poenitens. Suscipe me Domine—Ric. de Flamesborg,
Poenitentiale (Tanner).

Poenitemini ut deleantur peccata—Ric. de Hampole de
poenitentia (Tanner).

Poenitentiam agite appropinquabit—Th. Cobham, Spec.
Ecclesia (Tanner).

Politica dicitur a polis—Anon. in Arist. Ethic. *Merton* 4.

Pone ternos etc. Libri legis ut testatur—Nic. Trivet in
Levit. *Merton* 188.

Ponit duas causas longitudinis—Hen. Renham de morte et
vita (Tanner).

Populi has virtutes esse necessarias—Steph. Langton in
libros Regum (Tanner).

Porro materia alterationis—Jo. Chilmark de alteratione
(Tanner).

Porta haec clausa erit—Gul. Woodford, in Ezechiel.
(Wadding).

Positio est praefatio alicujus—Ric. Billingham, Obligationes (Tanner).

Positis fundamentis primis — Rog. Bacon, Ars experi-
mentalis (Wadding).

Positis radicibus sapientiae—Rog. Bacon Ars experi-
mentalis [Op. Majus, pars vi.]. *Univ. Coll.* 49.
(Bale).

Posito quod Deus sit hic subjectum — Anon. Quaest. in
i Sent. *Merton,* 103.

Positus sum in evangelio . . . Gallice dicitur unusquisque loquitur—Anon. Postill. *Rawl. C.* 242.

Post Abrahae legem qua circumcisus—Wilkinus de
Spoleto, Hist. Alexandri regis (Bale).

Post annos duos mortis Joseph—Nic. Clericus [*et* Grostete]
Transl. Test. xii. Patriar. (Bale).

Post collectam quaestionum de operibus sex dierum—Rob.
Scriba in Exodum (Tanner).

Post communem considerationem de virtutibus et vitiis et
aliis ad materiam moralem pertinentibus—Th. Aqu.
Summa theol. II., ii., prol.

Post completum universalis scientiae medicationis—Rog.
Bacon, Antidotarius (Grey Friars).

Post distinctionem capitulorum restat tractatum—Aegid. de Columna de praedestinatione, etc. *Merton* 137.

Posteaquam per valde longum tempus nostram vitam exercuimus—Ray. Lull. de intentione alchemistarum.

Post executionem particularium—Nic. Horsham de febribus (Tanner).

Post fructum benedictionis—Wyclif, Exhortatio Novi Doctoris.

Post generalem sermonem de haeresi restat—Wyclif. Summa Theol. Lib x. de Simonia.

Post hanc scientiam experimentalem mathematica est dignior—Rog. Bacon, de laudibus math. *Digby* 218.

Post inclitum Menelaum regem tam Italiae quam insulae Sicilae—Anon. Chron. Siciliae ad c. 1340 (M. et D.).

Post lacrymationem et fletum. Verba ista scripta sunt Tobiae—Guaricius in Baruch. *Nov. Coll.* 40.

Post lamentationem et fletum—Gul. Lissy in Baruch (Wadding).

Post libros historiales non canonicos exponendi—N. de Lyra, super Librum Sapientiae. *Bodl.* 251.

Post locorum descriptionem—Rog. Bacon, de utilitate Astron. [Opus Majus] (Wadding: Bale). *Univ. Coll.* 49; *sive* Gul. Botoner (Bale).

Post mortem hujus Edwardi toti mundo—Anon. Vita Edw. II. *Rawl. B.* 152 (Hardy p. 393).

Post mortem Josue . . . Illi utuntur—Tho. Wallensis in librum Judicum. *Laud. Misc.* 345 (Tanner). *Nov. Coll.* 30.

Post mortem toti mundo deflendam—Steph. Eyton Acta Edw. II. (Tanner: Bale 491).

Post praeclaros artium scriptores—Ran. Higden Polychronicon (Hardy § 637).

Post primae praevaricationis—Jo. Wheathamstede contra invidum fratrem (Bale).

Post primum insulae Britannicae—Ric. Cicestrius, Spec. Hist. (Tanner).

Post primum insulae Britannicae—Ric. Westmonast. (Tanner).

Postquam apud Gildefordiam—Gir. Cambr. ad Steph. Langton (Hardy).

Postquam Arist. posuit opinionem aliorum de anima in i. libro—Th. Aqu. in Arist. de anima ii. (Q.E.).

Postquam auxilio Dei explevimus tract. de intentionibus scientiarum logicarum—Anon. Metaphysic. libri x. *C.C.C. Oxon.* 290.

Postquam consummati etc. Quia in ista sacra solemnitate—
Fr. de Mayronis Sermones. *Balliol* 80.

Postquam contigit Britones—Jo. Brompton, Chron. prol.
(Hardy II.).

Postquam de principiis sermo habitus est—Th. Aqu. (?)
de natura materiae (Q.E.).

Postquam dictum est de morbis ipsius animae—Anon. de
septem virtutibus etc. *Laud. Misc.* 171.

Postquam divinae propitiationis munificentia—Jac. de
Vitriaco, Hist. Hierosol. abbrev. prol. *Magd. Coll.* 43.

Postquam dom. Armachanus multos errores — Gul.
Woodford, Defensorium mendicitatis. (Grey Friars).

Postquam impleti sunt anni . . . 1207—Anon. Perusinus,
Leg. S. Francisci (B.H.L.).

Postquam jam claruit ex ordine ipso—Anon. de virtutibus,
82 capp. *Magd. Coll.* 109.

Postquam locus Holmensis—Hist. abbat. S. Bened. de
Hulmo (Hardy).

Postquam manifesta est necessitas mathematicae—Rog.
Bacon, Mathem. *Univ. Coll.* 49.

Postquam mundo sol justitiae Christus—Jo. a S.
Geminiano Vita S. Finae.(B.H.L.).

Postquam philosophus—Gul. Occham in lib. Perihermenias
(Wadding).

Postquam philosophus determinavit de infrigidacione—
P. de Alvernia de morte et vita. *Balliol* 104. *Magd.
Coll.* 146.

Postquam philosophus determinavit de his quae gerantur
in alto—Th. Aqu. in lib. Meteor. ii. (Q.E.).

Postquam philosophus determinavit de tonitruo—Th. Aqu.
in lib. Meteor. iii. (Q.E.).

Postquam philosophus in superioribus determinavit de
particularibus transmutationibus.—Th. Aqu. in lib.
Meteor. iv. (Q.E.).

Postquam praecessit rememoratio nostra de rebus
universalibus—Arist. lib. Meteorum tr. Arab.-Lat.
(Jourdain).

Postquam praecessit rememoratio nostra de elementis—
Anon. [R. de Stanington ?] super Arist. Meteor.
libros. *Laud. Misc.* 527. *Digby* 204.

Postquam praecessit scil. in libris naturalibus—Hen.
Renham, Meteora (Tanner).

Postquam praemissus est nobis sermo in coelo et mundo—
Arist. de proprietatibus elementorum (Jourdain).

Postquam prius gratias egero Deo—Guido de Cauliaco, Opus chirurgicum; prol. *Magd. Coll.* 74.

Postquam regnavit Ptolomaeus Philadelphus—Chron. Universale ad 1292 (Hardy § 413).

Postquam tradidi grammaticam sec. linguas diversas—Rog. Bacon, Communia Naturalium [Comp. Phil. III. i.] (Grey Friars).

Postquam veredicus historiographus et doctor—Chron. de Mailros (Hardy: cf. Bale 402).

Postquam vir sanctus et Deo carus Franc. vitam redemptoris—Ub. de Casale de stigmatibus (B.H.L.).

Post tractatum de praedestinatione—Aegid. de Columna de formatione humani corporis, etc. *Merton* 137.

Post transitum ab hoc saeculo sororis virg. Coletae—Miracula Coletae (B.H.L.).

Postulasti a me frequentissime carissime—Angelus de Clareno, in Regulam S. Francisci (Wadding).

Postulat a me vestra dilectio—Th. Aqu. de artic. fidei et sacramentis Eccl. (Q.E.).

Postulavit a me—Th. Aqu. de sortibus ad Jac. de Burgo (Q.E.).

Posuit stellas etc. Gen. i. Vos minores praelati stellae—Grostete, Sermo (Tanner).

Potens sit exhortari etc. Licet autem verbum—N. de Lyra, Resp. de quemdam Judaeum. *Laud. Misc.* 12. *Sive* contra impugnantes Evangelium. *Laud. Misc.* 219. *Magd. Coll.* 21.

Potest autem apud aliquos esse dubium—Th. Aqu. contra errores graecorum, cap i.

Potest quaeri de difficultatibus accidentibus—Rog. Bacon, Summa de sophismatibus et distinctionibus. (Grey Friars). *Digby* 67.

Practica dividitur in duo—Nic. Horsham (Tanner).

Praecepit Dñus discipulis suis . . . . Fuit in episcopatu Leodiensi—Jac. de Vitriaco, Vita Mariae Oigniacensis (B.H.L.).

Praecepta continet lex Christiana—Jo. Baconthorpe de praeceptis et consiliis (Tanner).

Praeceptor, per totam noctem . . . . In Virtute Dei et nomine Dei—Baldwin. Tornac. O.P. Sermo (Not. et extr. 32).

Praeclara sunt praeconia . . . Igitur Lydwina—J. Brugman vita Lidwigis (B.H.L.).

Praecurrens ascendit in arborem . . . Fratres orate—Gul. de Mara, Sermo. (Grey Friars).

Praecurre prior in domum tuam—Th. Aqu. in lib. Boëtii
de Hebdomadibus (Q.E.).

Praedicate evangelium omni creaturae Marc. xvi. Ad
oculum cernitis—Jo. Waldeby Eboracensis, ord. S.
Aug. [1365], Sermones. *Laud. Misc.* 77.

Praedicatio est thematis assumptio—Anon. de modo
praedicandi. *Univ. Coll.* 36.

Praedilectis . . . fr. Francisco de Buximo . . . Habuit
ut nostis prisci temporis—And. Jac. Fabrian. Vita
Joh. a Baculo (B.H.L.).

Praefulgidus ut lucifer . . . B. igitur et evangelicus vir
Franciscus—Legenda Trium Sociorum (B.H.L.).

Praehonorandi domini sacra nos—Nic. Kenton, Expos. in
Orat. Domin. (Tanner).

Praelati et doctores ecclesiae oculi—Grostete, Sermo
(Tanner). *Exon. Coll.* 21.

Praelibato tractatu de anima—Jo. Sharpe (?) de incarnatione Verbi (Tanner: Bale).

Praelibato tractatu de anima, qui introductorius est—
Wyclif, de incarn. Verbi, prol.

Praemissa descriptione originis et distinctionis artium—
Alex. Neckam super vet. et nov. Test. (Bale).

Praemissa sententia de dominis in communi—Wyclif,
Summa theol. lib., i. de mandatis divinis, pars i. cf.
Magd. Coll. 98.

Praemittit iste sapiens legifer—Wyclif (?) Summa theol. i.
Magd. Coll. 98.

Praemonitus a ven. patre [Ottone] S. Nicholai etc.
Sacerdotes induantur justitiam—Grostete, Sermo
(Tanner). *Exon. Coll.* 21.

Praenobilis arbiter aulae coelestis—Jo. Batus in Sent.
(Tanner).

Praeparantis Christi Jesu habitationem—Anon. Speculum
monachorum. *Can. Misc.* 540.

Praeparate corda vestra—Grostete (?) *sive* Jo. Wallensis
de doctrina cordis (Tanner: Bale).

Praeparate corda vestra—Nic. Byard, Sermones (Tanner).

Praeparate corda vestra . . . Jam ad illud sacrosanct.—
Bern. Sen., Sermo.

Praeparate corda vestra. Nota quod septem instructiones—
Alb. Mag., Sermo. *Laud. Misc.* 530.

Praeparate in occursum etc. Cum rex vel aliquis princeps
—Jac. de Voragine, Sermones. *Magd. Coll.* 48. *Exon.
Coll.* 2.

Praepositum praesentis negotii—Jo. Gatesdene de phlebo-
tomia (Tanner).

Praesens ars [*expl.* dicta sufficiant]—Ray. Lull. Liber
principiorum juris.

Praesens calamitas me compellit—Lamentatio pro
Coelestino V. (B.H.L.).

Praesens opus candelabrum nominatur—Anon. *Can. Misc.*
103.

Praesens opusculum . . . Ad te sermo meus dirigitur—*ps.*
Bon., Amatorium.

Praesens opus habet v. partes—Gul. Peraldi Summa de
virtutibus, praef. *Oriel Coll.* 67.

Praesentem aggrediendo replicationis materiam in tres
partes—Wyclif, Replicatio de Universalibus.

Praesentis negotii est medicinales quaestiones breviter—
Hen. de Wintonia, Quaest. medic. *Nov. Coll.* 171.

Praesentis operis intentio est pro novellis et rudibus
theologis—Anon. de praedicabilibus de Deo.*Rawl. C.*
269. *Magd. Coll.* 99.

Praestantissimi theoriae affluentes—Gul. Bintrey, Determ.
(Tanner).

Praesumptuosos et errantes in metris—Jo. Seguarde,
Cathametron (Bale).

Praesuppono—Ray. Lull. de non multitudine esse Divini.

Praeter hoc quod surripitis—Bon., Liber apologeticus in
eos qui Ord. Fratrum Min. adversantur [=Pars ii.
Determ. Quaest. circa Regul. Fr. Min.].

Praeteriens aliquando et aspiciens—Gul. Ivy de mendicitate Christi (Tanner).

Praeteriens Jesus . . . Quia non omnes civitates—Bern.
Sen., Sermo.

Prandens in mensa—Th. Wycke de vino (Bale).

Precor te omnipotens aeterne Deus—Ray. Lull. super
lapidem philosophorum.

Presbyteri duplici honore digni—Gul. Leicestr. de
Montibus, Summa brevis (Bale).

Pridem sanctissimus in Christo pater—Jo. Thursby *sive*
Jo. Kemp contra fratres mendicantes (Tanner: Bale).

Prima aerarum est a creatione mundi—Rob. Leic. Compotus Hebraeorum purus. (Grey Friars). *Digby* 212.

Prima ala est confessio—*ps.* Bon. [Alan. de Insulis?] de
sex alis cherubim. *cf. Laud. Misc.* 345, 493. *Digby*
20.

Prima autem religiositas matrimonialis—Bern. Sen.,
Sermo.

Prima causa est quare in una die septem cruces—Anon.
Collectio sermonum, praef. *Balliol* 140.

Prima conclusio hujus libri—Sim. Faversham, Ethic.
(Tanner). Cf. *Balliol* 108.

Prima consideratio est de substantia animae, secunda de
virtute—Jo. de Rupella, de anima. *Can. Misc.* 338.

Prima igitur veritas circa corpora mundi est quod non est
unum corpus continuum—Rog. Bacon, Astron. [Comp.
Phil. III. ii. (2)] (Grey Friars).

Prima pars vel consideratio sanitatem conservando pertinet
aeris electioni—Anon. Regimen Sanitatis. *Digby* 42.

Prima particula qualiter orig.—Jo. Baconthorpe in Anselm.
Cur Deus homo. (Tanner).

Prima quidem virtus—Bern. Sen., Sermo.

Prima regula totius christianae religionis—Jo. Baconthorpe, Regulae Christ. fidei. (Bale).

Prima veritas est quod ex informi materia—Fr. de
Mayronis super tres libros de mirabilibus S. Script.
Bodl. 333.

Prima veritas est quod illa disciplina—Fr. de Mayronis,
Flores August. de civ. Dei. *Bodl.* 60.

Prima veritas est quod omne quod est—Fr. de Mayronis
super lib. 83 Quaest. *Bodl.* 333.

Prima veritas est quod qui non habet primas partes
sapientiae—Fr. de Mayronis super libros retractat.
Bodl. 333.

Prima veritas est quod tria sunt genera—Fr. de Mayronis
super Aug. de doctrina Christiana. *Bodl.* 333.

Prima veritas est quod tripliciter—Fr. de Mayronis, Flores
Aug. in lib. de Trinitate. *Bodl.* 60, 333.

Prima veritas quod cum divina scriptura sit bipartita—
Fr. de Mayronis, in Aug. super Genesim. *Bodl.* 393.

Prima regula totius Christianae rei—Jo. Baconthorpe in
regulas Christ. fidei (Tanner).

Prima quaestio istius libri primi—W. Burley (?) Quaest.
Ethic. Arist. (Tanner).

Prima quaestio quid est servus—W. Burley (?) Quaest.
Ethic. *sive* Politicorum (Tanner).

Prima vero pars ipsius t in v triangulos—R. L. (Ray.
Lull. ?) Declaratio figurae t. *Can. Misc.* 312.

Primo ad inveniendum—Ray. Lull., Lib. de declaratione
scientiae inventivae.

Primo considerandum est—Th. Aqu. (?) Resp. ad Jo.
Vercell. gen. mag. O.P. de articulis 108 sumtis ex
opere P. de Tarentasia (Q.E.).

Primo considerandum est tempus—Jo. Chillingworth de judiciis astron. (Tanner).

Primo considerare debes semper quare venisti [veneris]—Anon. [*ps.* Bon: David ab Augusta: Humbertus Magnus?] de informatione novitiorum. *Laud. Misc.* 195. *Can. Misc.* 540. *Rawl. C.* 72. *Balliol* 264 [*vide* Primo ergo semper].

Primo cum iste liber sit de disciplina scolarium—Gul. Whetely in Boëthii lib. de discipl. *Exon. Coll.* 28.

Primo de approbatione paupertatis—Rob. Finingham, Pro Ordine Minorum (Wadding).

Primo dicit quod praedicti infideliter recitant—Ubert. de Casale, Declaratio etc. (A.L.K.G. III.).

Primo ergo sciendum est quod b. pater noster Fr. in omnibus actibus—Antiqua Leg. S. Franc. pars iii. [=Actus B. Francisci] (B.H.L.).

Primo ergo semper considerare debes ad quid veneris—David ab Augusta, Formula Novitiorum cap. i. (La Bigne). [*vide* Primo considerare].

Primo et principaliter hoc scriptum de cordis mei arcuariolo—Anon. de sacramento altaris. *Magd. Coll.* 109.

Primo excom. omnes qui apostatas—Rob. Finingham de sententiis latis per privilegia fratrum minorum (Tanner).

Primo igitur notandum est quid sit illud intrinsecum—[*ps.* Bon] Rod. de Bibraco O.M. de vii. itineribus etc. *Can. Eccl.* 8 [*vide* Eum qui venit].

Primo igitur quaeritur utrum potestas spiritualis et laicalis—Gul. Occham, Octo Quaestiones etc. (Grey Friars).

Primo igitur sciendum est quod b. pater noster Franciscus in omnibus—Actus B. Francisci (ed. Sabatier).

Primo quaeritur hic cum cuilibet divisioni—Duns, Quaest. super lib. Divisionum Boëthii. *Magd. Coll.* 38.

Primo quaeritur quid sit juramentum—Jo. Kele de jurejurando (Tanner).

Primo quaeritur quot sunt ordines—Gul. Woodford, Respon. contra Wiclevum etc. *vel* ad 65 quaest. Wyclif. (Grey Friars).

Primo quaeritur utrum demonstratio sit subjectum—Anon. in lib. i. Posteriorum. *Can. Misc.* 181.

Primo quaeritur utrum ex scripturis receptis—Nic. de Lyra contra perfidiam Judaeorum (Tanner).

Primo quaeritur utrum potestas saecularis per quam populus regitur quantum ad temporalia—Bertrand Aeduensis de jurisdictionibus (La Bigne).

Primo sicut ipse dicebat per revelationem intravit—Raim. Petri O.M. Vita Rogerii de Provincia O.M. (B.H.L.).

Primo supponitur omnem hypotheticam—Wyclif, de conditionalibus [Tract. iii. de Logica].

Primo suppono sive credo—Ray. Lull. Liber de multiplicatione etc.

Primo tractandum est de dote—Grostete de dotibus (Tanner).

Primo transiens mare maius me de Pera . . . transtuli Trapesundam—Odoric. de Portu Naonis, Iter in Orient. (B.H.L.).

Primo videndum est quid—Grostete, Summa vitiorum capital. (Tanner).

Primum argumentum quod ponit—Grostete de finitate motus et temporis (Tanner).

Primum capitulum [vide Primum igitur cap.].

Primum capitulum de eo quod est—Grostete, Quaest. super Ethic. (Tanner).

Primum caput circa influentiam agentis—Rog. Bacon de speciebus. Univ. Coll. 48.

Primum cum quolibet homine qui—Wyclif, de caritate fraterna.

Primum dictum notabile est istud fecisti—Fr. de Mayronis, super Aug. Confess. Bodl. 333.

Primum est ut habeat auctoritatem—Antoninus Florent. de instruct. simplicium confessorum. Can. Misc. 4.

Primum igitur capitulum circa influentiam agentis habet tres veritates—Rog. Bacon, de multiplicatione vel generatione specierum. (Bale).

Primum igitur motivum est ut praedecessorum—Anon. frater O.P. de passagio in Terram Sanctam etc. Magd. Coll. 43.

Primum itaque dividere volenti inspiciendum thema—Bon., Ars concionandi, Pars i.

Primum omnium necesse habes, anima mea—Bon., de regimine animae.

Primum omnium oportet nos memorare, fratres carissimi, et recitare—Anon. Collectio sermonum. Balliol 240.

Primum oportet; Liber Perihermenias quem ad praesens—W. Burley. Magd. Coll. 146.

Primum oportet constituere—Duns de interpretatione. Balliol 291.

Primum oportet constituere . . . Postquam philosophus—
Gul. Occham, in Arist. de Interpretatione. *Can. Misc.*
558.

Primum ostendenda origo causae—Gul. Petyt de Anglorum
regibus (Tanner).

Primum praeceptum appropriate respicit—Alex. Hales,
Expos. X praecept. (Tanner). cf. *Magd. Coll.* 68.

Primum propterea sciendum quia ut dicit Alfrabius modus
probandi—Nic. de Argentina O.P. de Antichristo.
Bodl. 140.

Primum quidem oportet constituere—Jo. Baconthorpe, in
Priora (Tanner).

Primum rerum principium mihi ea credere—Duns de
principio rerum. *Balliol* 209 (et Wadding).

Primus articulus fuit quod objectum fidei—Rob. Holcote
super articulis impugnatis (Tanner : Bale).

Primus articulus quaestionis—Jo. Ridevallus, Quaest.
ord. octo (Wadding).

Primus articulus quantum ad divinitatem—Simon Henton
de articulis fidei (Tanner : Bale).

Primus articulus : Regula et vita etc. . . . Circa hunc
articulum in quo — Ubert. de Casale, Rotulus
(A.L.K.G. III.).

Primus autem liber partis hujus—Vincent. Bellovac., Spec.
Hist. *Linc. Coll.* 34.

Primus error est quod Dominus noster—Gul. Occham,
Defensorium. (Grey Friars).

Primus hic liber voluminis grammatici circa linguas alias
a Latina . . . . Manifestata laude—Rog. Bacon,
Graeca Grammat. ex Comp. Phil. (?) (Grey Friars).
cf. *Univ. Coll.* 47. *C.C.C. Oxon* 148.

Primus institutor monachorum—Boston Buriensis Spec.
Coenobitarum (Tanner).

Primus itaque omnium Generalis Minister fuit gl. pater
noster Franciscus—Chron. xxiv. generalium (Anal.
Francisc.).

Primus liber agit de his quae pertinet—Alex. Neckam,
Concordantiae Bibliothecae. (Bale).

Primus magister dixit si aliquod—Adam Carthus. de
patientia tribulationum (Tanner).

Primus philosophiae magister—Jo. Campani Novariensis,
Theorica. *Nov. Coll.* 293.

Primus pontifex Aaron—J. Clipston, Exempla S. Script.
(Tanner).

Primus ramus sanguinis praeclaritas—Anon. Lignum Vitae Crucifixi. *Bodl. Auct. F.* 6. 1.

Princeps clarissimus et magnus es. I. Mach. B. Ludovicus hisce verbis—Gul. de S. Patusio de Ludovico IX. (B.H.L.).

Princeps philosophorum Arist.—Jo. de Muris de musica (Tanner).

Principaliter contra argumentum—Reg. Langham contra Jo. Heydon Carm. (Bale).

Principes gentium dominantur . . . . Hesterno quidem sermone utilia—Bern. Sen., Sermo.

Principes populorum—Jo. Hadun, Sermones (Tanner).

Principium metuit operis fastigia mirans—Vita metrica S. Clarae; prol. i. (B.H.L.).

Principum illustrissimo—Ray. Lull. Lib. lament. xii. principiorum philosophiae contra Averroistas, 1310.

Prior dedit illi ad Rom. ii. Ratio quam—Th. Bromius Lect. theol. (Tanner).

Priori et caeteris fratribus Spolet . . . Gaudeo ac vehementer—Ambros. de Cora. Vita Christinae Spoleti (B.H.L.).

Priusquam tropologice procedas—Steph. Langton in Malachi. (Tanner).

Pro ampliori declaratione—Maur. de Portu in Jo. Duns Scot. (Tanner).

Pro Arist. 30 rot. ruta domestica—Jo. Gatesdene, Quid pro quo (Tanner: Bale).

Probata virtus quasi per ignem . . . [*expl.* commorabitur] —Jo. Wallensis (?) de correptione. (Grey Friars).

Probatum est in fine [*des.* longioris dicta sufficiant]—Alb. Mag. in lib. Arist. de morte et vita.

Problema correspondens libello Porphyrii est hoc, Utrum universalia ad aliquem sensum—Jo. Tarteys Problemata etc. *Magd. Coll.* 47, 92.

Problema est hoc, Utrum demonstratio sit syllogismus— M.R. (?) Probl. super Analyt. *Magd. Coll.* 47.

Producens coelite pater . . . Materia istius hymni est— Gul. Whetley (?) Hymni de B. Hugone Ep. Linc. (Tanner).

Proelia gesturus ludos pius—Jo. de Hayda Vita Malchi monachi (Tanner).

Profectus religiosi septem distinguitur processibus—David Augustanus [*ps.* Bon.], de profectu religiosorum. *Laud. Misc.* 181 (Wadding).

Proficiscentibus nobis rev. patres ad has Alemanniae partes —Nic. de Fara, de Jo. de Capistrano (B.H.L.).

Pro fide Christi quatuor in Kana regione Minores—Odoric. de Portu Naonis, Passio Th. de Tolentino et soc. O.M. (B.H.L.).

Profunda fluviorum verbum istud quod sumtum est ex Job xxviii.—Bonav. prol. in i. Sent.

Progenies viperarum quis—Rog. Dymock contra Wyclif. (Tanner).

Prohibemur generosa matrona—Jo. London Chron. ad 1322 (Tanner).

Prohibemur O abba venerabilis Augustini—De morte Edwardi I. (Hardy 547).

Pro introductione Sentent.—O. Pickenham in Sent. (Tanner).

Prolocuta inter me et Asende eo quod ipse scire verba— Anon. Tract. Chem. de Coloribus. *Digby* 162.

Pro materia alterationis in qualitate—Gul. Milverley (?) (Tanner) *sive* Jo. Chilmark (Bale).

Pro materia de adoratione imaginum—Rob. Alyngton (Tanner). *Merton* 68.

Pro materia de modis et primo—Jo. Chilmark (Tanner).

Pro materia propositionis ne aequivocatio—Jo. Chilmark (Tanner).

Pro modalibus ad cognoscendum—Anon. Tract. *Magd. Coll.* 38.

Promptus mirari ceperunt philosophari—Anon. in Arist. de Iride. *Magd. Coll.* 21.

Pro notitia universalium in libro—Jo. Batus super universalia (Tanner).

Prooemium hujus libri continet—W. Burley de substantia orbis (Tanner).

Prope civitatem Aquilanam in qua—Christoph. de Varisio Vita Jo. de Capistrano (B.H.L.).

Prope erat Pascha . . . Hodie proposui videre—Bern. Sen., Sermo.

Propheta magnus surrexit . . . Lucae vii.—N. de Lyra, Psalt. *Bodl.* 251.

Prophetantes—[*vide* Philosophantes].

Proponimus tibi in praesenti libello—Ray. Lull. Liber magnae medicinae.

Proportio communiter accepta—Alb. de Saxonia. *Can. Misc.* 393.

Proportio quaedam est communiter dicta—Ric. Billingham Proportiones (Tanner).

Proposita quaestio rem difficilem—T. Walden, Quaest. ord. (Tanner).

Propositio et signum . . . Quia materia—Anon. de propositionibus etc. *Magd. Coll.* 92.

Propositis radicibus sapientiae—Roger Bacon, Perspectiva distincta [= Opus Majus, V.] (Bale).

Propositum praesentis negotii—Jo. Gatesden de flebotomia (Bale).

Propósitum quidem negotii est—Jo. Baconthorpe *sive* W. Burley in topica (Tanner). *Merton* 295.

Pro praesente materia est sciendum primo—Michael ord. erem., de perfectione specierum. *Can. Misc.* 177.

Propter Ammirari inceperunt antiquitus homines prophetari—Henr. de Hassia, de reductione effectuum in causas suas. *Laud. Misc.* 146.

Propter evidentiam de excellentissimo prıncipe rege Angl. dom. Edwardo—Rob. Avesburiensis Chron. prol. *Douce* 128.

Propter multa in hoc libro contenta qui liber dicitur secretum secretorum Aristotelis sive liber de regimine principum—Rog. Bacon, Tract. ad declaranda quaedam obscura dicta in libro Secreti Secretorum Arist. (Grey Friars).

Propter nimiam caritatem suam—Rob. Caracciolus, Quadragesimale de peccatis (Wadding).

Propter quod deponentes mendacium . . . . Tractaturi igitur de mendacio—Bern, Sen., Sermo.

Propter quorundam linguas detrahentium . . . . cum staret.—Theobold. ep. Assis. testimon. de indulgentia (B.H.L.).

Propter quorundam linguas detrahentium . . . Postquam B. Franc.—Conrad. ep. Assis. testimon. de indulgentia (B.H.L.).

Propter triplicem rationem in glossa—Gul. Woodford (?) super Lucam (Wadding).

Propter universalem scientiarum traditionem—Galf. Hardeby, Determ. (Tanner).

Pro superficiali notitia quinque—Gul. Milverley, Universalia. *Magd. Coll.* 47. (Tanner).

Protestamur ut alias publice—Nic. Herford Responsio (Tanner).

Protestor publice, ut saepe alias—Wyclif, Ad Parliamentum Regis.

Protinus ut ars et scientia—Ray. Lull. Tract. vii. rotarum.

Provocatus etiam per amicos—Jo. Stanbery de regimine celebrantium (Tanner).

Proxima destruenda—Gul. Woodford, Determ. secunda contra Wyclif. (Grey Friars).

Prudentia secundum aliquos sic depingebatur—Anon. de vitiis et virtutibus. *Can. Misc.* 528.

Prudentia veterum mos inolevit . . . . Post Primum insulae Brit.—Ric Westmon. Chron. (Tanner).

Psalmorum libri Graece psalterium—Grostete in duas quadragenas Psalmorum (Tanner).

Pseudo-frater degens in saeculo est diabolus incarnatus—Wyclif, Descriptio fratris.

Pseudo-fratres replicant quod non licet sacerdotibus praedicare—Wyclif, de mendaciis fratrum.

Ptolemaeus in Almagesto—Alb. Mag. in viii. libris polit. Arist.

Pulcherrimam feminarum elegi—Ric. Maidstone, Sermones (Tanner).

Pullus aquilae sanguinem—Jo. Peckham de Passione Domini (Wadding).

Pulsante fratrum instantia qui me—Gualt. Wiburn Proprietates terrae (Tanner: Bale).

Pulsatis fratrum—Gualt. Wiburn, Proprietates Terrae Sanctae (Wadding).

Pulsatus fratrum instantiis cogor—Jo. Tompson, Moralia S. Script. (Tanner).

Pulsus est nuntius—Bern. de Gordonio. *Oriel Coll.* 4.

Pulvis est et in pulverem—Ric. de Hampole, Sermones quadragesim. (Tanner).

Purgabit filios Levi etc. (*Prothema:* Abominatio Domini cogitationes etc. Tantae puritatis est Deus) . . . . Praesentis diei solemnitas quae est de purificatione gl. V.M. Explanatur—Bon., Sermo.

Purpureas sanctorum coronas—Anon. Narrationes de sanctorum vitis. prol. *Can. Misc.* 150.

Q

Quadraginta quinque conclusionibus meis catholicis—Anon. [W. Remington?] Dial. inter Cathol. veritatem et haereticam pravitatem. *Bodl.* 158 (Bale).

Quadratura circuli per linulas—Grostete (Tanner).

Quadripartitam humanitatis vitam, vid. naturae—Anon. de vita hominis etc. 72 capp. *Exon. Coll.* 13.

Quae alteri commodavit repetere—Steph. Patrington in fab. Aesopi (Tanner).

Quaecumque dixerint vobis—Rob. Cowton, *rectius* Ric. Armach., Sermones, London. (Wadding. Bale).

Quaedam affirmatio—Raymundi [Lull.] Fallacia.

Quaedam animalia sunt simplices divisibiles—Anon. de proprietatibus animalium. *Exon Coll.* 35.

Quaedum magna domina cum duas ancillas—Anon. Narrat. de B.V.M. *Laud Misc.* 171.

Quaedam mulier civis romana de parochia S. Salvatoris— Angelica, Miracula S. Dominici (B.H.L.).

Quaedam partes corporum animalium—Arist. de animalibus trsl. a Mich. Scoto (Tanner).

Quaedam partes etc. Circa istum librum primo quaeritur— Jo. Tydenshale de animalibus. *Oriel Coll.* 33.

Quae est ista quae ascendit de—Alex. Neckam de assumptione S. Mariae (Bale).

Quae glossa prima sine recitatione—D. de S. Geminiano Comment. super Bonif. Sext. Decret. *Balliol* 162.

Quae potavi de fontibus Salvatoris—*ps.* Bon., Tract. de tribus virtutibus, humilitate patientia et caritate.

Quaerebant eum, Lucae ii.: et in evangelio—Gul. Woodford, Sermones (Wadding: Bale).

Quaerebantur in nostra generali disputatione quasi xlii. quaest.—H. de Gandavo, Quodlib. *Balliol* 213. *Linc. Coll.* 109.

Quaerebantur quaedam circa Deum—Galf. de Fontibus O.M. Quodlibeta (Tanner). *Balliol* 211.

Quaerebatis pridie, rev. pater, de voto evangelicae obedientiae—Bern. Sen., Dial. de Obedientia inter Bern. et Paul.

Quaerebatur inter caetera in disputatione—H. Virley Quodlib. (Tanner).

Quaeris [Quaeritur] venerande dux Normannorum—Gul. Woodford, Philosophia Naturalis (Tanner).

Quaeritur, etc. *Vide etiam* Utrum, etc.

Quaeritur an de anima possit esse—Hen. de la Vyle de anima (Tanner).

Quaeritur circa librum Praedicamentorum utrum sit de decem vocibus—Duns Scotus. *Rawl. D.* 235.

Quaeritur circa quartum utrum putrefactio—Anon. [Scotuli?] Quaest. in librum iv. Meteor. *Magd. Coll.* 80.

Quaeritur circa secundum lib. de anima utrum tactus sit
unus vel plures—J. Duns Scot. Quaest. 23 in lib. de
anima. *Digby* 44.

Quaeritur circa tract. · proportionum Pravardini [Brad-
wardine]—Blasius de Parma. *Can. Misc.* 177.

Quaeritur cui restituere teneatur inventor rei alienae?—
Anon. *Can. Eccl.* 22.

Quaeritur de comparatione vitae activae et contemplativae
quae scil. illarum melior—Anon. de vita activa etc.
Exon. Coll. 7.

Quaeritur de creaturis [*des.* de creaturis dicta sufficiant]—
Alb. Mag., Summa de creaturis.

Quaeritur de fato an sit et quid sit—Th. Aqu. de fato
(Q.E.).

Quaeritur de forma resultante—Rog. Bacon, de forma.
result. ex speculo (Wadding).

Quaeritur de intellectu nostro ut—Sim. Faversham super
tertium de anima (Tanner).

Quaeritur de quantitate elemosinae viz. utrum liceat
homini dare—Anon. de validis mendicantibus. *Bodl.*
52.

Quaeritur de scientia Christi—Bon., Quaestiones disput.

Quaeritur de scientia Dei quomodo scit—Grostete de
scientia et voluntate (Tanner). *Exon. Coll.* 28.

Quaeritur de sensu communi—Alb. Mag. de sensu
communi et. *Oriel Coll.* 28.

Quaeritur de subjecto quid sit—Gul. Bonkys in Arist.
Meteora. *Digby* 204.

Quaeritur de unitate scientiae naturalis—Anon. Comment.
in Physica. *Nov. Coll.* 285.

Quaeritur de veritate hujus, Quaestiones vere scibiles sunt
aequales—Duns in lib. ii. Posteriorum Analyt.

Quaeritur in principio utrum de credibilibus—Th. Aqu.
Dicta super Sent. *Magd. Coll.* 99.

Quaeritur primo de demonstratione—Sim. Faversham, in
Poster. Arist. (Tanner).

Quaeritur primo de scientia S. theol.—Galf. de Fontibus
O.M. (?) Quodlibeta (Tanner).

Quaeritur primo pro cognitione traditorum—Misin de
Coderonco, in lib. de Interpretatione. *Can. Lat.* 278.

Quaeritur primo utrum calidum et humidum—Anon. super
librum de longitudine etc. vitae. *Digby* 44.

Quaeritur primo utrum de operationibus et passionibus—
Jo. Parisiensis Spengen., super Arist. de sensu et
sensato. *Digby* 44.

Quaeritur primo utrum ens mobile ad formam sit subjectum—Marsilius ab Ingen, in Arist. de generatione etc. *Can. Misc.* 238.

Quaeritur primo utrum omnium rerum—Wyclif, de ablatis restituendis.

Quaeritur primo utrum ornatus mulierum—Ant . de Rosellis. *Can. Misc.* 6.

Quaeritur quid sit sacramentum—Gul. Rothwell super Sent. (Tanner).

Quaeritur quot terminationes—Jo. Leyland, Declinationes Lat. et Graec. (Bale).

Quaeritur si possibile est ad verbum—Anon. Quaest. theol. *Univ. Coll.* 6.

Quaeritur super primo physicorum utrum tantum tria—Jo. Sharpe in libros Phys. *Nov. Coll.* 238.

Quaeritur super illo dicto Christi, Joan. viii.—Gul. Nottingham, Quaest. in Evangel. (Wadding : Tanner : Bale).

Quaeritur utrum, *etc. Vide* Utrum, etc.

Quaeritur utrum ad cognitionem rei—Matth. de Aqua Sparta, Quaest. quodlib. (Wadding).

Quaeritur utrum aliqua sunt universalia in rerum naturae —Jo. Sharpe de universalibus (Tanner). *Nov. Coll.* 238.

Quaeritur utrum anima se semper intelligat—Aeg. de Columna. *Digby* 150.

Quaeritur utrum Christus sit simpli.—Jo. Goldeston, Quodlibeta (Tanner).

Quaeritur utrum coelum sit alterabile—Gul. Bonkys de coelo et mundo (Tanner). *Digby* 204.

Quaeriter utrum commensuratio—Rob. Eliphat, Quaest. super Sent. (Wadding).

Quaeritur utrum congrua constructio—Anon. Grammat. *Digby* 55.

Quaritur utrum continuum componatur—Gerard. Odonis Anglici Quaestio. *Can. Misc.* 177.

Quaeritur utrum definitio naturae—R. Lavenham de terminis naturalibus (Tanner).

Quaeritur utrum de impressionibus meteororum sit scientia —Scotuli [Duns] Quaest. super Meteor. *Magd. Coll.* 80.

Quaeritur utrum de sensu et sensato—Anon. Quaest. *Oriel Coll.* 33.

Quaeritur utrum Deus debuit imponere homini mandata obligatoria—Anon. de praeceptis Decalogi. *Bodl.* 42.

Quaeritur utrum Deus sit summe simplex—Ric. de Mediavilla, Quaest. quodlib. (Grey Friars).

Quaeritur utrum essentia animae sit una in homine—
Anon. *Digby* 150.

Quaeritur utrum expediat ecclesiae Dei—Jo. Parys de confessionibus fratrum. *Linc. Coll.* 81.

Quaeritur utrum finis per se—R. Lavenham super Sent.
(Tanner). [*vide* Utrum *etc.*]

Quaeritur utrum intellectus agens—Jo. Batus, de anima
(Tanner).

Quaeritur utrum inter partes philosophiae naturalis
scientia de anima—Anon. in lib. de anima. *Can.
Misc.* 211.

Quaeritur utrum logica sit scientia. Quod non—Duns Scot.
super Porphyrium. *Bodl.* 643. *Rawl. D.* 235. [*vide*
Utrum *etc.*]

Quaeritur utrum memoria sit solum—Anon. in Arist. de
memoria. *Digby* 44.

Quaeritur utrum per scripturas a Judaeis receptas—Nic.
de Lyra, Quaest. contra Judaeum (Bale).

Quaeritur utrum Petrus apost. princeps eminentioris—
W. Hunt de potestate Petri etc. (Tanner).

Quaeritur utrum plures sint veritates ab aeterno—Ray.
Rigaldus (?), in iv. Sent. (Wadding).

Quaeritur utrum primum principium complexum—Fr. de
Mayronis in i Sent. *Merton* 133.

Quaeritur utrum quilibet teneatur ad solut. verarum
decimarum—Clarus Aretin. O.M. *Can. Misc.* 269.

Quaeritur utrum scientia possit—R. Spalding Determ. S.
Script. (Tanner).

Quaeritur utrum sensus tactus—Duns, super ii. et iii. de
anima. *Balliol* 117. *Magd. Coll.* 16, etc.

Quaeritur utrum simpliciter fornicatio sit mortale
peccatum—Anon. Quaest. de fornicatione. *Laud.
Misc.* 2.

Quaeritur utrum sit dare primum et ultimum — Walt.
Burley. *Can. Misc.* 177.

Quaeritur utrum status prosperitatis—Th. Docking,
Quaest. in Job. (Tanner: Wadding).

Quaeritur utrum subjectum primi principii—Fr. de
Mayronis de univocatione entis (Tanner).

Quaeritur utrum substantia finita—Jo. Canon. O.M. in
Arist. Physic. (Bale).

Quaeritur venerande dux circa—Gul. Woodford in Arist.
Physic. (Wadding) [*vide* Quaeris].

Quaero de veritate istius—Jo. Bampton, de veritate propositionum (Tanner).

Quaero primo an theologia nostra per Dei—Rob. Cowton in Sent. *Balliol* 199 (Tanner).

Quaero primo quaenam sint illa quae tractantur in tota doctrina de casibus conscientiae—Anon. de vii. Sacram. *Can. Misc.* 85.

Quaero qui sunt casus excommunicationis majoris—Fr. de Platea (Wadding).

Quaerunt de praedicamento relationis—Jo. Driton [de Sicca Villa] de relatione (Tanner).

Quaesisti carissime quum dixerim in prologo—Barth. Pisan. Litera. *Can. Misc.* 410.

Quaesisti num pro certitudine—Th. Aqu. ad Gerardum. *Can. Misc.* 410.

Quaesita sunt de Deo plura—Jo. Peckham Quodlib. (Tanner). *Merton* 96.

Quaesito de proprietatibus relativis in generali—Anon. Quaestiones sex. *Balliol* 63.

Quaesitum est de Deo angelo et homine—Th. Aqu. Quaest. Quodlib. xii. (Q.E.).

Quaesivisti R. P. a me humili—Pet. de Ancharano, de Schismate. *Laud. Misc.* 249.

Quaeso fratres carissimi ut expositionem symboli—Anon. Sermo in Symbolum Apost. *Laud Misc.* 171.

Quae soror Coleta ut dixerunt . . . sumpsit originem ex Corbeia—Testimonia de Coleta 1471 (B.H.L.).

Quaestio circa originale peccatum—Grostete (Tanner).

Quaestio circa primum physicorum est haec—Jo. Sharpe (Tanner).

Quaestio est an anima humana conjuncta corpori ut forma —Jo. de Lana Quaestiones. *Balliol* 63.

Quaestio est an scientia—Gualt. Heston de anima (Tanner).

Quaestio est de malo, et primo quaeritur an malum—Th. Aqu. *Balliol* 47.

Quaestio est de mendicitate, utrum mendicare—Gul. de S. Amore contra Bonavent. (Bale).

Quaestio est de mensura angelorum et primo quaeritur utrum aevum—Aegid. Rom. *Balliol* 104.

Quaestio est de peccatis capitalibus—Jo. Peckham (Wadding).

Quaestio est de sacrificiis circa quae quaeruntur viii.—Jo. Peckham, super quartum Sent. *Bodl.* 859.

Quaestio est de spiritualibus creaturis et primo quaeritur utrum substantia—Th. Aqu. Quodlib. *Laud. Misc.* 480.

Quaestio est de veritate et primo quaeritur quid est veritas —Th. Aqu. Quaestt. 29 de veritate. *Balliol* 48, (et in editt.).

Quaestio est de virtutibus in communi—Th. Aqu. *Balliol* 47.

Quaestio est de unione Verbi Incarnati, et primo utrum haec unio—Th. Aqu. *Balliol* 48.

Quaestio est hic de mendicitate—Roger Conway, Quaestiones tres de paupertate Christi. (Grey Friars).

Quaestio est ista utrum omnis virtus moralis ex operibus generetur—Anon. *Can. Misc.* 294.

Quaestio est quid sit abstrahere? Dicendum—Brainham, in Phys. Arist. (Bale).

Quaestio est utrum angelus intelligat—Aegid. Romanus de cognitione angelorum. *Balliol* 104.

Quaestio est utrum innascibilitas—Rob. Winchelsea Quaest. qudolib. *Magd. Coll.* 217.

Quaestio est utrum materia in sua essentia—Anon. Quaest. *Balliol* 104.

Quaestio est utrum objectum—Simon Thornay in Sent. (Tanner).

Quaestio est utrum sit dare—Aegid. Romanus de primo principio etc. *Balliol* 104.

Quaestione xii. arguitur et quaeritur utrum essentia diversa—Th. Aqu. Summa abbrev. *Merton* 267.

Quaestiones definitiones laudes—Ray. Lull. Liber de laudibus B.V.M.

Quaestiones plurimas ex pluribus et diversis—Ray. Lull. Quaest. per artem demonstrat. *sive* inventivam solubiles.

Quaestiones sunt aequales numero etc. In libro isto praecedenti determ. est de syllogismo demonstrativo— Walt. Burley super ii. librum Poster. *Rawl. C.* 677.

Quae sursum sunt quaerite—Jo. Wilton Sermones (Bale).

Qualiter creator omnium rerum Deus—Jo. Gower de conjugii dignitate (Tanner).

Quam dulcia faucibus . . . Dignare me laudare te Virgo sacrata. nec modicam—Bern. Sen. Sermo.

Quam dulcia sunt . . . In mente B.V.M. tanta erat—Bern. Sen. Sermo.

Quamdiu in mundo sum . . . Ut praec. sermo sequens— Bern. Sen. Sermo.

Quam gloriosus sit . . . Inter quos singulariter fulsit—
Vita Jo. Firmani de Alverna (B.H.L.).

Quam plurimorum incommendabiles inolevit consuetudo—
W. Rishanger Chron. de bellis Lewes et Evesham
(Hardy).

Quamquam autem tam nobilibus et praeclaris miraculorum
indiciis—Translatio Eliz. Thuring. (B.H.L.).

Quamquam autem ut verum fatear signa non faciant
sanctum principaliter—Miracula Simonis de Lipnica
O.M. (B.H.L.).

Quamquam nos omnes—Alb. e Sartiano Sermo (Wadding).

Quamquam plurimos libros—Ray. Lull. Elucidatio testamenti.

Quamquam post Eucliden Theodosii Cosmometriae—
Alkindus de judiciis transl. a Rob. Angl. 1272.
Digby 91.

Quamquam sane magno labore . . . Divus Thomas
Landulpho patre—A. Pizamanus, Vita Th. Aquin.
(B.H.L.).

Quam sit inhonestum et reverentiae—Jo. Stratford
Constit. 1342 (Tanner).

Quamvis apud omnipot. Deum justi . . . S. Conf. Abalb.
ex Suevia—Albert. prior Altah. Vita Alberti mon.
Altah. (B.H.L.).

Quamvis autem Salutatio Angelica—Wyclif, de Salutatione Angelica.

Quamvis beata vita sanctorum apud . . . Ven. igitur . . .
Bonifatius episc—Vita Bonifatii ep. Lausan. (B.H.L.).

Quamvis coeli terraeque conditor—Ric. Maidstone in
anulum philosophorum (Tanner : Bale).

Quamvis de ordine praedicabilium—Alb. Mag. in librum
de sex principiis Gilberti Porretani.

Quamvis in hoc vita—Monachus de Bridlington Gesta
Edw. II. (Hardy § 674).

Quamvis in libro magistri Alexandri—Anon. super
dictiones bibliorum (Bale).

Quamvis lasciva—T. Walden ad Jo. Maule (Tanner).

Quamvis multa et varia de ritibus—Odoric. de Portu
Naonis O.M. Iter in Orient. (B.H.L.).

Quamvis omne peccatum sit—Anon. de peccatorum
generibus. *Univ. Coll.* 29.

Quamvis secundum philosophum iii. Ethicorum omnium
terribilium mors est—Anon. de arte moriendi. *Univ.
Coll.* 53.

Quamvis secundum quod dicit B. Isidorus . . . . Narrat autem Guil. de S. Cruce—Clemens, miracula Th. Heliae (B.H.L.).

Quamvis unica et certa ars sit—T. Penketh de arte sermocinandi (Tanner).

Quamvis vecta gradu—Jac. Caietanus de. Stephanescis de electione Bonif. viii. (B.H.L.).

Quando dividebat Altissimus gentes, quando separabat—Nic. Oresme de mutatione monetarum, cap. 1 (La Bigne).

Quando Dominum nostrum sub panis—Adam Carthus. de sumptione Eucharistae (Tanner).

Quando iste sanctus pater frater Aegidius voluit—Vita B. Aegidii Assis. (ed. Lemmens, Appx).

Quando jam triennio e Creta—Geo. Trapezunt. Passio And. de Chio (B.H.L.).

Quando logica ad omnia scientiarum principia—Anon. Comp. Logicae artis, vi. partes. *Magd. Coll.* 92.

'Quanta audivimus . . . . Quia adhuc singularis—Bern. Sen. Sermo.

Quanta audivimus facta in Capharnaum . . . Prona quidem est humana—Bern. Sen. Sermo.

Quantam vim virtus . . . Inter reliquas Bononiae urbis familias—Jac. Zenus, Vita Nic. Albergati (B.H.L.).

Quanti autem meriti fuerit . . . Est sane in civit. Florentia—Miracula Antonini Florent. (B.H.L.).

Quanti qualisque fuerit intellectus—Jo. de Salerno Vita Simonis de Cassia (B.H.L.).

Quantis pressuris et calamitatibus—Ralph Coggeshall Chron. Terrae Sanctae (Tanner).

Quantitatis alia continua quae magnitudo dicitur—Simon Bredon, *sive* Th. Bradwardine, Ars metrica, *sive* de Arithmetica. *Digby* 147. *C.C.C. Oxon* 118 (Bale).

Quanto rarius ecclesia senescunte . . . Vir igitur hic et vere—Gir. Cambr. Vita Hugonis Linc. (B.H.L.).

Quantum ad excommunicationem atti.—Wyclif, de censuris ecclesiae.

Quantum ad objectionem fratrum—Wyclif, de solutione Satanae.

Quantum ad primum articulum condemnatum—Gul. Woodford. *Bodl.* 703.

Quantum ad terras vestras forinsecas—Rob. Grostete Regulae ad Comitissam Linc. [tr.]. *Digby* 204.

Quantum inter se terrarum spatio—Pet. Candidi Decembrii Peregrinae Hist. etc. *Can. Misc.* 320.

Quantum sim hoc opere perfecturus nescio—Anon. Mediolanensis Sermones, prol. *Balliol* 161.

Quantum sit appetenda gratia poenitentiae omnis auctoritas clamat—Anon. *Bodl.* 400.

Quantum utilitatis et emolumenti . . . Adriano IV.—Jo. Garzo Vita Dominici (B.H.L.).

Quare de vulva matris . . . Si talia de se locutus— Innoc. III. de contemptu mundi cap. 1 (Migne).

Quare dicitur—Ray. Lull. de novo modo demonstrandi.

Quarto de causalibus pertractandum — Wyclif, de causalibus [Tract. iii. de Logica] (Bale).

Quasi sol oriens mundo b. Franc.—Bernard a Bessa Liber de laudibus S. Francisci (B.H.L.).

Quasi stella matutina—Joh. de Ceperano, Vita S. Francisci [ignot.].

Quasi stella matutina—Joh. Rigaldi, Vita Antonii de Padua (B.H.L.).

Quasi stella matutina in medio nebulae [*des:* sacrificandum]—Anon. Stella Clericorum.—*Laud. Misc.* 206. *Nov. Coll.* 304.

Quasi vas auri solidum—Vita Leonis Assis. socii S. Fr. (B.H.L.).

Quasi vas auri solidum . . . Hic igitur de Romandiolae— Bern. de Bessa Vita Christoph. de Cadurcis (B.H.L.).

Quasi vetera mundi senecta urgente . . . . Admirabilis femina—Th. de Celano Vitæ S. Clarae Assis. (B.H.L.).

Quatuor canones et signa universalia—Ric. Anglicus de re medica (Tanner). *Nov. Coll.* 167.

Quatuor facies etc. Ezech. i. Quemadmodum admirabilis est clausura secundum quam tota ramorum diffusio— Pet. Johannis [Olivi?] super Matth. Evang. praef. *Nov. Coll.* 49.

Quatuor facies etc. secundum quod scribit b. Gregorius— Nic. de Lyra super Test. Nov. *Oriel Coll.* 45.

Quatuor invectivarum libros—F. Petrarcha. *Balliol* 146 B.

Quatuor prophetae etc. Primus prologus—Gul. Lissy in Habakkuk (Wadding: Bale).

Quatuor sunt divisiones proposit. — Rog. Swineshead de divisionibus (Tanner).

Quatuor sunt regulae S. Scripturae—Ric. Barrus (Tanner).

Quatuor sunt virtutum species—Th. Aqu. (?) de vitiis et virtutibus (Q.E.). cf. *Magd. Coll.* 109.

Quemadmodum inter triticum—Jo. Hamboys (?) Summa artis musicae (Tanner).

Quemadmodum inter triticum—Th. Tewksbury (?)
[Simon Tunstede] Quatuor principalia artis musicae.
Digby 90.

Quemadmodum plurimorum ss. parentum merita—Vita
Birgittae (B.H.L.).

Quia ad cognitionem alicujus oportet cognoscere—W. de
Shirewood, Syncategoremata. *Digby* 55.

Quia apud nonnullos [*des.* finis dubitationis]—Alb. Mag.
de unitate intellectus contra Averroem.

Quia a sancto apostolo admonemur—Ric. Ullerstone de
reformatione ecclesiae, prol. *Magd.Coll.* 89 (Tanner).

Quia autem de sacramento altaris multa sunt quae
specialem—Anon. Processus. *Balliol* 80.

Quia autem spiritualiter viantibus—Wyclif, de Incarn.
Verbi.

Quia canones non perfecte tradunt—Ric. Wallingford
Quadripartitum. *Digby* 178, 180.

Quia catholicae veritatis doctor non solum provectos debet
instruere, sed ad eum pertinet etiam incipientes
erudire—Th. Aqu. Summa Theol. I., prol.

Quia Christus Jesus . . . ad petitionem et complacentiam
—Nic. de Leuca, Kalend. 1386. *Laud. Misc.* 662.

Quia circa rerum propter hominem creatarum—Ric.
Armach. de pauperie Salvatoris (ed. Poole, Wyclif
Soc).

Quia cum circa rei esse—Grostete de arbitrio (Bale).

Quia cum septem libellos de paupertate [pauperie Salvatoris]
—Ric. Armach. contra fratres mendicantes *vel* de
mendicitate fratrum (Tanner: Bale).

Quia de dictis in logica—Jo. Batus, Comp. logices (Tanner)
sive W. Burley (Tanner). *Magd. Coll.* 146.

Quia de sacramento altaris [*des.* inveniet]—Alb. Mag. de
sacramento altaris.

Quia de tertio praecepto primae—Anon. de observat.
sabbati. *Merton* 68.

Quia Deus cotidie facit magnalia in Aegypto—Moralizatio
prioris S. Eligii de mirabilibus mundi, ii. libb. [Ord.
Min?]. *Digby* 206.

Quia Deus est esse majus—Ray. Lull. de Deo et mundo.

Quia dicitur in fine regulae, Ut autem vos—Humb. de
Romanis Expos. reg. S. Aug. (La Bigne).

Quia dicitur quod fides non possit demonstrari—Ray.
Lull. de novo modo demonstrandi.

Quia Domine Jesu Chr. teste—Jo. Peckham, Tract. de
numeris (Wadding).

Quia fundamentum et janua—Anon. Spec. verae confessionis. *Can. Misc.* 311.

Quia homo est magis nobile animal—Ray. Lull. 'Clausula testamenti.'

Quia incontinentiae—Jo. Peckham de constitutionibus (Wadding).

Quia in divinis eloquiis Dominus—Jo. Hadun in Evang. Joh. (Tanner).

Quia in habendo conscientiam—Rob. Kilwardby, de conscientia. *Bodl.* 333.

Quia in propositione nuper facta—Ric. Armach. contra fratres (Tanner). *Bodl.* 158.

Quia in sophismatibus probando vel reprobando—Walt. Burley. *Digby* 24: *sive* Ric. Billingham (Tanner).

Quia intentio præsentis lucubrationis—Maur. de Portu Expos. in Quaest. Joh. Scoti (Tanner).

Quia ista monstruosa dissensio inter Papas—Wyclif, de Dissensione Paparum, *sive* de Schismate.

Quia istud Evangelium est multis absconditum—Wyclif, Expositio S. Matt. c. xxiv., *sive* De Antichristo.

Quia justitia fidelium—Grostete, Summa de justitia, praef. *Balliol* 320.

Quia justitiam Dei esse probavimus diversam—Anon. Sermones. *Can. Misc.* 282.

Quia labentes ac perituri saeculi perurgere ruinam—Abbatis Joachim Excerptiones (Bale).

Quia libenter vellem scire modum—Henr. de Hassia. de concatenatione causarum. *Laud. Misc.* 147.

Quia liber physic. cujus expositioni intendimus—Th. Aqu. in octo lib. Phys. Arist. (Q.E.).

Quia logica est formalis scientia—Th. Aqu. de fallaciis. *Digby* 55.

Quia logica est rationalis scientia—Th. Aqu. de fallaciis (Q.E.). [cf. *Digby* 204, 'Th. Haukyn.']

Quia Magister—Gul. Occham (?) de perfectione specierum (Wadding).

Quia miserum nimis est—Nic. de Aquila O.P. Astron. praef. *Can. Misc.* 46.

Quia multa praedicabilia pulchra et utilia—Hen. de Frimaria, de perfectione spirituali etc. prol. *Laud. Misc.* 492.

Quia nimis remissum regimen—Bon. (?) de institutione Novitiorum pars ii. *Laud. Misc.* 181.

Quia nomina regum Britanniae—Gervas. Cant., Actus Pontif. Cantuar. (Hardy).

Quia nonnulli dubitant—Aegid. Rom. de intellectu. *Balliol* 118.

Quia nonnulli etiam illi qui videntur esse aliquid—Wyclif, Summa Theol. Lib. vii. de Ecclesia.

Quia nullius sanae mentis studium circa illa—Landulphi [Caroccioli?] Com. in Sent. i. *Magd. Coll.* 89.

Quia omne quod movetur necesse est habere motorem—Th. Aqu. de motu cordis (Q.E.).

Quia omnia legitime certanti ⟩ —Jo. Buriensis, *vel* Jo. de
Quia omni legitime certamini ⟨ S. Edmundo Comm. in Lucam (Tanner).

Quia omnia communiter omnibus data sunt—Anon. Angl. contra fratres (Bale p. 470).

Quia parvus error in principio—Th. Aqu. de ente et essentia. *Digby* 217 (Q.E.).

Quia pastor gregis debet desolatos—Pet. de S. Fide in Epist. Petri ii. (Tanner).

Quia petisti ut tibi scriberem.—Th. Aqu. de judiciis astrorum ad Reginald. O.P. (Q.E.).

Quia philosophus dicit hoc in princ.—Sim. Faversham de juventute etc. (Tanner).

Quia plerique dubitant—Bon., Quare fratres Minores praedicant et confessiones audiant.

Quia plerique sunt—Franc. a Ruvere (=Sixtus IV.) de potentia Dei (Wadding).

Quia plures homines nesciunt determinare—Ray. Lull. de praedestinatione et praescientia.

Quia praedestinatio hominis—Ray. Lull. de praedestinatione et libero arbitrio.

Quia propositio modalis—Th. Aqu. (?) de propositionibus modalibus (Q.E.).

Quia propter diversas diversarum—Jo. Tanetos de officiis Cantuar. Eccl. (Tanner).

Quia quaesisti a me in Christo mihi carissime Joannes— Th. Aqu. (?) Epist. exhort. (Q.E.).

Quia quidem [quidam] aemuli—Th. de Sutton contra detractores fratrum Praed. *Linc. Coll.* 81. cf. *Merton* 68.

Quia radix omnium malorum est cupiditas—Anon. *Can. Misc.* 267.

Quia Raymundus dicit loquens de fermento—G. Ripley, Concord. Guidonis et Raymundi (Bale).

Quia rebus grandis parvula non sufficiunt—Jo. Grossi de ortu etc. Ord. Carm. *Laud. Misc.* 722.

Quia regula fratrum minorum b. Francisco divinitus inspirata—Anon. Expositio. *M.S. Dunelm.*

Quia sacerdotis officium circa tria—*ps.* Th. Aqu. de septem Sacramentis. *Laud. Misc.* 203 (Q.E.).

Quia sacris angelorum solemniis—Th. Aqu. de substantiis separatis seu de angelorum natura (Q.E.).

Quia saepe viri ignari—Gul. Occham, de electione Caroli IV. (Grey Friars).

Quia salutifera ss. virorum exempla . . . Ut autem in ipso primordio—Vita Aegid. Assis. O.M. (B.H.L.).

Quia salutifera ss. virorum exempla . . . Vir erat in civit. Assis. Aegid.—Vita Aegid. Assis. O.M. (B.H.L.).

Quia Salvator noster Dom. J. C. teste angelo, populum suum salvum faciens a peccatis eorum, viam veritatis —Th. Aqu. Summa theol. III., prol.

Quia sancti doctores luci et lumini—Anon. Sermones. *Can. Eccl.* 25.

Quia scientia astronomiae sine debitis—Jo. Manduith (Tanner).

Quia scripsisti mihi carissime—Arnold. de Villa Nova, Gladius jugulans contra Thomistas (Bale).

Quia secundum apostolum, Invisibilia Dei per ea quae facta sunt—Anon. de animalium proprietatibus virtutibus et vitiis hominum adaptatis. *Laud. Misc.* 402.

Quia secundum apostolum ii. ad Tim—Alan. de Lynn, de vario Scripturae sensus (Tanner).

Quia secundum philosophum iv.° Physic.—Jo. de Muris Canones super tabulas (Tanner).

Quia secundum philosophum sanctum—Wyclif, Responsiones ad Radulfum Strode.

Quia secundum vulgatissimum—Fr. de Mayronis in Genesim (Wadding).

Quia sermo Dñi est vivus . . . Gratia Dei et virtutes sunt scala—Aegid. Assis. Aurea verba (B.H.L.).

Quia sic quod includitur—Pet. Aureolus contra T. de Wylton. *Balliol* 63.

Quia sicut ait apostolus sine fide impossibile est placere Deo—Ric. Rolle de Hampole (?). *Laud. Misc.* 497.

Quia sicut Damascenus dicit lib. ii. orth. Fid. cap. xii. a princ. homo factus ad imaginem Dei dicitur—Th. Aqu. Summa theol. II., i., prol.

Quia sicut scribitur Sap. xiii. vani . . . Coelum empyreum —Anon. liber de moralitatibus corporum coelestium . . . avium etc. *Nov. Coll.* 157.

Quia sicut vult philosophus in pluribus locis—Alb. Mag. (?)
Secreta de virtutibus herbarum etc. *Digby* 37, 153
[*vide* Sicut dicit].

Quia speculatio intellectus discernit—Jo. Driton [de Sicca
Villa] de principiis naturae, etc. (Tanner).

Quia supponitur in lectione—Anon. Quaestio super i. Sent.
Balliol 63.

Quia tempore jam transacto—Ric. Ullerstone Petitiones
pro ecclesiae reformat. (Tanner).

Quia theologia est scientia in qua est sermo de Deo—H. de
Gandavo, Summa. *Balliol* 212.

Quia universorum quos de speculis—Rog. Bacon, Spec.
Abnukefi. (Grey Friars).

Qui autem se exaltaverit . . . Gravis sententia—Bern.
Sen. Sermo.

Qui autem sunt Christi crucifixerunt—Grostete (?) Sermo
(Tanner). *Exon. Coll.* 21.

Quia ut habet S. August.—Ric. Fishacre de poenitentia
(Tanner).

Quia, ven. pater, per literas vestras instanter petitis—
Barth. de Ravenna, Epist. de vita S. Kath. de Senis.
Magd. Coll. 141.

Quia vero auditio divina— Fr. de Mayronis Moralia.
Merton 201. [*vide* Auditu.]

Quia vero ex tenore cujusdam—W. Hylton de origine etc.
religionis (Tanner). *Magd. Coll.* 93.

Qui bene praesunt—Jo. Ashdon, Tract. gen. (Tanner)
Grostete de compoto eccles. (Tanner).

Qui bene praesunt etc. Novit apostolus—Ric. Wetherset
Spec. ecclesiast. (Tanner: Bale).

Qui bene praesunt presbyteri duplici honore digni—Gul.
Leic. de Montibus Summa (Tanner). Cf. *Nov. Coll.*
94.

Qui bene vult disponere—Alex. Neckam de utensilibus
(Bale).

Qui biberit ex aqua . . . Si quis sitit . . . Fons ad valles
fluit—Coelestin. V. de virtutibus (La Bigne).

Quibusdam videtur quod aliquis rex aut princeps—Nic.
Oresme de mutatione monetarum (La Bigne).

Qui cardinalem percutit aut—Rob. Finingham de casibus
decretalium (Wadding).

Quicquid est causa causae etc. Sit enim tantum—
Clementis [V?] papae Ars fidei Cathol. *Merton* 140.

Quicquid natum est principium—Gul. Chubbes [Stubs] in
Joh. Scot. (Tanner).

Quicumque baptizati sumus . . . Verba ista sumpta sunt de Epist. Pauli hodierna, in quibus—Barth. Turon. O.P. Sermo (Not. et Extr. 32).

Quicumque hanc regulam secuti fuerint pax super illos et misericordia.—Bon., Expos. super Regulam Fr. Min.

Quicumque voluerit istum librum legere . . . Fuit in civitate Parthenopolis—Joh. O.P. (?) Vita Margaritae inclusae Magdeb. (B.H.L.).

Quicumque vult esse bonus astrologus—Mich. Scotus, Liber introduct. (Tanner).

Quicumque vult salvus esse . . . Hic. B. Athanasius liberum arbitrium posuit—Ric. de Hampole (La Bigne).

Quid adhuc quasi in thesauro—Anon. [Jo. Sharpe?] Dial. inter Pet. Christianum et Moysen haeret. de ligno Crucis. *Merton* 175.

Quidam deridebant eum . . . Vana, scilicet, loquentes— Bern. Sen. Sermo.

Quidam doctor utinam veritatis nititur impugnare— Wyclif, Responsiones ad xliv. quaest., *sive* ad argutias monachales.

Quidam fidelis in Domino quaerit caritative—Wyclif, Epist. de Amore.

Quidam habens uxorem—Barth. Brixiensis Quaestiones. *Oriel Coll.* 29.

Quidam homo Christianus cui nomen erat Raymundus— Ray. Lull. Disputatio etc. 1308.

Quidam homo Christianus diu laborans cum infidelibus— Ray. Lull. de investigatione divinarum dignitatum.

Quidam homo mirabatur de Christianis—Ray. Lull. de consilio.

Quidam homo multum considerans—Ray. Lull. de centum dignitatibus Dei.

Quidam homo multum considerans mirabatur—Ray. Lull. Ars intellectus.

Quidam ordinavit bonam fortunam—Aegid. de Columna Com. in *ps.* Arist. de bona fortuna. *Digby* 150.

Quidam Petrus Rosarius nomine miles—Beraldi et aliorum frat. min. Martyrum Miracula (B.H.L.).

Quidam saecularis probus zelator veritatis—Wyclif, de gradibus cleri eccles., *sive* de ordinibus eccles.

Quidam scholaris nomine Nic. de Bosco—Miracula S. Dominici (B.H.L.).

Quidam Scottorum dederunt—Hist. rer. Angl. in Scotia (Hardy).

Quidam socius quem suppono esse aemulum veritatis—
Wyclif, Responsiones ad argumenta cujusdam aemuli
veritatis.

Quid et qualiter homini rerum temporalium—Ric. de
Pophis, Summa. *Balliol* 84.

Quid homo sit secundum formam nisi quaedam arbor
eversa—Jo. Goldeston, Collectanea (Tanner).

Quid in natura sua est hoc album—Wyclif, Quaestio ad
fratres de Sacramento Altaris.

Qui divisit mare Rubrum—Ant. Andreas in divisiones
Boetii (Wadding).

Quidlibet meum est—W. Mylverley de inceptione. *Nov.*
Coll. 289.

Quid pro tot et tantis beneficiis—W. Burley super Arist.
Polit. prol. *Nov. Coll.* 243.

Quid putas erit puer iste—H. Pomerius, Vita Jo.
Ruusbroec. (B.H.L.).

Qui vis ut faciam? . . . Dicitur vulgariter: Cui Diex
veut aidier—Alb. Metensis, O.M. Sermo (Not. et extr.
32).

Qui elucidant me—Nic de Lyra, de visione divinae
essentiae (Wadding). *Merton* 187.

Qui est ex Deo verba Dei audit—Edm. Riche Sermo
(B.H.L.).

Qui ex Deo est—Anon. Spec. Christiani. *Laud. Misc.* 104.

Qui exhortatur in doctrina [*expl.* moderantis]—Jo.
Wallensis (?) de exhortatione (Grey Friars).

Qui fortis premit ubera—Gul. Woodford de adoratione
imaginum (Tanner).

Qui gratiam acceptam non agnoscit et de ea—Humb. de
Romanis, Spec. Relig. lib. i., cap. 1 (La Bigne).

Qui gubernationem hujus mundi Deo attribuunt—Edm.
Rich Tract. de promissione S. Th. Cantuar. (B.H.L.).

Qui infirmus est olera manducet.—Caesarius Heister-
bacensis Exemplorum libri ii. *Laud. Misc.* 540.

Qui interrogant interrogent in Abel la—Arnold. de Villa
Nova de mysterio symbol. Eccl. (Bale).

Qui non intrat per ostium . . . Christus qui mentiri non
poterit—Wyclif, Sermo.

Quinque circa urinam attenduntur—Ric. Anglicus de
regulis urinarum (Tanner).

Quinque principia quae sunt in omni—Ray. Lull. de
quinque principiis.

Quintum fundamentum sardonix . . . Nunc cognovi—
Simon Henton in Jonam (Tanner).

Qui producit ventos . . . De vocabulis igitur—Mag.
Praepositivus Cremon. in Sent. *Univ. Coll.* 61. Cf.
Balliol 210.

Qui producit ventos . . . Dominus ille magnus—Prae-
positivi Paris. Summa theol. *Oriel Coll.* 24.

Qui sanctus est sanctificetur etc. Ecce venio cito—Anon.
de perfect. sanctificationis. *Laud. Misc.* 41.

Quis dabit etc. In verbis istis . . . tangitur quadruplex—
Guaricius O.P. in Threnos. *Nov. Coll.* 40.

Quis dabit capiti meo aquam—Planctus B.V.M. de
passione Christi. *Can. Misc.* 90. *Magd. Coll.* 6.

Quis dabit capiti meo etc. In verbis istis scriptis—Gul.
Lissy, in Threnos Jeremiae (Wadding). *Merton* 184.

Quis dabit capiti meo—Jo. Peckham de perfect. Evangel.
(Wadding).

Qui sedes super Cherubim—Gul. Leic. de Montibus
Sermones (Tanner).

Quis enim novit sensum Domini—Jo. Barningham, in Sent.
(Tanner).

Qui sequitur me non ambulat—W. Hylton de ecclesiastica
musica (Tanner).

Quis est qui vincit—T. Walden Sermones 83 (Tanner).

Quisquis ad divinae paginae—*ps.* Bon. [rectius Michael
Meldensis] Expos. in Psalt. praef. *Nov. Coll.* 36.

Quisquis mente tenere cupit quid—*ps.* Wyclif, de tribus
sagittis.

Quisquis es qui per fidem spem et caritatem vis—Bon.
Sermo.

Quis sicut ait apostolus sine fide—Gul. Flete de remediis
contra temptat. (Tanner).

Qui sunt isti . . . . Principatus Apostolorum volatui—
Peregrini O.P. Serm. *Laud. Misc.* 506.

Quis veniat videas quo quando—Gul. Leic. de Montibus (?)
Carmen alphabet. glossat. (Tanner: Bale).

Qui venerandum—Jo. de Alvernia, Praefatio S. Francisci
(Wadding).

Qui vere et non falso confitetur—Jo. Clipston Sermones
(Tanner: Bale).

Qui vivit in aeternum etc. In hiis verbis opus creationis
sufficienter—Pet. Tarentasius in lib. ii. Sent. *Balliol*
61. Cf. *Laud. Misc.* 629.

Qui voluerit planetas aequare—Rog. de Cotum, Secundus
Tract. Canonum. *Digby* 168.

Quoad errores dom. Armach. contentos.—Gul. Woodford,
de erroribus Armach. (Grey Friars).

Quocumque perrexeris . . . . Haec debent esse verba justorum—[Jo. *seu*] Th. Wallensis in Ruth. *Laud. Misc.* 345 (Tanner).

Quod attemptata appellatione—Will. Horborch, Decisiones Rotae. *Can. Misc.* 478.

Quod clerus regni Angliae—Wyclif de quatuor imprecationibus.

Quodcumque dixerit vobis facite . . . . Nostis huius lectionis historiam—Ric. Armach. Sermo. *Bodl.* 144.

Quodcumque ligaveris . . . . Duos fines ultimos—Fr. de Mayronis de indulgentiis. *Digby* 42. *Merton* 201.

Quodcumque ligaverit vel solverit—Wyclif, de clavibus ecclesiae, *sive* de clave coeli.

Quod Deus est forma prima omnium—Grostete de formis (Tanner).

Quod dominus archiep. Armachanus sit persona—Ric. Kylington contra fratres (Tanner: Bale).

Quod est doctrinale ? Est quidam liber artis grammaticae —Alex. de Villa Dei. *Univ. Coll.* 53.

Quod fratres B. M. de Monte Carmeli non teneantur de ortis suis decimare—Gul. Bechley (Tanner).

Quod fratres ord. B. M. genetricis Dei—Rob. Ormeskirk de confirm. ord. Carmel. (Tanner).

Quod fuit quis auctor sit—Jo. Hadun, in canon. Joh. (Tanner).

Quod in constitutione—Jo. Peckham de sacramentis iterandis (Wadding).

Quod in Regnorum (?) libris—Jo. Capgrave in iv. lib. Regum (Tanner).

Quod in sequenti opusculo [tractatu] jura—Jo. Bromyard Summa juris moralis (Tanner). *Nov. Coll.* 223.

Quod jamdiu promiseram—Jo. de Giglis Quaest. de observantia quadragesimali (Tanner).

Quod patet limen instanti tempore crimen—Jo. Gower contra . . . Lollardos (Tanner).

Quod procedit ex ore . . . Miro modo contra caritatem— Bern. Sen. Sermo.

Quod Psalmus quinquagesimus—Jo. Folsham, Flores Chrysostomi (Tanner).

Quod quia modus rei non est—Pet. Aureolus, Quaestio. *Balliol* 63.

Quod quidditas rei naturalis—Jo. Walsingham Quaest. (Tanner).

Quod status praelatorum sc. pastorum ecclesiae—J. Duns Scotus (?) de perfectione statuum. (Grey Friars).

Quod theologia est de rebus et signis—R. Kilwardby Tab. in Sent. (Tanner). *Balliol* 3.

Quod verbis vituperii satis abundas—Rob. Angl. O.M., Dial. de formalitatibus inter Ochamistam et Dumsistam. (Grey Friars, p. 222).

Quod viator non possit per—Steph. Patrington, Repertorium argument. (Tanner).

Quod vides scribe. Scripsisti pridem quae sparsim—Henr. de Costesay in Apoc. (Wadding : Bale).

Quod vides scribe. Sicut omne regnum—-Henr. de Costesay in Apoc. (Bale).

Quod vidi et audivi scribere curavi—Jocelin de Brakelond Chron. (Camden Soc.).

Quomodo modus significandi dividatur—Duns, de modis signif.

Quomodo sedet etc. Factum est postquam in captivitatem —Ric. Hampole in Threnos (Tanner).

Quomodo stabit regnum — Ric. Hadleye, Notabilia quaedam (Tanner).

Quoniam ad Cantuariensem S. Trinitatis ecclesiam—Gir. Cambr., Spec. Ecclesiae. (Bale).

Quoniam ad Dei nostri cultum—Nic. Kenton, Ordinationes festiv. (Tanner).

Quoniam aemulatores estis spiritus—T. Lemman, Forma dilatandi sermones (Tanner).

Quoniam aemulatores estis spiritus—Ric. [de Media Villa?] de dilatatione sermonum. *Bodl.* 848.

Quoniam aliqui Christiani—Ray. Lull. de minori loco ad maiorem ad probandum Trin. et Incarn.

Quoniam aliqui dicunt quod sit impossibile probare—Ray. Lull. de divinis dignitatibus etc.

Quoniam aliqui homines saeculares desiderant acquirere scientiam — Ray. Lull. de ascensu et descensu intellectus.

Quoniam angeli sunt nobilissimae.—Ray. Lull. de natura Angelica.

Quoniam anima rationalis est substantia.—Ray. Lull. de anima rationali, 1294.

Quoniam ante notitiam efficaciae sacramentorum—Duns in iv. Sent. "Reportata Paris."

Quoniam apponentes—Ray. Lull. de conversione subjecti et praedicati.

Quoniam astrologiae speculo—Gul. Anglus (Bale).

Quoniam attestante inclita sapientia relucens lucerna—Lud. Vallisolet. Vita Aberti Magni (B.H.L.).

Quoniam autem complevimus [*expl.* disseramus].—Alb. Mag. de causis etc. elementorum.

Quoniam autem de aliis partibus—Arist. de generatione animalium, tr. Gr.-Lat. (Jourdain).

Quoniam autem de anima secundum ipsam—Arist. de sensu et sensato, tr. Gr.-Lat. (Jourdain).

Quoniam autem de anima secundum—Jo. Baconthorpe, de sensu et sensato (Tanner).

Quoniam autem de anima [*des.* considerata sunt].—Alb. Mag. in Arist. de sensu et sensato.

Quoniam autem dictum est in libro de anima quid sit anima in communi—Anon. *Digby* 55.

Quoniam autem initium sapientiae—R[aymund.] ord. Praed. de materiis praedicabilibus. *Oriel Coll.* 68. *Merton* 94.

Quoniam autem in omnibus causis auctoritas digna—Rog. Bacon, Comp. studii Theol. *Univ. Coll.* 47. (Balc).

Quoniam autem in prioribus recitavimus—Marsilius de Padua, Defensor minor. *Can. Misc.* 188.

Quoniam autem intelligere et scire . . . Subjectum totius naturalis philosophiae est corpus mobile—Anon. in Arist. de physico auditu. *Digby* 55.

Quoniam autem in tribus libris prioribus dictum est de corpore—[Duns (?)] in meteor. lib. iv. *Magd. Coll.* 21.

Quoniam autem etc. Iste liber dividitur in duas partes principales—Anon. Expos. prooemii physicorum. *Magd. Coll.* 16.

Quoniam autem sacramenta laicis—Anon. Anglus de sacramentis. *Balliol* 220.

Quoniam autem secundum hoc ipse apostolus nobis insinuat—Jo. de Tambaco O.P. de consolatione theol. *Laud. Misc.* 298.

Quoniam autem ut dicit Arist. tunc opinamur unumquodque—Grostete (?) in lib. Poster. (Tanner).

Quoniam beatitudo hominum consistit—Ray. Lull. de centum signis Dei.

Quoniam brevis intentio amabilis—Ray. Lull. Geometria nova.

Quoniam caeca cupiditas—Rob. de Insula, Dunelm. Constit. synodales (Tanner).

Quoniam carissime dum in hujus via vitae—[R. Hampole], Speculum Peccatoris. *Bodl.* 289 (*cf.* Tanner).

Quoniam certum dignoscitur—Ray. Lull. Liber lamentationis philosophiae, *vel* xii. principia, etc.

Quoniam circa confessiones pericula animarum . . . In primis sacerdos—Anon. de confessione. *Can. Misc.* 269.

Quoniam circa Deum non est scientia salubrior—Anon. Spec. Sacerdotum. *Rawl. C.* 84. *C.C.C. Oxon.* 155.

Quoniam circa libros ethicorum quam variae difficultates— Anon. de voluntate et intellectu. *Linc. Coll.* 102.

Quoniam circa musicam Deo auxiliante—[Sim. Tunstede]. *Bodl.* 515. *Digby* 90.

Quoniam circa naturam verbi—Th. Aqu. de verbo (Q.E.).

Quoniam coelestium motuum—Jo. Holbroke, Tabulae astron. (Tanner: Bale).

Quoniam cogitatio hominis confitebitur [tibi] Confitendum est quod confessio—Grostete, Sermones de confessionibus. *Bodl.* 52. *Linc. Coll.* 56, 105 (Tanner).

Quoniam cognoscere et amare existentiam—Ray. Lull. de existentia et agentia Dei contra Averroem. 1311.

Quoniam contra hostis—Gir. Cambr. Gemma Eccles. prooem. ii. (Hardy).

Quoniam cuiusque actionis quantitatem—Canones tabular. astron. Toletan. auctore Arzaele. *Laud. Misc.* 644. Cf. *Digby* 68.

Quoniam cum multa precum instantia postulastis—Guib. de Tornaco de officio episcopi etc. praef. (La Bigne).

Quoniam decet domum Dei sanctitudo—Card. Othonis Constitutiones 1236 (ed. Oxon. 1679).

Quoniam declaraverunt [declinaverunt?] in te mala dicit sic—Costes. [H. Costesay?] Sermones. *Laud. Misc.* 213.

Quoniam de divina memoria—Ray. Lull. de memoria Dei.

Quoniam de filii bonitate sicut—Hugo de Evesham super opere febrium Isaac (Tanner).

Quoniam de rebus honorabilibus—Hen. Renham de anima (Tanner).

Quoniam de rebus honorabilibus sicut de rebus animae— Arist. de anima, tr. Arab-Lat. (Jourdain).

Quoniam Deus—Ray. Lull. de conditionibus artis inventivae.

Quoniam Deus benedictus—Ray. Lull. de incarnatione.

Quoniam Deus est principium singulare—Ray. Lull. de forma Dei.

Quoniam Deus est simpliciter per se—Ray. Lull. de ente simpliciter per se contra Averroem.

Quoniam Deus est ens primum singulare absolutum—Ray. Lull. de forma Dei. 1311.

Quoniam Deus in sanctis suis totiens honorari—[T. Scrope?] de origine etc. Ord. Carm. *Laud. Misc.* 722. (Tanner).

Quoniam Deus multum est accolibilis [recolibilis]—Ray. Lull. Lectura super artem demonstrat. *sive* Liber chaos. cf. *Can. Misc.* 35, 365.

Quoniam dicit Aristot.—Th. Aqu. (?) de universalibus tract. ii. (Q.E.).

[In Christo suo dilecto fratri N.] Quoniam dilecte mi frater in Dom. adhuc—Bon., Epist. continens xxv. memorialia. cf. *Can. Misc.* 540.

Quoniam dispositio scientiae et certitudinis—Aristot. Physic. tr. Arab.-Lat. 1 (Jourdain).

Quoniam dispositio scientiae et veritatis—Aristot. Physic. tr. Arab.-Lat. 2 (Jourdain).

Quoniam divina memoria—Ray. Lull. 1314.

Quoniam divina potentia est infinita—*ps.* Th. Aqu. de essentiis rerum. *Digby* 219.

Quoniam domum Dei fortitudo—Jo. Achedon, in statuta Anglicana (Tanner).

Quoniam duae sunt in homine potentiae—Th. Aqu. de principio individuationis (Q.E.).

Quoniam dubiorum—Joh. Lector Friburg. Summa Confessorum. (Grey Friars) [*v.* Quoniam nova quotidie].

Quoniam ego in flagella . . . Postquam Psalmista in praecedenti.—Bern. Sen., Sermo.

Quoniam Esaias propheta cum de Christi—T. Scrope, de Ord. Carm. (Tanner).

Quoniam est maxima derogatio cathol. fidei—Ray. Lull. Supplicatio etc.

Quoniam experimentum est fundamentum—Ray. Lull. Liber de experientia realitatis artis.

Quoniam facultas rhetoricae sine arte—Franc. de Brutis. *Can. Misc.* 196.

Quoniam fides est intellectus illuminatio—Ray. Lull. de xiv. articulis Cathol. fidei. cf. *Can. Eccl.* 195. [cf. Deus in virtute tua sperantes].

Quoniam fundamentum—Mag. Matth. a Cracovia [*ps.* Bon: *ps.* Th. Aqu.] de modo confitendi et de puritate conscientiae. cf. *Can Misc.* 64 (anon).

Quoniam haec ars demonstrativa sequitur—Ray. Lull. Ars demonstrat. veritatis. cf. *Digby* 192.

Quoniam humana—Ray. Lull. de ente infinito.

Quoniam humanitatis fragilitatis—Gualt. Suthfield [Calthorp] de potest. archiep. Cant. (Tanner).

Quoniam humanum desiderium naturaliter fertur—Ray. Lull. de ente infinito.

Quoniam humanus intellectus est valde gravatus—Ray. Lull. Liber magnus demonstrationis, sive de novis fallaciis.

Quoniam id cujusque novi . . . operis—Jac. Caietan. de Stephanescis, Opus metricum [de Coelest. V. etc.] (B.H.L.).

Quoniam igitur impraesentiarum—Laur. Gul. de Saona Margarita eloquent. (Tanner).

Quoniam ignorans ignorabitur—Monaldi Benevent. O.M. Summa de casibus conscientiae. *Linc. Coll.* 74.

Quoniam ignoratis principiis—Ray. Lull. Liber correlativorum innatorum.

Quoniam in ante expositis libris—Greg. Huntingdon, Ars intelligendi Graeca (Tanner).

Quoniam in ante expositis libris—R. Kilwardby de modo significandi (Tanner).

Quoniam infideles—Ray. Lull. de potestate divinarum rationum.

Quoniam infideles non possunt cogi—Ray. Lull. de probatione artic. fidei.

Quoniam infideles non possunt cogi—Ray. Lull. de doctrina puerili parva.

Quoniam infideles derident Christianos—Ray. Lull. de Trinitate in Unitate *sive* de Essentia Dei. 1310.

Quoniam infidelis literati—Ray. Lull. Epist. adjungenda tractatui de experienta realitatis.

Quoniam infinitum esse et perfectum—Ray. Lull. de perfecto esse.

Quoniam infinitum est discernere—Rog. Bacon, de locis stellarum (Wadding).

Quoniam in hujus vitae via—Ric. de Hampole, Spec. peccatoris (Tanner).

Quoniam in xix. Mat. et xviii. Lucae dicit et ipsa veritas—Gul. Alvern. de bono et malo. *Balliol* 287.

Quoniam in omnibus causis—Rog. Bacon, Comp. studii Theol. libri v. (Wadding).

Quoniam in quibusdam naturalibus—Th. Aqu. de occultis operibus naturae. (Q.E.).

Quoniam in rhetoricis ut ait Tullius—N. Hostresham [Horsham] Viatic. necess. (Tanner).

Quoniam intellectus est valde fatigatus—Ray. Lull. Liber de lumine sive de ente reali.

Quoniam intellectus humanus—Ray. Lull. de novis fallaciis. cf. *Can. Misc.* 365.

Quoniam intellectus multiplicat species—Ray. Lull. de Lumine.

Quoniam intellectus nihil potest objectare—Ray. Lull. Metaphysica Nova.

Quoniam intelligere et scire—Jo. Baconthorpe, in physica Arist. (Tanner).

Quoniam intentio principalis est innuere nobis vitia studii theologici quae contracta sunt ex curiositate philosophiae—Rog. Bacon, Metaphysica et Moralia [Comp. Phil. iv. *sive* Comp. Theol. ?] (Grey Friars).

Quoniam investigare loca vera planetarum—Jo. Campani Novariensis. *Digby* 28.

Quoniam in via sumus vitae labentis—*ps*. Wyclif, Speculum peccatoris.

Quoniam invisibilia Dei . . . (i.) Mundus ut dicit Mercurius—Anon. de propriet. rerum. *Linc. Coll.* 57.

Quoniam itaque cunctorum habere—Gir. Cambr. Retractationes (Hardy).

Quoniam Judaei credunt esse in veritate—Ray. Lull. Liber de erroribus Judaeorum.

Quoniam juxta B. Gregorii in sua Pastorali sententiam—Jo. Nyder, O.P. Manuale Confessorum. *Laud Misc.* 296.

Quoniam liber facilis scientiae—Ray. Lull. Quaest. etc.

Quoniam logica ad omnium scientiarum—Rob. Alyngton (Tanner). *Rawl. C.* 677.

Quoniam logica est scientia difficilis—Ray. Lull. de venatione substantiae et accidentis.

Quoniam materia de proportionibus agentium—Franc. de Ferrara. *Can. Misc.* 226.

Quoniam misericordia et veritas—Jo. Wallensis, Breviloquium, prol. (Grey Friars).

Quoniam misericordia et veritas—Rob. Holcote (?), Moralitates scripturae (Tanner).

Quoniam modernis temporibus nonnulli . . . Ideo ego qui Johannes vocor—Joh. Castellensis, Comp. Bibl. *Bodl.* 801. *Laud Misc.* 30.

Quoniam monasterio nostro praedonibus et igne—Jo. Lakinghith, Kalend. Buriense (Tanner).

Quoniam motus simplex—Grostete de motu supercoelestium (Tanner).

Quoniam multas artes fecimus—Ray. Lull. Ars generalis ultima.

Quoniam multi multipliciter subtiliter—R[aymund.] Ord. Praed. de diversis materiis praedicabilibus. *Oriel Coll.* 67. *Merton* 94.

Quoniam multi sunt qui dicunt—Ray. Lull. de potestate Dei infinita etc.

Quoniam multi sunt qui in adversitatibus—Albertanus Brix. de consolatione. *Magd. Coll.* 7.

Quoniam multi sunt qui nesciunt in Deo—Ray. Lull. de objecto infinito.

Quoniam multum desideras ac etiam petis—Th. Fishlake, de homine Dei imagine (?) (Tanner).

Quoniam multum est—Ray. Lull. Geometria magna.

Quoniam multum est difficilis scientia—Ray. Lull. de regionibus infirmitatis et sanitatis. 1303.

Quoniam mundanorum—R. de Hampole de amore Dei. *Balliol* 224 A.

Quoniam musica est de sono relato—Jo. de Muris, de Musica. *Can. Misc.* 339. (Tanner).

Quoniam necessarium est ad aeternam salutem—Anon. de virtutibus theol. *Univ. Coll.* 29.

Quoniam nonnulli venerab. religiosi . . . Fuit ergo ut jam rem—Vita Amadei O.M. (B.H.L.).

Quoniam nonnullos nostri temporis—Anon. [Gul. Leic. de Montibus] Sermones, praef. *Exon. Coll.* 28. cf. *Magd.* 81.

Quoniam nova quotidie difficultas—Jo. Lector O.P. Summa confessorum [*vide* Quoniam dubiorum] (Grey Friars).

Quoniam novis supervenientibus causis—Barth. Brixiensis in Decret. Gratiani. *Oriel Coll.* 14.

Quoniam ob defectum scripturae rerum bene gestarum memoria saepe perit ego Johannes—Jo. de Scalby, Martyrol. Eccl. Lincoln. (Tanner).

Quoniam occasione cujusdam sermonis quem ad clerum feceram de adv. Dom—Jo. Paris. O.P. Tract. de Incarnatione. *Can. Eccl.* 19.

Quoniam omnem civitatem videmus communitatem—Arist. Politica, tr. Gr.-Lat. (Jourdain).

Quoniam omnem durationem—Th. Aqu. de instantibus. (Q.E.).

Quoniam omne operans quod in suis operationibus—Gul. Occham in Porphyr. *Can. Misc.* 558 (Bale).

Quoniam [*vel* Quia] omne quod movetur—Alb. Mag. (?) *sive* Th. Aqu. (?) Liber de motu cordis.

Quoniam omne peccatum a superbia trahit originem—
Anon. Viridarium Consolationis cap. i. *Can. Misc.* 149.
(cf. S. Bonav. Opera, viii.).

Quoniam omnes historias et narrationes in sermonibus
. . . . In hist. Barlaham—Jo. Waldeby, Collectio
historiarum. *Laud. Misc.* 77.

Quoniam omnes quasi sumus—Ray. Lull. de syllogismis.

Quoniam omnes sumus in opinionibus—Ray. Lull. de
medio naturali.

Quoniam omnia sunt creata ad cognoscendum—Ray. Lull.
de affirmatione negatione etc.

Quoniam omnibus hominibus—Ray. Lull. (?) de auditu
Kabbalistico.

Quoniam omni negotio—Jo. Wallensis, Ordinarium *sive*
Alph. vitae relig. pars i. (Grey Friars).

Quoniam omnis ars habet sua principia—Ray. Lull. Ars de
principiis et gradibus medicinae. *C.C.C. Oxon.* 247.

Quoniam omnis cognitio humana—Th. Aqu. (?) de natura
generis (Q.E.), *sive* Th. Harliston (Tanner).

Quoniam omnis scientia est de universalibus—Ray. Lull.
Comp. artis demonstrativae, *sive* Introductorium
magnae artis generalis.

Quoniam opiniones crescunt—Ray. Lull. de conversione
subjecti etc.

Quoniam ordo scientiae est praecognoscere —Jo. de
Rupella, Summa theol. moralis, pars i. *Rawl. C.* 241.

Quoniam per hoc tempus spiritual.—Jo. Clipston, Sermones
(Tanner).

Quoniam per plures modos probavimus—Ray. Lull. Liber
de substantia et accidente in quo probatur Trinitas.
1313 [*sive* de vita Dei?].

Quoniam philosophantes moderni—Ray. Lull. de possibili
etc.

Quoniam physicalis scientiae inventores—" Afforismi
Ursonis," prol. *Digby* 153. *Nov. Coll.* 171.

Quoniam plerique homines—Ray. Lull. de virtute veniali,
etc. 1314.

Quoniam plures homines nesciunt — Ray. Lull. de
praedestinatione.

Quoniam praedicatio est altissimum—Ray. Lull. Ars
magna praedicationis.

Quoniam princeps. Hucusque seriem textus—Sim. Bredon
in Almagest. (Tanner).

Quoniam princeps nomine Albugicafe in libro suo quem
scientiarum electionum—Sim. Bredon in tres libros
Almagesti Ptolomaei. *Digby* 168.

Quoniam principium syllogizandi—Th. Aqu. (?) de inventione medii (Q.E.)

Quoniam propter diversas consuetudines—Bonifatii Constit. London. (Wilkins). *Exon. Coll.* 31.

Quoniam provida solertia est—Joh. Wallensis Summa de
poenitentia (Grey Friars).

Quoniam psalmographus ait secundum — Jo. Capgrave,
Symbola fidei (Tanner). *Balliol* 190.

Quoniam quae utilia fore praevidi legistis—Guido de Bayso
Bonon. Flores decretorum. *Rawl. C.* 100.

Quoniam quatuor sunt—Th. Aqu. de quatuor oppositis
(Q.E.).

Quoniam quidam—Alb. Mag. in Lucam.

Quoniam quidam de melioribus amicis meis—Jo. de Parma
de medicinis digestivis. *Digby* 43. [Jo. Gatesdene :
(Tanner)].

Quoniam quidam perfectionis ignari—Th. Aqu. de perfectione vitae spiritualis (Q.E.).

Quoniam quidem igitur intelligere et scire contingit—
Arist. Physic. tr. Graec.-Lat. (Jourdain).

Quoniam quidem intellectus—Ray. Lull. Metaphysica
nova.

Quoniam quidem intelligere . . . nos ergo volentes habere
scientiae grammaticae notitiam—Duns de modis
significandi sive Grammat. speculativa, prooem.

Quoniam quidem intelligere . . . . Super illud dicit commentator—Anon. Quaest. in Arist. Phys. *Oriel Coll.*
33.

Quoniam quidem multi etc. Hic est secundus prologus
auctoris sc. b. Lucae quem suo praemittit evangelio in
quo manifestat intentionem—Bon., Com. in Lucam,
cap. i.

Quoniam quidquid demonstratum fuit ab antiquis—Ray.
Lull. de demonstratione per aequiparantiam, 1304.

Quoniam quidquid est—Ray. Lull. de divina veritate :
sive de unitate Dei.

Quoniam quidquid est propter majorem finem—Ray. Lull.
de fine et majoritate.

Quoniam quinque praedicabilia—Ray. Lull. de quinque
praedicabilibus et decem praedicamentis.

Quoniam quoddam potest esse licet non sit—Th. Aqu. de
principiis naturae (Q.E.).

Quoniam regulas astronomiae artis—Rog. Hereford, de iv. partibus astron. judiciorum. *Digby* 149.

Quoniam respublica, ut dictum est, est universale—Joh. Wallensis, Summa Collationum, *sive* Communiloquium, pars i.

Quoniam sancta Catholica fides—Ray. Lull. de Trinitate trinissima.

Quoniam sanctorum habere notitiam . . . B. Franc. ord. min. fratrum primus institutor—Epit. Vitae S. Franc. (B.H.L.).

Quoniam sanctorum martyrum et confessorum ac virginum tempore—Bern. Guidonis Chron. abbrev. de pontificibus et imperatoribus (Not. et Extr. 27).

Quoniam sanctum est—Th. Aqu. (?) de pluralitate formarum (Q.E.).

Quoniam scientia est longa—Ray. Lull. Ars utriusque juris, 1307.

Quoniam scientia juris—Ray. Lull. Ars de Jure.

Quoniam scientia medicinae est multum difficilis—Ray. [Lull.] de medicina et astronomia, 1303. *Digby* 85 : *sive* de regionibus sanitatis. *C.C.C. Oxon.* 247.

Quoniam scimus istam—Ray. Lull. Ars penultima.

Quoniam scire est causam rei cognoscere—Ray. Lull. Introductorium sive canones artis generalis, praef. *C.C.C. Oxon.* 247.

Quoniam scire est causam rei cognosecre—Th. Aqu. (?) de natura syllogismorum (Q.E.).

Quoniam scire tempora summorum pontificum—Martin Polon. Chron. de Imperatoribus et Pontif. *Laud. Misc.* 627.

Quoniam secundum B. Hieron. super Marci evang. in fine his quatuor vita fundatur aeterna—Barth. a Colle, cogn. Lippo, O.M. Flores extracti de opp. B. Hieron., praef. *Can. Eccl.* 121.

Quoniam secundum Galenum medicorum lucernam—Guid. de Cauliaco Opus chirurgicum. *Magd. Coll.* 74.

Quoniam secundum juris varietatem—R. [Heete?] Brocarda Juris civ. et can. *Nov. Coll.* 192.

Quoniam secundum philosophum primo meta—Gul. Starncfcld historia sui coenobii (Tanner).

Quoniam secundum sententiam—Pet. Thomae, O.M. Tract. Formalitatum. *Magd. Coll.* 16.

Quoniam sedulis ac frequentibus—Rod. Fresburn, Epistolae (Tanner).

Quoniam servi Domini non debent ignorare—Anon.
Perusinus, Leg. S. Francisci, prol. ii. (B.H.L.).

Quoniam sicut ait apostolus sine fide ipso—W. Hylton
contra tentationes carnis (Bale : Tanner).

Quoniam sicut dicit Boetius in libro de Trinitate—Alex.
Hales, Summa theol. (Tanner). *Exon. Coll.* 32.

Quoniam sicut dicitur—Jo. de Saxonia O.M. Tab. alphabet.
juris, praef. *Oriel. Coll.* 62.

Quoniam sub poena excommunicationis—Rob. Finingham,
de excommunicationibus (Wadding).

Quoniam sub poena excommunicationis—Wyclif, de
excommunicatis solvendis.

Quoniam sunt aliqui homines—Ray. Lull. Liber de ascensu
et descensu intellectus.

Quoniam superabundante malitia multorum caritas—
Miracula Will. ep. Bituric. (B.H.L.)

Quoniam terra sphaerica est, vapor ascendens—Anon. de
attractione naturali. *Digby* 153.

Quoniam teste B. Augustino—Jo. Wallensis *seu* Gul. Varro,
in iv. Sent. (Wadding et Tanner).

Quoniam theologia—Ray. Lull. de ente absoluto.

Quoniam unum oppositum cognoscitur—Ray. Lull. de
concordantia etc.

Quoniam ut ait apostolus—Jac. de Marchia, de locis communibus [v. partes] (Wadding).

Quoniam ut ait Hieronymus—Fr. Conrad. Saxon. cognom.
Hobzingario [*ps.* Bon.] Speculum B.V.M.

Quoniam ut ait Hieron. secunda post naufragium tabula
est—Ray. de Pennaforte, Summa de Casibus, praef.
(M.O.P.).

Quoniam ut ait sapiens ubi non est sepes—Const. generales
Ordinis Minorum Narbon. 1260 (A.L.K.G.).

Quoniam ut ait Tullius in prologo rhetoricorum—W. de
Conchis, Philosophiae compendium. *Univ. Coll.* 6.
Magd. Coll. 161.

Quoniam ut apostolus Petrus ait Spiritu Sancto affati—
Anon. Viridarium consolationis, prol. *Can. Misc.* 149,
311. (cf. S. Bonav. Opera, viii.).

Quoniam ut credo ad vestram notitiam pervenire non
potuit—Carlini de Grimaldis Epist. de Monaldo de
Ancona O.M. et soc. martyribus 1288 (B.H.L.).

Quoniam ut dicit Arist. in primo physicorum tunc
opinamur—R. de Stanington. *Digby* 204.

Quoniam ut docet apostolus lacte non cibo solido—Jo.
Hoveden, Spec. Laicorum prol. *Univ. Coll.* 36.

Quoniam utile est et honestum ac rationi consonum—Jo.
Flete, Hist. Westmonast. (Tanner).

Quoniam ut legitur in Ecclesiastico . . . Sciendum igitur
est quod praefata puella—Phil. ab. Clarevallensis Vita
Elizabeth Erkenrode (B.H.L.).

Quoniam ut magnus dixit ille Raphael ad Tobiam Sacramentum regis—Fr. de Pisis O.P. Epist. de Th. de
Tolentino et soc. O.M. martyr. (B.H.L.).

Quoniam ut scribitur per antiquos—Adam Murimuth,
Chron. prol. [cf. Bale sub Mat. Westmon.].

Quoniam valde periculosum est—Ray. Lull. contra errores
Averrois.

Quoniam velut quatuor paradisi flumina—Frat. Hugo (?)
Abbrev. Sent. Pet. Lomb. praef. Can. Eccl. 208.

Quoniam veritatis testimonio [des. crucifigi permitte]—
Alb. Mag. Sermones de tempore et sanctis.

Quoniam vir Deo dedicatus—Jo. Wallensis, Itin. [pars
tertia Ordinarii] (Wadding).

Quoniam vita brevis ac incerta qua fruimur—Jo. Petri de
Ferraria Practica Judicialis, prooem. Can. Misc. 419.

Quoniam vita hominis brevis est—Ray. Lull. Ars juris
particularis.

Quot et quantos fructus scientiarum—Marlo (?) in Arist.
Physic. Balliol 96.

Quotiescunque divinarum scripturarum—Gul. Bougevilla,
Chronicon (Tanner).

Quot modis dicitur fides et quid sit fides—Anon. Comment.
in Greg. IX. Decretales. Exon. Coll. 19.

Quot sunt necessaria ad salutem—Anon. Exhortatio etc.
Univ. Coll. 60.

Quum, etc. vide Cum.

R

Radices motuum locumque intro—Jo. Chillingworth de
crepusculis (Tanner).

Radix omnium malorum . . . . Differentia quidem est—
Bern. Sen. Sermo.

Ratio a qua nomen missae—Nic. Trivet de officio missae.
Merton 188.

Ratio huius theorematis—Duns, Theoremata.

Rationabilis anima calida persecutione—Anon. Invitorium
ad humilitatem. Can. Eccl. 95.

Rationabiliter lex Christi—Jo. Baconthorpe, Sermones (Tanner).

Rationalem creaturam a deo factam esse—Anon. Speculum Juniorum. *Laud. Misc.* 166. *Bodl.* 767. *Rawl. A.* 367.

Ratione jam instantis—Gul. Woodford, de sacramento altaris (Tanner).

Ratione solemnitatis jam instantis—Gul. Woodford [*sive* J. Waldeby], de sacram. Euchar. *sive* 72 Quaestiones (Grey Friars : Bale : Tanner).

Ratio potissima veneni convenit peccato—Grostete (?) *sive* Malachias Hibern. (?) Tractatus de veneno *sive* de septem peccatis mortalibus (*cf.* Tanner : Bale).

Ratio quare facimus istam artem—Raym. Lull. Ars brevis.

Ratio quare facimus istam investigationem—Ray. Lull. Investigatio generalium mixtionum.

Ratio quare ista tabula ponitur—Ray. Lull. Tabula generalis ad omnes scientias applicabilis, 1292-3. cf. *Digby* 85.

Ratio quare praesentem volumus colligere—Ray. Lull. Lib. ad memoriam confirmandam.

Ratio quare volumus colligere—Ray. Lull. Liber ad memoriam confirmandam.

Ratio veneni—[*Vide* Ratio potissima]. *Bodl.* 798. *Laud. Misc.* 645.

Raymundus jacens in suo lecto—Ray. Lull. de locutione angelica.

Raymundus loquens de lapidis fermento—G. Ripley Concord. Guidonis et Raymundi (Tanner).

Raymundus Parisiis existens ut posset—Ray. Lull. Philosophia amoris. 1298.

Raymundus Parisiis studens statumque huius mundi considerans—Ray. Lull. Disput. super Sent. 1298. cf. *Laud. Lat.* 46.

Raymundus senescallus mensae regis Majoricarum—Vita Raym. Lulli erem. (B.H.L.).

Raymundus stans in desolatione—Ray. Lull. Arbor scientiae.

Raymundus veniens de concilio generali—Ray. Lull. de participatione Christianorum et Saracenorum.

Raymundus volens se contristari—Ray. Lull. de xxiv. experimentis.

Recensiti sunt filii [*sive* per nomina]. Si velimus inter filios —T. Walleys in Numer. (Tanner). *Nov. Coll.* 30.

Recepi literas tuas cum quibusdam casibus—Th. Aqu. ad
Jac. Viterb. *Can. Misc.* 410.

Recipe in nomine individuae Trinitatis—Gul. Botoner,
Collect. medicin. (Bale).

Recolende doctor devotas post recommendationes—Jo.
Milverton de mendicitate Christi (Tanner).

Recordare fili decane et in mente revolve—Bertrand
Aquileiensis Narratio etc. (B.H.L.).

Recordare quia recepisti bona. Luc. xvi. Et pro hujus—
P. Keningal Sermones (Tanner).

Rectangulum in remedium taediosi—Ric. Wallingford (?)
(Tanner).

Recte cecinit Psalmista, Mirabilis Deus—Vita Laurent.
erem. Sublacensis (B.H.L.).

Recte judicate etc. Ps. lviii. Si vis recte judicare—Grostete
Sermo (Tanner).

Recti diligunt te. Cant. i. Verba sunt—Simon Gand.
Regula anachoritarum (Tanner). *Magd. Coll.* 67.
Merton 44.

Rectitudo motus est ut philosophus—Gul. Paul de ente
rationis (Tanner).

Rectoribus et scientiarum magistris—Steph. Langton in
libros Regum (Tanner).

Rectoribus populi has quatuor virtutes—Steph. Langton in
libros Regum (Bale).

Recumbe in novissimo loco . . . Verbum est sanctorum—
Bern. Sen. Sermo.

Recumbentibus undecim . . . Ante ascensionem vale-
faciens—Wyclif, Sermones super Evangelia de
Sanctis.

Redargutum dicimus respondentem—Rad. Strode Sophismata (Tanner).

Redde quod debes, Matth. viii.—Jo. Elinius Sermones
(Tanner).

Redde rationem villicationis tuae—*ps.* Wyclif, de
Christianorum villicatione.

Redeundo autem ad propositum de—Wyclif, de cessatione
legalium.

Redimentes tempus . . . Licet tota vita hujus electae
sponsae—Jo. Marienwerder (?) Vita Dorotheae
(B.H.L.).

Refert magister in historiis—Jo. Ovinhelus Exempla
Scripturarum (Tanner).

Refert Seneca in declamationibus—Jo. Cuningham in
Threnos Hierem. (Tanner.)

Reformamini in novitate sensus vestri . . . Cap. 1. Cum
spiritualia [16 capp.]—Bon., Regula Novitiorum.

Refulsit sol in clypeos aureos—Ric. Maidstone Sermones
(Tanner).

Regem Christum crucifixum—Jo. Parmensis Officium
Passionis Christi (Wadding).

Regente inclitae recordationis rege Phil. Pulchro—Vita
Ivonis Trecorensis (B.H.L.).

Regimentum acutorum—Bern. de Gordonio. *Oriel Coll.* 4.

Regnante in Anglia inclyto rege Athelstano—Anon. Liber
de Guidone Warwic. comite (Bale).

Regnante sub Dño n. J.C. Ungariae regno . . . Bela—
Garinus O.P. Vita Margaritae Ungariae (B.H.L.).

Regna pristina Angliae—Jo. Everisden de regibus et
episcopis Angliae (Tanner : Hardy §§ 300, 418).

Regnare videtur rex—Simon Boraston de postulandis
suffragiis (Tanner).

Regnum Cantiae quod incipit—Hen. Crompe de fundat.
monasteriorum in Anglia (Bale).

Regnum Cathay est majus regnum—Hayco et Nic. Falconi,
Flos hist. Terrae Orient. *Merton* 312.

Regnum coelorum vim patitur . . . Verba sunt magni
Ducis—Bern. Sen. Sermo.

Regula fratrum minorum vovet—Bern. Sen. Tract. de
praeceptis Reg. Frat. Min.

Regulas solvendi sophismata—Gul. Heytesbury de
insolubilibus (Tanner).

Religio munda et immaculata—*ps.* Bon., Ordinarium vitae
religiosae, *sive* de partibus domus religiosae
[= Regula novitiorum].

Religiosa nostra sollicitudo—T. de Celano, Miracula S.
Franc. prol. (B.H.L.).

Religiosi Carmelitae sicut in terra—Gualt. de Sannuco
Chronica ordinis (Tanner).

Religiosis fratibus . . . Cum simus unius ordinis . . . In
occidentali—Th. Kempensis Epit. Vitae Lidwigis
(B.H.L.).

Religiosis patribus . . . Ord. S. Aug. dioec. Traject.
aptum modum vivendi—Rad. de Rivo de Canonum
observantia (La Bigne).

Religioso . . . Christophoro . . . ex Christi latere sumens
vinculum—Nic. de Arimino, O.M. Vita Rainaldi ep.
Raven. (B.H.L.).

Religioso . . . f. Goccio . . . Tua dudum a me fraternitas
—Jo. a S. Geminiano Vita Finae (B.H.L.).

Religioso . . . Placido . . . Dum mihi observande pater daretur—Julian Januensis Vita Nic. de Prussia (B.H.L.).

Reliquit eum diabolus et ecce Angeli etc. (*Prothema:* Relinquite infantiam et vivite etc. Sicut est duplex homo in nobis) . . . Sicut voluntaria praevaricatio— Bon., Sermo.

Reliquorum autem primum—Alb. Mag. in Arist. de memoria etc.

Reliquorum autem primum est—Jo. Baconthorpe de memoria (Tanner).

Reminiscamini Joh. v. quando homo non potest juvare (?) —H. Virley Homiliae (Tanner).

Reminiscor sancte antistes quanta—Jo. Capgrave Acta Apostol.—(Tanner). *Balliol* 189.

Remittuntur ei peccata multa . . . Naturale siquidem est —Bern. Sen. Sermo.

Rem quae partim est vel fuit—Grostete de veritate propositionis (Tanner).

Reor primum cum doctoribus sanctis—Adam Eston (?) de communicatione idiomatum (Tanner).

Repromissionem accipiant . . . En assum hesternae—Bern. Sen. Sermo.

Requiram primum mi domine pro—Greg. Ripley Theorica (Tanner).

Requiris a me, fili carissime, ut tibi quid in unoquoque librorum bibliae—Anon. *Bodl.* 400.

Rerum inquit principia—Anon. ex R. Cowton libris super Sent. *Nov. Coll.* 289.

Rerum quoniam ex iis quae aliis, dum fratribus per obedientiam legerem—Anon. de absolutionibus. *Can. Eccl.* 22 [*vide* Consueverunt].

Res ejusdem naturae ejusdem—Grostete de generatione stellarum (Tanner).

Res grandis immo permaxima—Ric. de Flamesborg Poenitentiale (Tanner).

Residuorum determinandorum—Hen. Renham de memoria (Tanner).

Residuum erucae . . . Per erucam locustam—Steph. Langton, in libros Maccab. *Laud. Misc.* 149.

Respice nos . . . Munuscula—Rog. Compotista, Expos. vocabulorum. *Laud. Misc.* 176.

Respiciens Jesus . . . Satis usque hodie—Bern. Sen. Sermo.

Respicio nutricem . . . Hanc proposit. scribit . . . Boethius —Marsil. de Henguhen, in Porphyrii Isagogen. *Can. Misc.* 381.

Respicite et levate capita . . . Qui vult coelum respicere —Joh. Vincellensis Sermones. *Nov. Coll.* 89.

Respondebo exprobrantibus nomen meum—Adam [Eston] Defensorium S. Brigitae (Tanner).

Responsiones ad cavillationes frivolas detrahentium— Praedicatorum responsiones etc. [Joh. XXII.] (Bale 479).

Restat de compositione tabularum—Jo. Chillingworth de Almanak (Tanner).

Restat nunc discutere diversitatem—Wyclif, Differentia inter peccatum mortale et veniale.

Restat parumper discutere errores—Wyclif, summa Theol. Lib. vi. de Veritate S. Scripturae.

Restat succincte de blasphemia pertractandum—Wyclif, Summa Theol. Lib. xii. de Blasphemia.

Restat ulterius pertract.—Wyclif, de anima (*cf.* Bale p. 268).

Restat ulterius ponere aliud principium—Wyclif, Summa Theol. Lib. xi. de Apostasia.

Restituam judices . . . Judices et rectores ecclesiae— Anon. Gloss. in lib. Judicum. *Can. Eccl.* 186.

Reverende doctor. Tempus et responsionem cor—T. Walden Responsio ad P. de Candia (Tanner).

Reverendi domini verba ista fuerunt verba Moysis—Gul. Cockisford in Cantica (Tanner).

Reverendi magistri ac domini cum secundum seriem Evangelii—Jo. Sharpe de orationibus Sanctorum (Tanner).

Reverendi magistri . . . . alias ut audistis eram per- tractando—Jo. Stanbery Collectarium (Tanner).

Reverendi magistri in actibus licet exilibus—J. White- head contra Gul. de E'dlesburgh O.P. de confessione (Tanner).

Reverendi magistri . . . . secundum doctorum veridica testimonia—Anon. Quaestio de Trinitate. *Nov. Coll.* 290.

Reverendi mei articulus resumptio [resumendus]—Pet. de S. Fide Breviarium Sentent. (Tanner).

Reverendi mei mandata divina—Th. Colby, Praecepta divina (Tanner).

Reverendis in Christo patribus etc. Et relatione vestrae
sanctae—Ric. Armach. de Quaest. Armenorum
(Tanner).

Rev. . . . B. priori . . . Minime latet vestram paterni-
tatem—And. Jac. Fabrian. Vita Silvest. Auxim.
(B.H.L.).

Reverendo in Christo . . . . Crescentio . . . . Cum de
mandato—Legenda Trium Sociorum S. Franc., prol.

Rev. in Christo patri etc. Etsi multorum scriptorum in
philosophia—W. Burley, Ethic. (Tanner).

Rev. . . . . Galeroni . . . . Noveritis nos habuisse nova
certa de India—Barth. custos Thaurisii, Epist. de Th.
de Tolentino et Soc. O.M. martyribus (B.H.L.).

Reverendus pater de sacro ordine—Reg. Langham, contra
Andream Binham, Dominicanum (Wadding).

Reverenter sedens ad mensam—Rob. Gryme Comment. in
Evangelia (Tanner).

Reverentiarum vestrarum celeberri.—Gul. Bintrey in
Cant. Cant. (Tanner).

Rex autem dici potest qui regit populum sapientem—
Anon. de regimine principum. *Nov. Coll.* 342.

Rex coeli Deus et Dominus qui tempora—Jo. Gower de
Henrico IV. (Tanner).

Rex debet ex vi officii sui defendere legem Dei—Wyclif,
de officio regis conclusio.

Rex dives et praepotens Deus omnipotens—Anon.
Allegoriae de statu hominis. *Balliol* 22.

Rex Henricus componit cum rege—Rishanger Contin.
Mat. Paris 1260—1272 (Tanner).

Rex illustrissime et serenissime [*expl.* super omnia in
terra. Hic liber fuit factus in turri Londini]—Ray.
Lull. (?) de secreto salis urinae.

Rex in aeternum vive. Domini mei percelebres—T.
Walden Sermo in funere Hen. V. (Tanner).

Rex pacificus cunctorum causa—Petrus de Urbe (?) in
processu judiciario. *Laud. Misc.* 28. *Can. Misc.*
393. (Tanner).

Rex pacificus. Praemissa salutatione—Walt. Tyryngton,
Casus decretalium (Bale).

Rex Pictorum Rodricus de Sithia—Anon. Chron. A.D. 75—
1275. (Bale).

Rex sapiens est stabilimentum etc. Sap. vi. . . . . Verba
sunt sapientis—Grostete Sermo (Tanner).

Rex serenissime et amantissime fili [*expl.* non est curandum]—Ray. Lull. (?) Lumen luminum de intentione alchemistarum.

Rex serenissime et amantissime fili [*expl.* primae tabulae ad laudem Dei]—Ray. Lull. (?) Secretum secretorum etc.

Rex serenissime et fili carissime—Ray. Lull. (?) de transmutatione metallorum.

Rex serenissime et illustrissime—Ray. Lull. (?) Comp. de secretis medicinis.

Rex virtutum progressurus—Jo. Lemovicensis Dilucidarium etc. *Balliol* 163.

Rhetorica assecutiva dialecticae est. Ambae enim—Arist. Rhetorica (Jourdain).

Rhetorica assecutiva dialectice est.—Anon. *Can. Misc.* 385.

Rhetorica est convertibilis dialecticae; utraque enim— Arist. Rhetorica (Jourdain).

R[icard] . . . Ut de elevatione—Ric. ep. Cicestr. de translat. Edm. Rich (B.H.L.).

Ricardus de Bordeous filius dom. Edw. principis— Monachus de Evesham Hist. Ric. II. (*cf.* Bale p. 439).

Rogabat Jesum . . . Navale bellum—Bern. Sen. Sermo.

Rogasti me carissime ut tuae in crucifixi latere caritati— Pet. de Candia [Alex. V.] Epist. de obligationibus. *Can. Lat.* 278.

Rogasti me fr. Benedicte ut de legenda . . . . quaedam exciperem—T. de Celano, Leg. Brevis S. Franc. (B.H.L.).

Rogasti nos frater amantissime quantum aliqua—Hugo de Folierre, de eo quid noceat mundo renuntiare volentibus, prol. *Bodl.* 745.

Rogate quae ad pacem . . . Verbum istud prophetae— Wyclif, Sermo.

Rogatus a fratribus quod eis formulam—Jo. de Saxonia, Summa Juris (Wadding). *Oriel Coll.* 38.

Rogatus a quibusdam ut de missa—Nic. Trivet de officio missae (Tanner).

Rogatus instanter ab abbatissa . . . . Primo qualiter ab infantia—P. de Florentia, O.M. Vita Margaretae de Faventia (B.H.L.).

Rogatus multoties cum instantia ut aliqua capabilia . . . (*Inc. Op.*) Erunt signa etc.—Phil. de Monte Calerio, O.M. Postilla super Evang. Dom. [1340]. *Laud. Misc.* 281.

Rogatus pluries . . . . sanctissime pater—Gilbertus de
    Tornaco, Sermones 72 [ad Alex. IV.] (Wadding).
Rogavit amicus ut de forma—Grostete, de formis (Tanner).
Rogavit me dulciflua—Grostete Epist. ad Adam de intelli-
    gentiis. *Regin Coll.* 312.
Rogo te ut contenta sis devota—W. Hylton Baculum con-
    templationis: [*cf.* Dilecta soror] (Tanner).
Romani sunt in partibus Italiae—Th. Bromius in praef.
    Hieron. ad Rom. (Tanner).
Romanorum nonagesimus tertius—W. Coventry Annales
    Angl. 1025—1225 (Tanner).
Romanorum pontificum nomina et tempora quibus Christi
    ecclesiae — Bern. Guidonis, Flores Chronicorum seu
    Catalogus pontif. Rom., prol. (Not. et extr. 27).
R. Sedet in cella—Gui. Rymston *sive* R. de Hampole,
    Anachorita (Bale).
Rudis adolescentiae petulentiam—Nic. Trivet in Senecam
    (Tanner).
Rumor horribilis amaritudine plenus—Joh. XXII. Epist.
    de caede Burchardi ep. Magdeb. (B.H.L.).
Ruth colligebat . . . Omnibus studentibus in hoc scripto
    —Phil. de Janua sive de Monte Calerio O.M. super
    evang. Dominicalia, prol. *Nov. Coll.* 87.
Ruth paupercula collegit spicas—Jo. Wallensis et Th.
    Hibern. Manipulus florum (Tanner).
Ruth sequens messorum vestigia—Phil. de Monte Calerio
    Conciones quadrages. (Wadding).

S

Sacerdos ad altare accessurus—Jo. Gerland. Dictionarius
    (Tanner).
Sacerdos celebraturus missarum solemnia—Innoc III. de
    expos. missae. *Merton* 43.
Sacerdotis in confessionibus majora—Grostete, Concilium
    circa poenitentes (Tanner).
Sacramentum regis abscondere bonum est—De miraculis
    S. Edm. Cant. (Hardy).
Sacratissimae recordationis Joannes—Greg. Ripley Vita S.
    Joh. Bridlington. (Tanner).
Sacrosancta mater ecclesia geminata laetitia—Bernard
    Guido, Vita Benedicti XI. (B.H.L.).

Saepe assumptum est ut — Wyclif, Purgatorium Sectae Christi.

Saepe confessus sum et adhuc confiteor—Wyclif, de Eucharistia Confessio.

Saepe expugnaverunt etc. Lacrymosa proles matris—T. Walden, Doctrinale ecclesiae (Tanner).

Saepe expugnaverunt me a juventute—Gul. Exon. pro ecclesiast. proprietate, contra fratres (Tanner : Bale).

Saepenumero mihi opinanti—Praef. in Antonin. Florent. Summa theol. in compend. redacta. *Can. Eccl.* 115.

Saepe suburbanis Lethes—Jo. Amundesham Carmina (Bale).

Saepe vobis ovilique vestro nova—Jo. Buriensis contra Reg. Pecock (Tanner).

Saepius a condiscipulis rogatus—Gul. Coventry Elucidarium fidei (Tanner). cf. *Balliol* 230,

Saepius dum sedebam solitarius—Ric. Conington in Psalmos poenitent. (Wadding : Bale).

Saevienti dudum in regno Angliae—Jo. Fortescue de legibus Angl. (Tanner).

Salomon convenire principio libri—Anon. [Jo. de Whethamstede?] in Cant. Canticorum, prol. i. *Balliol* 19.

Salomone attestante didicimus in Proverbiis quia laetatur —Polomaeus Lucensis, Annales (La Bigne).

Salomon inspiratus Divino Spiritu composuit hunc libellum—Th. Aqu. in Cantica (Q.E.).

Salomonis utcumque sequendo vestigia—Gul. Occham Dial. III. (Grey Friars).

Salomon nos invitans ad divinae—Hen. Esseburn in Ecclesiasten (Tanner).

Salutationes ad summum pontificem.—Jo. Blakeney de fabricandis epistolis (Tanner).

Salutat vos Lucas etc. Carissimi scitis hoc consuetudinem —Jo. de Sheppey Collectio sermonum. *Nov. Coll.* 92.

Salutat vos Marcus . . . Cum in omni sermone considerandae sint personae auditorum—Dominici de Dominicis, ep. Torcell. Sermones. *Can. Misc.* 391.

Salutem et quicquid dulcius excogitari—Ric. Wychewith Epistola (Bale p. 275).

Salutem mentis et corporis donet—R. Hampole Officium nominis Jesu (Tanner).

Salutem quam meretur aut—Jo. Wellys de socii sui ingratitudine (Tanner).

Salvator noster diligens unitatem religionis—Wyclif, de religion. vanis monachorum, *sive* de fund. relig.

Salvator noster discipulos ad praedicandum mittens.— Th. Aqu. Expos. primae decretalis ad Archidiac. Tridentinum. (Q.E.).

Salvator noster Jesus Chr., qui vult—Pet. Pateshull, *sive* Ric. Kilington super Hildegardis prophetias sive vitam fratrum mendicantium (Tanner : Bale).

Salvator tuus venit solvere—Jo. Ovinhelus, Sermones (Tanner).

Salve virgo virginum stella matutina—*ps.* Bon., Carmina in canticum Salve Regina.

Samaritanus enim vulnerato approprians—Pet. Lomb. Sent. iv.

Samaritanus etc. Lib. iste Sent. causa quam fluvius Paradisi—Pet. de Tharun *sive* Tarentasia in quartum Sent. *Laud. Misc.* 605.

Samaritanus etc. Videtur quod potius debent dicere spoliato — Bonif. Mediol. O.M. in quartum Sent. *Laud. Misc.* 736.

Samaritanus unvulneratus approprians(?)—Fr. de Mayronis in quartum Sent. *Nov. Coll.* 119.

Samaritanus ille piissimus spoliatum videns—Duns, Praef. in quartum Sent.

Sana me, Domine . . . Haec est autem tertia pars—Bern. Sen., Sermo.

Sanctae et nunquam intermoriturae memoriae Ricardus·— Vita S. Ric. Wyche (Hardy).

Sanctae perpetuaeque memoriae Ricardus—De S. Ric. Wyche (Hardy).

Sanctificavit tabernaculum suum altissimus—Jo. Wallensis Sermo (Tanner).

Sancti nominis tua . . . . O beata et intemerata—Edm. Rich Oratio (B.H.L.).

Sancti patres qui priscis fuere—Jo. Capgrave Vitae Sanctorum Angl. (Tanner).

Sanctissimae regiae majestati Alphonso . . . . Vetusta sane ac laudabilis—Barnabaeus, Vita Bernardini Senensis (B.H.L.).

Sanctissimo patri . . . Clementi . . . Vestrae sapientiae magnitudini duo transmisi genera scripturarum— Rog Bacon, Opus Tertium (R.S.).

Sanctissimo . . . Innocentio . . . Ric. archiep. Armach. . . . Dudum.—Ric. Armach. de pauperie Salvatoris (ed Poole).

Sanctissimo . . . Johanni . . . frater Bernardus Guidonis
O.P. . . . Jam pridem ex pluribus antiquis chronicis
—Bern. Guidonis Epist. dedicat. ad Joh. XXII. (Not.
et extr. 27).

Sanctitas vestra injunxit in virtute s. obedientiae—Ubert.
de Casale, Confessio (A.L.K.G. III.).

Sanctitati apostolicae notum fiat quod licet anno praeterito
—Ubert. de Casale, Apologia (A.L.K.G. II.).

SS. martyrum Beraldi . . . . B. namque Franciscus
minorum pater—Passio quinque frat. min. martyr. in
Marochio (B.H.L.).

Sanctorum splendor et gloria Dei Filius—Antiqua Leg.
S. Franc., pars ii. (B.H.L.).

Sanctum canibus nullatenus—Gul. Occham, Quaestiones
octo, etc., prol. (Grey Friars).

Sanctum Jonam etc. Huic prophetae—Gul. Lissy in
Jonam (Wadding: Bale).

S. Antonius in civitate Ulixbona regni Portugaliae de piis
parentibus—Leg. brevis Ant. de Padua (B.H.L.).

S. Augustinus natione Romanus—Steph. Birchington,
Hist. archiep. Cant. (Tanner).

S. Dei heremita R. in villa de Thornton—Vita Ric. de
Hampole (B.H.L.).

S. Epiphanius doctor veritatis—Th. Eschforde de vita
B.V.M. (Bale).

S. Evangelista Lucas in—Jo. Baconthorpe in Acta Apost.
(Tanner).

S. Hugo genetricis solatio—Adam Carthus. Vita Hugonis
Lincoln (Tanner).

S. Joel apud Hebraeos—Gul. Lissy in Joel. (Bale).

S. Johannes . . . . Apocalypsis quae latine dicitur inter-
pretatio—Alex. Halensis in Apoc. (vide S. Bonav.
Op. vi.).

Sanctus quippe apostolus Paulus primo ad Cor. xi. ait—
Guido ord. Carm. episc. Elvensis contra haereses.
Magd. Coll. 4.

Sanctus rex Edwardus migravit—Anon. Chron. 1064—
1275 (Bale 490).

Sane dici potest et satis catholice—Jo. Hornby Defensorium Carmel. (Tanner).

Sapientes [nostri] asserunt quod tantum—ps. Ray. Lull.
Apertorium.

Sapientia aedificavit . . . . In hiis libris [verbis] attendi
potest—R. Kilwardby in Sent. (Tanner). Merton 131.

Sapientia enim dicitur ab eo quod est sapere—Jo. Wallensis, Breviloq. de sapientia sanctorum, cap. 1.

Sapientiae perfecta consideratio consistit in duobus— Roger Bacon, Opus Majus. (Grey Friars).

Sapientia hominis lucet in vultu etc. Christianae perfectionis altitudo—Bon., Sermo de S. Dominico.

Sapientiam antiquorum exquiret—Rog. de Waltham Comp. morale. *Balliol* 216. *Laud. Misc.* 616.

Sapientiam antiquorum omnium exquiret—Gul. de S. Amore contra pericula eccles. (Bale).

Sapientiam sanctorum narrant—Gul. Southampton Sermones de sanctis (Tanner).

Sapientia vincit malitiam Christus—Roger Black Sermones (Tanner).

Satis ferventibus animis fructuosum esse putavi . . . . Christo Deo devota—Juncta Bevegnatis Vita Margaritae de Cortona, tert. ord. S.F. (B.H.L.).

Saxones sapientius agentes—Jo. Clynn de regibus Anglorum (Tanner).

Scias fili carissime quod in omni re quae sub coelo est— Reyneri Epist. summo Pontifici (?). *Can. Eccl.* 53.

Sciat unusquisque vestrum suum vas . . . . Silvam seu viridarium—Bern. Sen., Sermo.

Sciat unusquisque vestrum suum vas . . . Tanta quippe est—Bern. Sen., Sermo.

Sciat vestra apostolica sanctitas . . . quod sententia apostasiae—Angelus de Clareno, Epist. excusatoria ad papam (B.H.L.).

Sciendum est igitur quod sicut potest—[Grostete?] Spec. oculi moralis. *Magd. Coll.* 6. cf. *Linc. Coll.* 90, etc.

Sciendum est primo hos duodecim—Jo. Baconthorpe super minores proph. (Tanner).

Sciendum est quod xii. vicibus ecclesiae orientales—W. Hunt (Tanner).

Sciendum est quod humillima ancilla Dei nunquam—Pet. Vadsten et Pet. Alvast. Vita Birgittae (B.H.L.).

Sciendum est quod sint quinque universalia—Ray. Lull. Comp. Logicae Algazelis.

Sciendum est rex serenissime—Ray. Lull. (?) Magia naturalis i.

Sciendum igitur quod sicut — [Grostete?] Spec. oculi moralis. *Linc. Coll.* 90; cf. *Magd. Coll.* 6, etc.

Sciendum quod a themate—Jo. Folsham de modo concionandi (Tanner).

Sciendum quod de ratione ejus—Th. Aqu (?) de intellectu et intelligibili (Q.E.).

Sciendum quod duplex est modus diffiniendi—W. Burley de modo diffiniendi. *Magd. Coll.* 146.

Sciendum quod duplex [secunda] est potentia—W. Burley. *Digby* 77.

Sciendum quod triplex est merces praedicatoris —Jo. Goldeston Moralitates in Matth. (Tanner).

Scientia de anima in tres partes—W. Burley de sensu etc. (Tanner). *Magd. Coll.* 146.

Scientia est ordinatio depicta in anima—Anon. Tractatus Grammat. *Digby* 55 (27).

Scientia de numero ac virtute numeri—Simon Bredon, Arithmetica (Tanner).

Scientiam de animalibus [*des.* reprehensiones]—Alb. Mag. In libb. xxvi. Arist. de animalibus.

Scientiam opinamur honorabiliorem—Jo. Bridan. in Arist. Meteor. *Can. Misc.* 462.

Scientiarum alia divina alia humana—R. Kilwardby, de ortu scientiarum. *Digby* 204. *Balliol* 3.

Scientia veri et boni—Ray. Lull. Lib. de inquisitione veri, etc.

Scio quosdam, rev. pater, mihi per jocum—Baptista Finariensis de Guidici O.P. Serapion [Dial. de contemptu mundi]. *Can. Eccl.* 211.

Scire autem opinamur unumquodque .... Hanc propositionem descripsit Arist.—Duns in librum i. Posteriorum Analyt.

Scire debes. Pars i. Ut tibi memoria—Gerardus fr. Vitae Communis [*ps.* Bon.], Fascicularius.

Scire multis modis accipitur—Gul. Heytesbury de logica (Bale).

Scire multis modis dicitur—Gul. Heytesbury de scire et dubitare (Tanner).

Scire multis modis dicitur—R. Lavenham de scire et nescire (Tanner).

Scire possum [possunt] casus in quibus suos parochianos— Gualt. Parker (?) [Gul. de Pagula?] Oculi sacerdotis pars dextra (Bale).

Scitis quia principes . . . Videamus hod. pennam nostri Seraph.—Bern. Sen., Sermo.

Scito enim quod omne corpus aut est elementum—Rog. Bacon, de erroribus medicorum (?) (Grey Friars) [*vide* Vulgus].

Scito quod sapientes in miraculo lapidis—Ray. Lull. (?) Apertorium experimentorum.

Scitote quoniam mirificavit Dñs sanctum suum—Leon. de Ser Ubertis, Vita Antonini Florent. (B.H.L.).

Scitum est non conscitum.—Gul. Milverley de scientia (Tanner). *Nov. Coll.* 289.

Scitum est non scitum prout aliter—Anon. Sophismata. *Magd. Coll.* 92.

Scotia per illustrissimos principes Guillermum et Alex.— Vita Gilb. ep. Cathenensis (B.H.L.).

Scribam eis multiplices leges . . . Omnipotens creator— Jo. Wallensis, Legiloquium, *vel* De X praeceptis. (Grey Friars).

Scribens Orosius ad B. August.—Chron. de Hayles et Aberconway (Hardy 581).

Scribere decrevi qui ludum fingere—Rob. Baston de sacerdotum luxuriis (Tanner).

Scribere metra nova florens . . . . Sicut nos legimus— Ragwald. Vita metr. Birgittae (B.H.L.).

Scribe visum et explane eum—Th. Aqu. in Esaiam (Q.E.).

Scribo novam tandem satyram—Jo. Gerland. Satyricum opus (Tanner).

Scripsi dudum rogatus a sociis—Jo. Peckham, Mathem. rudimenta *sive* Perspectiva (Wadding: R.S.). cf. *Digby* 218.

Scripsisti mihi nuper quod—R. Kilwardby ad archiep. Corinth. (Tanner).

Scripsit autem sic in suae narrationis exordio—Gul. Carnotensis Vita Lud. IX. (B.H.L.).

Scripsit omnia haec in vol.—Gul. Woodford in introitu Bibliorum (Bale).

Scriptum est de Levitis—Grostete, de cura pastorali, *sive* doctrina *seu* de confessione. *Digby* 191. *Bodl.* 36.

Scriptum est quia spirituum ponderator—Anton. Florent. Epit. vitae Cath. Sen. (B.H.L.).

Scripturae veteris capiunt exempla—Jo. Gower Vox Clamantis (Tanner).

Scripturus divae Agnetis Pragensis . . . Agnes inclita— Vita Agnetis de Bohemia (B.H.L.).

Scripturus vitam b. antistitis Ludovici . . . . Ludovicus fidelis—Jo. de Orta, Vita Ludovici IX. (B.H.L.).

Secretum secretorum naturae audiant — Rog. Bacon (?) Secret. Secretorum de laude lapidis Philosophorum. (Grey Friars).

Secunda materia in qua scripsi—Gul. Woodford de pere-
grinationibus (Tanner).

Secunda pars hujus operis sex libris consummatur—Petrus
archidiac. Lond. de virtutibus (Bale).

Secunda pars ut supra dictum est de rebus dicitur
inferioribus—Anon. O.M. Liber exemplorum, pars ii.
(Not. et extr. 34).

Secundarum vero substantiarum : Hic intendit praedicare—
Anon. de praedicabilibus. *Magd. Coll.* 92.

Secundum apostolum ad Eph. vi. non est nobis colluctatio
—Wyclif, de novis ordinibus.

Secundum B. Augustinum de civitate—Jo. Rodington,
Quodlib. minora (Wadding).

Secundum Boethium et ceteros auctores musices—Rog.
Bacon, de valore musices (Wadding : Bale : *cf.* Op.
Tert. 296).

Secundum Bokkyg (?) super Sacram Script.—Gul. Occham
de erroribus Papae Jo. XXII. (Grey Friars).

Secundum Catholicos ecclesia est praedestinatorum univer-
sitas—Wyclif, de Christo et suo adversario Antichristo.

Secundum Dionysium in libro—Hen. Harkeley in Sent.
(Tanner).

Secundum doctrinam Arist. et eum communiter sequentium—Ant. Andreas(?) O.M. Metaphys. abbrev. *Can.
Misc.* 43.

Secundum exhortationem psalmistae—Walt. Cantilupe
Constitutiones (Tanner).

Secundum hortationem psalmistae — Gul. Badby, *sive*
Blesensis ep. Wigorn. Constitutiones (Tanner : Bale).

Secundum Hugonem de S. Victore—Ric. Cornubiensis in
iv. Sent. (Wadding).

Secundum id quod dicit venerabilis Hugo—T. Maldon in
Genesim (Tanner).

Secundum intentionem Arist. primo Ethic. — Bern. de
Gordonio de conservatione vitae humanae. *Merton* 47.

Secundum Isidorum xviii. etymol.—Jo. Elinius in Revelat.
(Tanner).

Secundum modum secundae figurae elementalis—Ray.
Lull. Liber Chaos.

Secundum opera eorum . . . In hoc evangelio Christus
nihil tractat—Bern. Sen., Sermo.

Secundum Orosium ab—Jo. Clynn Annales (Tanner).

Secundum philosophos finis est—Wyclif, Sermo.

Secundum philosophum in moralibus in quibusdam actionibus—Walt. Burley in lib. poster. (Tanner). *Rawl. C.* 677.

Secundum philosophum natura non abundat—Jo. de S. Fide, Collationes (Tanner).

Secundum philosophum ii.° physicorum, Quaecumque movent—P. de Alvernia de somno et vigilia. *Balliol* 104.

Secundum philosophum iii.° physicorum—Jo. Baconthorpe de motu animalium (Tanner).

Secundum philosophum iii.° physic. volentem.—W. Burley de motu animal. (Tanner).

Secundum quod scribit philosophus—Anon. de anima. *Oriel Coll.* 33.

Secundum quod superius tactum — Jo. Cuningham de natura angelica (Tanner).

Secundum quod vult Avicenna primo libro—Nic. Praepositi Antidotarium. *Exon. Coll.* 35.

Secundum seriem scripturae—Nic. Fakenham, de suffragiis viatorum (Wadding).

Secundum tres virtutes theologicas—Wyclif, de quatuor sectis novellis.

Secundus doctor meus reverendus Willelmus Wiham— Wyclif, Contra Willelm. Vynham monachum de S. Albano determ.

Sed adhuc arguitur si clerus sic—Wyclif, Speculum cleri per dialogum [= Spec. Eccl. Militantis xxxi.]

Sed demum arguunt recentius populares — Wyclif, Dialogus, *sive* Speculum Militantis Eccles : append.

Sed dubium est quid hujusmodi abstracta humanitas— Walt. Burley. *Digby* 77.

Sedebit Dominus Rex in acternum . . . In sacris enim scripturis—Bern. Sen. Sermo.

Sedens super flumina flevi Babylonis — Pet. Pateshull Defensorium Armach. (Tanner. *cf.* Bale, 353).

Sed magna erat quaestio inter peritiores Latinorum—W. Hunt de eccles. symbolo (Tanner).

Sed numquid in hac compilatione multa—Jo. Dalton super Decretales (Bale).

Sed quia ista constitutio non — Ric. Armach. in Vas electionis Joh. XXII. (Tanner).

Sed quia Regula fr. Min. per Spiritum Sanctum B. Francisco inspirata a dom. papa Greg. IX. declarata— Jo. Peckham Expos. Reg. Fratrum Min. (R.S.).

Semel confessus est filius Dei—Jo. Tissington, Confessio. *Bodl.* 703.

Semen ipsius in eo—Jo. Goldeston in canon. Joh. Epist. (Tanner).

Semper laus ejus in ore meo — Gul. Bintrey de laude B.V.M. (Tanner).

Senescentè mundo senescunt homines—Rog. Bacon, de retardandis etc., cap. 1.

Senes sunt balneandi—Roger Bacon, de regimine senum. *Bodl.* 438.

Senex quidam dixit discipulo suo per singulos dies, Riga lignum—Anon. Liber exemplorum. *Can. Misc.* 532.

Sensuale est—Ray. Lull. de differentia etc.

Sententia de officio regis in compendio sic habetur—Wyclif, Summa Theol. Lib. viii. De officio Regis prol.

Sententia est primae veritatis quae propter nostram salutem—Hier. de Praga Epit. Vitae Cathar. Senensis (B.H.L.).

Sententiae septem ponuntur quaestione prima—Ad. Wodeham, *vel* Godham Sent. Oxon. consilii (Bale).

Sententia tractatus de Eucharistia in compendio sic habetur—Wyclif, de Eucharistia tract. maj. prol.

Sententia tractatus de Simonia—Wyclif. Summa Theol. Lib. x De Simonia.

Sentite de Domino in bonitate—Henr. Constantiensis *sive* Jo. Wilton(?) Horologium Sapientiae (Tanner). *Linc. Coll.* 48.

Sentite de Domino in bonitate et in simplicitate cordis—Fr. A. . . . ord. praed. Horologium Sapientiae. *Rawl.* A. 372.

Sepserat Angligenam rabies — Versus de guerra regis Johannis (Hardy).

Septem ecclesiis in Asia specialiter—Jo. Tilney in Apocal. (Tanner).

Septem peccata mortalia septem infirmitatibus comparantur; nam superbia frenesi—Anon. [Holkot?]. *Bodl.* 400.

Septem psalmi poenitentiae eo numero ponuntur—Anon. *Rawl. C.* 397.

Septem regna aliquando in hac terra—Hen. Crompe Vita S. Etheldredae(?) (Bale).

Septies in die laudem dixi tibi—Th. Colby in orat. Dom. (Tanner) *et* Jo. Waldeby (Tanner). *Merton* 68.

Septiformi spiritu in trina fide—Anon. Imago Mundi. *Exon. Coll.* 50.

Septimum chrysolithus Apoc. ii. [xxi.] . . . Onus Ninivae
—Sim. Henton in Nahum (Tanner).

Septuaginta sic habent Assumptio—Steph. Langton in
Nahum (Bale).

Sequebatur eum multitudo magna. Jo. vi. Inter cetera
quae ad Christianam religionem—Anon. Sermones xv.
de restitutionibus, praef. *Can. Misc.* 11.

Sequebatur eum multitudo magna . . . . Jam igitur
sufficienter—Bern. Sen., Sermo.

Sequebatur eum multitudo . . . Operante divina gratia—
Bern. Sen., Sermo.

Sequebatur eum multitudo magna . . . Primo enim considerare—Bern. Sen., Sermo.

Sequitur ad radium extractionem—Gualt. Britte Tract.
algorismalis (Bale).

Sequitur de copulativis pertractandum—Wyclif de
copulativis et relativis [Tract. iii. de Logica].

Sequitur de localibus pertract.—Wyclif de motu locali
[Tract. iii. de Logica].

Sequitur de sacramento matrimonii quod est legitima con-
junctio maris et feminae—Henric. Lector. Oxon., de
sacramentis. *Laud. Misc.* 2.

Sequitur de speciebus hypotheticis—Wyclif de speciebus
hypotheticis [Tract. iii. de Logica.]

Sequitur in textu Evangelii, Attendite in justitiam—
Wyclif, Opus Evangelicum, *sive* de Serm. Dom. in
Monte, pars ii.

Sequitur jam ultimo de propositionibus—Wyclif de pro-
position. temporalibus [Tract. iii. de Logica.]

Sequitur quae species sint sub ipso Arist.—Anon. de motu
et speciebus ejus—*Digby* 190.

Sequitur sexto de conditionalibus—Wyclif de conditionalibus [Tract. iii. de Logica] (Bale).

Sequitur tractandum de duobus verbis—Wyclif, Serm.
Dom. in Monte, pars i.

Sequitur tractatus parvulus—Anon. de vii. petitionibus
orationis Dominicae, etc. *Laud. Misc.* 2.

Sequuntur casus, in quibus frater minor potest dici pro-
prietarius—Bern. Sen. Tract. de casibus prop. relig.

Serenissimi reges amantissimi—Ray. Lull. Fons scientiae
divinae philosophiae.

Serenissimus princeps rex Angliae—Gesta Henrici V. (E.
Hist. Soc.).

Serpens antiquus . . . Tres quippe sunt animae—Bern.
Sen. Sermo.

Serve bone et fidelis . . . Omnium singularium gratiarum
—Bern. Sen. Serm. de Sanctis, Sermo i.

Serve nequam omne debitum . . . . Omnia illa bona
coelestia—Bon., Sermo. (Not et Extr. 32).

Sex prohibet peccant Abel—Alex. de Villa Dei, Summa
Bibliae metrica. *Exon. Coll.* 36.

Sex sunt articuli quos in diversis—Rob. Holcote (Tanner).

Sextum fundamentum dicitur Sardius . . . . Temporibus
Jaathan—Sim. Henton in Michaeam (Tanner).

Si aperta negligentia de corpore — Gir. Cambr. Gemma
Eccl. dist. i. (Hardy).

Si autem vis ad vitam ingredi—Anon [*ps.* T. Docking] in
decalogum (Grey Friars).

Si caecus caeco . . . In hoc serm. intendo tract. de con-
tritione—Bern. Sen. Sermo.

Si causae namque beneficiales—Anon. Modus procedendi
etc. *Exon. Coll.* 17.

Sic dilatandi modus est sermonibus aptus—Hugo Suethus
(Tanner).

Sic dicit apostolus, Plenitudo—Grostete de decem
praeceptis (Tanner).

Si Christus resurrexit . . . . Sufficienter jam probato—
Bern. Sen., Sermo.

Si consequentia sit necessaria et antecedens—Anon. de in-
dividuatione etc. *Nov. Coll.* 285.

Sicut ab antiquis auctoribus habemus—Anon. " Rogerina
major." *Bodl.* 786.

Sicut a fonte Paradisi deliciarum—Ray. Lull. Fons
Paradisi divinalis.

Sicut a principio istius—Alb. Mag. in libros Perihermenias.

Sicut a principio istius [*des.* egens inquisitione]—Alb.
Mag. de intellectu et intelligibili libri duo.

Sicut decet S. R. Ecclesiam—Ray. Lull. de vii. sacramentis.

Sicut dicit apostolus Cor. xii. Plenitudo legis est dilectio—
Rob. Grostete de mandatis. *Laud. Misc.* 524. *Exon.
Coll.* 21.

Sicut dicit apost. Paulus—Jo. de S. Fide in epist. Joannis
(Tanner).

Sicut dicit Arist. in principio libri de anima . . . Grates
nunc omnes. In ista sequentia — Anon. in Greg.
sequentias. *Laud. Misc.* 352.

Sicut dicit Arist. in principio Metaphys. hominum genus
arte et rationibus—Th. Aqu. in i. et ii. libros
posteriorum analyt. (Q.E.).

Sicut dicit Arist. in iii.° de anima—Jo. Oxrach in posteriora
Arist. (Bale).

Sicut dicit Arist. ii. Ethicorum—J. de Eschenden, Sum.
judicialis pars ii. *Oriel Coll.* 23.

Sicut dicit Augustinus libello de—Rob. Walsingham in
Ecclesiasticum (Tanner).

Sicut dicit B. Ambrosius in prologo—Rob. Cowton in Sent.
prol. *Balliol* 199. *Merton* 117.

Sicut dicit B. Aug. . . . Quaero primo an theologia nostra—
Rob. Cowton Quaest. Sent. (Tanner).

Sicut dicit B. Joannes.—Jo. Peckham, Formula confessionum (R.S.).

Sicut dicit Cassiodorus in principio—Rad. Bocking O.P.
Vita Ric. Cicestr. (Bale).

Sicut dicit Damascenus impossibile—Alb. Mag. (?) Liber
de potentiis animae.

Sicut dicit Ecclesiasticus—Hen. Esseburn Com. in Parabolas Salomonis (Tanner).

Sicut dicit Hesicius historia—Anon. Gloss. in Levit. praef.
Can. Eccl. 186.

Sicut dicit Orosius ad B. August.—Chron. Monast. de Hales
ad 1314 (Hardy § 580).

Sicut dicit philosophus [in] tertio de anima . . . duplex
est operatio intellectus; una quae dicitur—Duns, Opus
ii. perihermenias, *sive* Quaest. octo.

Sicut dicit philosophus in tertio de anima duplex est
operatio intellectus—Th. Aqu. in librós perihermenias
(Q.E.).

Sicut dicit philosophus in pluribus locis omnis scientia
de genere bonorum est—Alb. Mag. (?) Secreta etc.
Digby 147. [*vide* Quia sicut].

Sicut dicit philosophus in politicis suis quando aliqua plura
ordinantur ad unum—Th. Aqu. in xii. libris Metaphys.
(Q.E.).

Sicut dicit philosophus in primo metaphys.—W. Burley
(Bale).

Sicut dicit philosophus in primo physicorum — P. de
Alvernia de coelo et mundo. *Balliol* 108.

Sicut dicit philosophus in principio metaphys. sapientia
est ordinare—Th. Aqu. in Arist. Ethic. (Q.E.).

Sicut dicit philosophus in principis (?)—Mich. Scot super
auctorem spherae (Tanner).

Sicut dicit philosophus primo, Innota est nobis via—P. de
Alvernia de juventute etc. *Balliol* 104.

Sicut dicit philosophus primo physicorum cap. primo—
  Pet. Thomas O.P. de ente. *Magd. Coll.* 80.

Sicut dicit philosophus primo politicorum omnia appetunt
  bona . . . Carmina qui quondam. Modus autem tract-
  andi in genere—Th. Aqu(?) in Boët. de Consolatione
  (Q.E.).

Sicut dicit Ptolomaeus—Jo. Eshenden (Bale).

Sicut dicit Themistius in opere — W. Burley de anima
  (Tanner).

Sicut docet philosophus in xi. de animal. in quolibet genere
  rerum necesse est prius considerare communia—Th.
  Aqu. in Arist. de anima i. (Q.E.).

Sicut docet philosophus in politicis ejus quando alia plura
  ordinantur ad unum—Pet. de Alvernia (?) in Metaphysica (?). *Bodl.* 355.

Sicut docet Tullius duo sunt—Nic. Trivet in Senecam
  (Tanner).

Sicut dux sui exercitus sic — Simon Bredon Logica
  (Tanner).

Sicut ego depraedatus sum infernum—De secretis B. Francisco revelatis (B.H.L.).

Sicut est unus verus ac summus Dominus—Wyclif, de
  contrarietate duorum dominorum, etc.

Sicut ex duobus spiritu et corpore—Utred Bolton de regali
  et sacerdot. officio (Tanner).

Sicut existentiae plurimorum in—T. Maldon Bibliorum
  introitus (Tanner).

Sicut fluvius de loco voluptatis—Jo. Scotus (?) Comment.
  in S. Matth. Evang. *Laud. Misc.* 434.

Sicut fructus est ultimum—Aegid. de Col. de principiis
  naturae. *Digby* 172. [W. Burley, (Tanner) *Balliol*
  93].

Sicut hominum naturam quibus ratio data est—Girald.
  Cambr. Spec. Ecclesiae (Bale).

Sicut in die honeste ambulemus—Jo. Wylton Sermones
  (Bale).

Sicut in dictis Pythagoras—R. Lavenham in Ethic. Arist.
  (Tanner).

Sicut in germinibus herbarum . . . . Fuit in episopatu
  Cameracensi—Goswin de Bossuto Vita Arnulfi Villar.
  (B.H.L.).

Sicut innuit philosophus in iii.° Physic. volentem—P. de
  Alvernia de motibus animalium. *Ralliol* 104.

Sicut in omni artium professione—Jo. de Hayda Epistolae
  (Tanner).

Sicut in principio priorum — Alb. Mag. in lib. Arist. posteriorum Analyticorum.

Sicut in rebus naturalibus nihil est perfectum—Th. Aqu. in lib. Meteor. i. (Q.E.).

Sicut in rebus quae naturaliter generantur—Th. Aqu. in Job (Q.E.).

Sicut in rebus universalibus nihil est perfectum—Anon. in Arist. Meteor. lib. *Can. Misc.* 175.

Sicut intemerata mater ecclesiae—T. Walden Determ. (Tanner).

Sicut Jesus Christus in hac vita mortali perfectissime simul rex—W. de Remington, Conclusiones etc. *Bodl.* 158.

Sicut legimus de B. Joh. Bapt. et S. Nicolao—Epit. Vitae Birgittae (B.H.L.).

Sicut multi probatissimi viri—Fr. de Mayronis Quaestiones (Tanner).

Sicut nexus amoris quandoque—R. Lavenham de insolubilibus (Tanner).

Sicut omnes homines — Th. Aqu. de unitate intellectus contra Averroistas (Q.E.).

Sicut omnium liberalium artium disciplina—Jo. de Deo, Casus super Decretalibus, praef. *Nov. Coll.* 191.

Sicut philosophus dicit in i.° Phys. Tunc opinamur cognoscere—Th. Aqu., de coelo et mundo (Q.E.) [complet. a Petro de Alvernia (?) (*ibid*)].

Sicut philosophus dicit in iii.° de anima sicut separabiles sunt res a materia—Th. Aqu. in Arist. de sensu et sensato (Q.E.).

Sicut philosophus dicit in vii.° de hist. animal. natura ex inanimatis—Th. Aqu. de memoria etc. (Q.E.).

Sicut philosophus dicit in x.° Ethic. Ultima felicitas—Th. Aqu. de causis (Q.E.).

Sicut philosophus docet in ii.° Phys. Ars imitatur naturam —Th. Aqu. in octo lib. Polit. (Q.E.).

Sicut prophetae post legem — Gilbert de Hoyland(?) in Epist. Pauli (Tanner).

Sicut scribit philosophus in principio—Bart. Culeius de generatione etc. (Tanner).

Sicut scribitur in primo posteriorum—Rob. Kilwardby super Priscian. (Tanner).

Sicut sol oriens etc. Consideranti mihi excellentiam— Bon., Sermo.

Sicut sol oriens mundo . . . Sacramentum gloriosae Virg. Mat. Dei—Bern. Sen. Sermo.

Sicut sol oriens etc. Tanta est excellentia Virginis gloriosae
—Bon., Sermo.

Sicut testante apost. ad Rom. x. Oris confessio—T.
Winterton contra Wyclif (Tanner).

Sicut tradit philosophus in iii.° de anima scientiae secantur
quemadmodum — Th. Aqu. de generatione et
corruptione (Q.E.).

Sicut vult philosophus—Th. Aqu. (?) de tempore (Q.E.).

Sicut vult philosophus in principio lib. perihermenias—
Rod. Strode, Logic. ii. *Can. Misc.* 219.

Si diligenter voluerimus [volumus]—Rob. Grostete *seu*
Th. Wallensis *seu* Pet. Lemov. (?) de Oculo morali,
prol. *Oriel Coll.* 20, etc. (Bale).

Si diligitis me mandata . . . . Cogitanti mihi sedenti
solitario—Anon. Summa clericorum de vitiis, confessione, etc. *Bodl.* 801.

Si ego judico . . . Ardua quidem forte aliquibus—Bern.
Sen., Sermo.

Si episcopus in confirmatione—Wyclif de religione per-
fectorum.

Si filii Abrahae estis . . . Adhibete huc aures—Bern.
Sen., Sermo.

Signa legem in discipulis—T. Walleys in Exodum
(Tanner).

Significatio est ens—Ray. Lull. de significatione.

Signorum tria sunt genera—Galf. Hardeby, Sermo Oxon.
Digby 161.

Signum est in praedicamento relationis—Rog. Bacon, de
signis logicalibus (Grey Friars).

Signum magnum apparuit . . . Pilingottus igitur—Vita
Pilingotti tertii ord. S. Fr. (B.H.L.).

Signum magnum apparuit etc. Si coelum sumatur pro
ecclesia triumphante—Bon., Sermo.

Si gradum solis in singulis diebus anni per astrolabium—
Rob. Cestrensis, de Astrolabio, 35 capp. *Can. Misc.*
61.

Si homo est finis universalis—Rob. [Kilwardby] super
Porphyrii Isagogen. *Can. Misc.* 403.

Si ignoras te, O pulcherrima mulierum—Jo. de Rupella
O.M. de anima, praef. *Can. Misc.* 338, 402.

Si injecit manus violentas in romipetas—Anon. frater
Minor, Examinatorium peccatorum. *Can. Misc.* 264.

Si loqui proprie forte desideres—W. de Clerewell Verba
composita versibus exhibita. *Laud Misc.* 30.

Si majorum nostrorum qui post nostrum inclitum ducem
. . . Vincentius a vincendo—Pet. Ranzanus O.P. Vita
Vinc. Ferrerii O.P. (B.H.L.).

Si mihi non creditis . . . In hoc serm. intendo tract. de
amore . . . honestans—Bern. Sen., Sermo.

Si mihi non vultis credere . . . Mirabilia sunt opera—
Bern. Sen. Sermo.

Simile est regnum coelorum decem virginibus . . . Hoc
Evangel. docet statum — Wyclif Sermones super
Evangelia de Sanctis.

Simile est regnum coelorum homini qui seminavit—Bon.,
Sermo. *Can. Misc.* 284.

Simile factum est regnum coelorum . . . Tria notantur in
ista parabola—Bern. Sen. Sermones de Tempore.

Similem fecit Dominus—Albert. Hist. transl. S. Edm.
Cant. (Hardy).

Simili poena afflictus est—Jo. Wylton Sermones (Bale).

Similis factus est leoni in—Jo. Goldeston Sermones de
sanctis (Tanner).

Similis factus est leoni. In primis sciendum est quod sicut
—Jo. de Hisdinio in Marci Evang. *Balliol* 181.

Similitudo vultus animalium etc. Ostendit propheta in
hoc libro—Anon. in Matth. Evang. prooem. *Nov.
Coll.* 48.

Si monachus sine abbatis licentia—Jo. Baconthorpe (?),
Tab. Comp. legis Christi. (Bale).

Simonia dicitur haeresis non quod ipse actus—Jo. Burcardi
O.P. Summa de poenitentia. *Can. Misc.* 83.

Simonia est studiosa cupiditas—Raym. de Pennaforti
Summa de poenitentia et matrimonio. *Bodl.* 36.

Simon pater inclytus et nostrae—Rob. Bale, Officium
Simonis Stock (Tanner).

Simplices colorum sunt—Arist. de coloribus (Jourdain).

Simpliciores et minus expertos confessores—Anon. Tract.
de instructione confessorum. *Laud Misc.* 278.

Simplicissimo animo—*ps.* Bon., de remedio defectuum
religiosorum.

Simul in unum dives et pauper—Hen. Parker(?) de paupertate Christi (Tanner).

Sincerum mihi dede merum si vis—Th. Wycke Carmen
(Bale).

Singulare dupliciter accipitur—Jo. Beston super universalia Holcothi (Tanner).

Sint lumbi vestri praecincti. Luc. xii. Officium nostrum—
Grostete Sermo (Tanner).

Si papa vel ejus vicario citante—Wyclif, de citat. friv. et
aliis versutiis Antichristi.

Si peccator est . . . Verba sunt caeci illuminati—Bern
Sen. Sermo.

Si peccaverit in te frater . . . Si enim vim hujus—Bern.
Sen. Sermo.

Si peccaverit in te frater . . . . Utile est servare hoc
praeceptum—Bern. Sen. Sermo.

Si plene vis assequi quod intendis, duo—S. Bernardi
[*sive* Bonav. (?)] Epist. *Can. Misc.* 540.

Si quis aufert aliqua ab alio—Antonin. Florent. de restitu-
tione. *Can. Misc.* 6.

Si quis haberet plura jumenta et debilioris—Coelest. V. de
exemplis (La Bigne).

Si quis ignorat ignorabitur . . . Dignus es, Domine . . .
Hic est liber scriptus intus—Pet. Quesnel, Direct.
Juris, etc. *Can. Misc.* 463. *Merton* 223.

Si quis inter vos emendatioris vitae—Anon. de modo medi-
tandi, etc. *Magd. Coll.* 109.

Si quis me temeritatis et insolentiae—Jo. Fordensis, in
Cantica Cant. (Tanner).

Si quis potest habere columbaria—Antonin. Florent. *Can.
Eccl.* 128.

Si quis princeps invitasset aliquem pauperem—Anon.
Exempla quaedam notabilia. *Can. Eccl.* 45.

Si quis sermonem meum . . . Dulce verbum—Bern. Sen.,
Sermo.

Si quis sitit . . . Carissimi, sicut scitis nos habemus—
Bern. Sen., Sermo.

Si quis sitit . . . Constat nempe esse duplicem—Bern. Sen.,
Sermo.

Si quis sitit . . . Larga est misericordia Dei—Bern. Sen.,
Sermo.

Si separaveris preciosum . . . Ideo Filius Dei se ipsum—
Anon. Ord. Min. [*sive* Gul. Peraldi O.P.] de virtutibus
Can. Misc. 519. *Oriel Coll.* 67.

Sit aliqua conclusio theologica—Walt. Brinkley, super
Sent. (Grey Friars).

Si tantum nobis ingenii esset ut quod in praesentia aggre-
dimur—Map. Vegius, de educatione liberorum (La
Bigne).

Si qui voluerint . . . . In hac regula quaedam sunt
praecepta—Alex. Hales de regula S. Franc. *Can.
Misc.* 525.

Si reges et principes ecclesiarum—Gul. Occham, de imperatorum et pontificum potestate. (Grey Friars).

Si te ignoras O pulcherrima . . . Tibi anima rationalis praeponitur—[J. de Rupellis] de anima. *Exon. Coll.* 9.

Si temporis moderni superstites . . . . Contra otiosum— Aegid. Beneventanus, Hortus Copiosus. *Balliol* 281.

Si velis Amphibali—Jo. Wheathamstede, Hist. Amphibali (Bale).

Si vis ad vitam etc. Carissimi ad omne opus bonum—Anon. Explicatio decalogi. *Univ. Coll.* 36.

Si vis ad vitam ingredi . . . Math. xix. Carissimi fratres et sorores—Th. Docking Expos. x praecept. (Tanner).

Si vis ad vitam . . . Quod sine observantia—Grostete de x praeceptis (Tanner).

Si vis ad vitam ingredi . . . Verba ista scripta sunt in Math.—Bon., Collationes (?) de x praeceptis.

Si vis facere aquam vitae—Ray. Lull. (?) lapide et oleo philosophorum.

Si vis figere virtutes cujuslibet syrupi—Ray. Lull. (?) Enumeratio specierum cum quibus potest jungi nostrum coelum.

Si vis pontifices Romanae discere sedis—Nic. Montacutius (Tanner).

Si volumus in lege Domini meditari—Grostete(?) de oculo morali, prol. (Tanner) cf. *Linc. Coll.* 90 [*vide* Si diligenter].

Sobrie et juste . . . . Christiana vita de qua—Bern. Sen. Advent. de Christ. vita prooem.

Sobrie et juste . . . . In superioribus jam—Bern. Sen. Advent. de Christ. vita Sermo ii.

Sobrie et juste . . . Ultimo post jam dicta—Bern. Sen. Advent. de Christ. vita Sermo iii.

Socrates est albior quam Plato—Galf. Kilminton Sophismata (Bale : *cf. ibid.* 340).

Solebant antiquitus nobilium victoriae . . . Princeps igitur admirandus Joh. de Monte Mirabili—Vita Joh. de M.M. (B.H.L.).

Solent ante praeambula indagare sapientes—Gul. Occham Summulae in libros Physic. (Grey Friars).

Solent doctores communiter investigare—Fr. de Mayronis de formalitatibus (Tanner).

Solent impositores inter preciosa—Petrus archidiac. Lond. *sive* Canon. S. Trin. (?) Pantheologus, prol. in partes ii. et iii. *Merton* 192. (Tanner : Bale).

Solent qui in librorum interpretatione—Jo. Phreas [Free]
Epist. Tiptofto (Tanner).

Solet aloquotiens in scripturis—Anon. de figurativis
locutionibus. *Magd. Coll.* 56.

Solet aetas juvenilis ardentissimo studio—Anon. super
Cantica Cant. *Exon. Coll.* 13.

Solet divina bonitas—Jordan. de Saxonia Translatio S.
Dominici 1233 (B.H.L.).

Solis spirat odor menti—Hugo de Matiscone, de gestis
militum (Bale).

Sollicitare me soles precibus Lazare fili—Sicco Polentonus
Prol. in vitas Anton. Peregr. et Helenae O.S. Clarae
(B.H.L.).

Sol lucet in sua virtute—Gal. Alienantius in Sent.
(Tanner).

Sol oriens mundo in altissimis Dei—Joh. XXII. Bulla
Canoniz. Lud. ep. Tolosani (B.H.L.).

Solum hominem nexum fore Dei et mundi—Th. Aqu. (?)
in Boët. de scholarium disciplina (Q.E.).

Solummodo hoc inveni . . . Sollicite consideranti praesentis libris—Bon., Prol. in secundum lib. Sent.

Solus aliquotiens sedens et cogitans—Sim. de Gandavo, de
statu praelati. *Laud. Misc.* 402.

Solus eram in quodam viridario sub umbra—Ray. Lull.
Arbor philos. prol. *Bodl.* 465. [=Ars philosoph.
(Wadding)].

Solus in illicitis non—Gul. Southampton in Moralia Greg.
(Tanner).

Solutum est vinculum linguae—R. Lavenham Sermones
(Tanner).

Solvere non est ignorantis vinculum—Anon. de insolubilibus. *Can. Misc.* 219.

Solvere vinculum ignoranti non est—Henr. (Harklaei ?)
Angl., Insolubilia. *Can. Misc.* 219.

Somnus ergo et vigilia describuntur multis modis—Rog.
Bacon (?) de somno et vigilia (Grey Friars).

Somnus et vigilia [*des.* de hac materia]—Alb. Mag. in
iii. lib. Arist. de somno et vigilia.

Somnus et vigilia non sunt passiones—Sim. de Feversham.
Merton 292.

Sophiae de Veltpach filius—Miracula S. Eliz. Thuring.
(B.H.L.).

Sophisma est oratio deceptiva—Jo. Thorpe (Tanner).

Sophisma ex Dei gratia et hujus—Th. Moston, Sophismata
etc. *Magd. Coll.* 92.

Sophonias interpretatur specula—Steph. Langton in
Sophoniam (Bale).

Sortes [Socrates] est albior quam Plato—Ric. Billingham
Abbrev. G. Kylmynton (Tanner).

Sortilegium divinatio maleficium augurium—Coelestinus
V. de x praeceptis (La Bigne).

Species multiplicata ad medium—Jo. Baconthorpe de
multiplicatione specierum (Tanner).

Specie tua et pulchritudine tua—S. Antoninus Vita Vinc.
Ferrerii O.P., prol. (B.H.L.).

Speculum disciplinae ad honesta tendentes . . . Pars. i.,
cap. i. Deponendus est.—Bon. (?) Spec. discipl. ad
novitios.

Sphaera sic diffinitur—Joh. a Sacro Busco, Tract. de
Sphaera.

Spirat odore nimis flos hac in humo tumulatus—Walt. de
Muda Carmen de Thorphino ep. Hamarensis (B.H.L.).

Spiritu magno vidit—Gul. Almoinus, in Apocal. (Wadding).
sive Vitalis e Furno (Wadding).

Spiritu magno vidit . . . Dicuntur haec ad laudem Isaiae
—Guaricius, O.P. in Isaiam. *Nov. Coll.* 40.

Spiritu magno vidit ultima—Anon. Angl. Sermones in
Apocal. (Bale).

Spiritum rectum innova etc. Homo in gratia existens
rectum est—Anon. Sermones. *Laud Misc.* 187.

Spiritus domini super me eo quod unxerit . . . consider-
antibus nobis aliquod verbum quod nos—Bon., Comment. in Lucam prooem.

Spiritus ejus ornavit coelos—Th. Aqu. in secundum Sent.
(Q.E.).

Spiritus est quoddam corpus subtile—Anon. Comment. in
tract. de differentia spiritus et animae. *Digby* 17.

Spiritus sanctus dabat—Jo. Cunningham de Spiritu Sancto
(Tanner).

Spiritus sanctus descendit super Christum—Grostete Sermo
(Tanner).

Spiritus sanctus per os Salomonis—Grostete, Liber
dictorum theologicorum in capitula 161 distributus.
Magd. Coll. 202: *Bodl.* 830: *Laud. Misc.* 374.
(Tanner) [*cf.* Browne, Fasc. Rerum Expet.].

Spiritus sanctus uterum Virginis fecundavit—S. Hildegardis in Pentachronon. *Digby* 98.

Splendor—Alex. Neckham de muliere forti (Bale).

Splendor gloriae Dei patris . . . B. pater Jacobus—Vita
Jac. Salom. de Venet. (B.H.L.).

Splendor gloriae Dei . . . . Fuit igitur vir iste sc. c. A.D. 1253—Vita Ivonis Trecorensis (B.H.L.).

Splendoris aeterni genitor . . . Hedwigis jam in coelis beata—Vita Hedwigis ducissae Silesiae (B.H.L.).

Spoletanae vallis urbe Assisio b. Franciscus exstitit oriundus. Qui dum discretionis—Epit. vitae S. Fr. (B.H.L.).

Sponsam Christi ss. ecclesiam—Jo. Stratford Constit. 1342 (Tanner: Wilkins, Concilia).

Stabat Joannes et ex discipulis—Wyclif Commentarii vulgares.

Stabat quidam homo in terra extranea—Ray. Lull. Liber felix *seu* de mirabilibus mundi.

Stans puer ad mensam—Grostete (?) de civilitate morum (Tanner).

Stans super illam . . . Ex quo sacro eloquio elicitur quinta flamma—Bern. Sen., Sermo.

Stans super illam . . . Saepe enim ex una gratia—Bern. Sen., Sermo.

Stans super illam . . . Satis, abundeque ex praec.—Bern. Sen., Sermo.

State ergo succincti lumbos . . . . Evenit quidem de veritate—Bern. Sen., Sermo.

Statuit septem pyramides . . . Accedens—Jo. Russell, super Apocalypsim. (Grey Friars).

Stellae dederunt lumen—Jo. Langden Sermo (Tanner).

Stellae manentes in ordine . . . Verba haec exponi possunt de angelis—Anon. Sermones. *Laud. Misc.* 453.

Stellae mundum ordinant. Corporibus rotundis—Anon. in Arist. Meteorol. *Nov. Coll.* 285.

Stetit solum [sol?] in medio agri. [coeli?] Carissimi ista verba scripta sunt in Josue in quibus—Anon. Sermo de S. Francisco. *M.S. Dunelm.*

Studia theologorum januam scientiae—Ray. Lull. Disputatio fidei et intellectus.

Studiosissime saepiusque rogatus—Gul. Occham, Summulae in libros Physic. [De introitu Scientiarum] (Grey Friars).

Studiosissime saepiusque rogatus—Grostete (?) Difficilia naturalis scientiae (Tanner).

Stupenda super munera largitatis—Gul. Occham, de Sacram. altaris (41 cap.) (Grey Friars).

Stupor et mirabilia audita sunt—R. Lavenham in revelat. Brigidae (Tanner).

Sub anno Dñi 1244 erat tunc temporis quidam—Vita
Phil. Benitii (B.H.L.).

Subjectum libri politicorum est—W. Burley (Tanner).
Nov. Coll. 242.

Subnectivam tabulam fragilitatis humanae—Anon. de
peccatis sive "Septuplum," prooem. *Univ. Coll.* 71.

Successiones Anglorum pontificum et gesta—Barth. Cotton
Hist. lib. iii. (Hardy).

Sufficit tibi gratia mea . . . Exiit qui . . . Sicut exponit
Salvator semen est—Evrardi de Valle Scolarium Sermo
(Not. et extr. 32).

Sum creatus et esse est mihi datum—Ray. Lull. Cantus.

Sumens reliquias dedit eis—Ant. Andreas in Gilb. Porret.
Lib. sex princip. (Wadding).

Sume tibi librum—Alb. Mag. in Matthaeum.

Sume tibi librum grandem—Gul. Woodford in Matth.
(Wadding : Bale).

Summa cognitionis naturae et scientiae—Arist. de coelo et
mundo, tr. Arab.-Lat. (Jourdain).

Summa cognitionis etc. Aristoteles probat hic tres
quaestiones—Th. Bungay, de coelo et mundo. (Grey
Friars).

Summa cognitionis naturae et scientiae—R. de Stanington (?) de coelo et mundo. *Digby* 204.

Summa cognitionis naturae—R. Lavenham de coelo et
mundo (Tanner).

Summa dei providentia—Henr. de Blaneforde Chron.
1323–1326 (Hardy § 647).

Summa divinae in credendis—Anon. Gloss. in i. Sent.
Balliol 210.

Summa hujus operis est breviter his tangere quae alibi—
Anon. Quaest. in Physica. *Nov. Coll.* 285.

Summa id est complementum—Hen. Renham de coelo et
mundo (Tanner).

Summa Justitiae Christi fidelium est declinare a malo—
Jo. Wallensis, Summa Justitiae, sive Tract. de Septem
Vitiis [ex Gul. Alverno], prol. (Grey Friars).

Summa regiminis senum—Rog. Bacon, de universali
regimine senum etc. (Grey Friars).

Summarium ex liberculo fr. Thomae . . . A.D. 1223—Th.
de Hispello Vita Andr. Hispell. O.M. (B.H.L.).

Summe Deus pastor potens—Jo. Hoveden Cantica quin-
quaginta (Tanner).

Summe Deus qui es verus Deus—Ray. Lull. Lib.
contemplationis quae sit in Deo.

Summi legislatoris—Bon., Apologia pauperum.

Summum opificem alpha et omega—Nic. Upton ad ducem Glocest. de vera nobilitate (Bale).

Sunt aliqua necessaria inter virtutes et mores—Anon. Vita religiosa. *Rawl. C.* 72.

Sunt duo cognati—Jo. Gower de avaritia etc. (Tanner).

Sunt plures [multi] nimis errantes—*ps.* Ray. Lull. Ars intellectiva.

Sunt quaedam vetustatis indicia chronico more—[*ps.* Ris-hanger] Liber Chron. S. Albani 1259–1296 (Hardy: Bale).

Sunt quaedam vitia [*des.* in custodia oculorum suorum]—Alb. Mag. Paradisus animae seu de virtutibus.

Sunt sacerdotes qui certis rationibus—Wyclif de ecclesia Catholica.

Superaedificati estis supra fundamentum Apostol.—Jo. Lathbury, super Acta Apostolorum. (Grey Friars).

Super Babylonis flumina—Gul. Ivy Lecturae Oxon. (Tanner).

Superbia est elatio mentis—Grostete Summa vitiorum (Tanner).

Superbia prout clerici dicunt—Henr. de Balnea, Spec. Spiritualium (Tanner).

Superbia quae est animi tumor ex proprio honore alios—Coelestin. V. de peccatis (La Bigne).

Super cathedram Moysi . . . Antiquitus in exercitubus—Bern. Sen., Sermo.

Super cathedram Moysi . . . Ubi enim gravius periculum—Bern. Sen., Sermo.

Superest investigare de distinctione et convenientia personarum—Wyclif de Ente, *sive* Summa Intellectualium Lib. ii. De Personarum Distinctione sive de Trinitate.

Superest jam scrutari de fato—Jo. Stanbery de fato et fortuito (Tanner).

Super flumina Babylonis aliquantulum—Gul. Ivy Lectio Oxon. contra mendicit. Christi (Tanner).

Superfluo detinentur labore si—Alex. Neckam super Ecclesiasten (Bale).

Superiori quidem tractatu quem gratia Salvatoris congruo—T. de Celano Vita S. Francisci I., ii. prol.

Superius digestum est de floribus—Rog. Wendover Chron. a Christo nato ad 1235 (Tanner).

Superius quidem dictum est quid—Rog. Bacon, de occultis operibus naturae (Wadding).

Super librum de quinta essentia—*ps.* Ray. Lull. de quaestionibus mortis.

Super montem excelsum ascende tu—Th. Aqu. (?) Catena aurea evangel. (Q.E.).

Super primum versiculum—Ric. de Hampole super Cantica Cant. *Balliol* 224 A.

Super statu Eborac. ecclesiae.—T. Stubbs de archiep. Ebor. ad 1373 (Tanner).

Super tribus et super quatuor sceleribus—Jo. Peckham, contra Rob. Kilwardby. (Grey Friars : cf. A.L.K.G. III., 515).

Super tribus sceleribus—Ubert. de Casale. (*v.* Knoth, Ubert. von Casale).

Super tribus sceleribus et super quarto—Simon Stock (Bale).

Supplicant reverendissimo in—T. Walden Gravamina fratrum contra Oxonienses (Tanner).

Supponitur quod rubrica non fuerit bene formata— Dominici de S. Geminiano in Sextum Decret. praef. *Nov. Coll.* 201.

Suppono primo cum doctoribus sanctis quod in Christo sint—Adam Eston, de communicat. ydiomatum (Bale). *cf. Oriel Coll.* 15.

Suppositis dictis de fide [Catholica] tam in symbolo apost. —Wyclif de Fide Catholica.

Suppositis significatis terminorum — W. Burley de puritate logicae (Tanner).

Suppositio est statio termini—R. Lavenham (Tanner).

Suppositio simplex dividitur quinque modis—Rob. Alington suppositiones (Bale).

Suppositiva ad sensum dicta sunt—Jo. Hynton Fallaciae (Tanner).

Supposito ex superius declaratis et declarandis in posterum —Wyclif de Ente particulari.

Supposito secundum fidem catholicam—Th. Aqu. de aeternitate mundi contra murmurantes (Q.E.).

Supposito secundum dom. Armach viii. de pauperie—Jo. Whytheed, contra P. Russel. *Digby* 98.

Suprema Dei sapientia—Hugo Legat in Boët. de consolatione (Bale).

Suprema militantis ecclesiae—W. Hunt de pontificis summi jurisdictione etc. (Tanner).

Surdos fecit audire . . . In verbis istis duo sunt notabilia —Barth. Turon. O.P. Sermo (Not. et extr. 32).

Surge Domine in requiem tuam . . . Sublimis ista dies—
Bern. Sen., Sermo.

Surge et ambula . . . Primum quidem peccatum—Anon.
Anglus de septem peccatis etc. *Balliol* 220.

Surge et transi Jordanem—T. Walleys in Josue (Tanner).

Surgens Jesus de synagoga . . . Satis diximus de bello—
Bern. Sen., Sermo.

Surge piger quare dormis—Jac. Nic. de Dacia, Poema in
hon. Adomari de Valentia com. de Pembr. (Hardy
589).

Surge piger quare dormis—Hugo Sotovagina Distinct.
metrorum (Tanner).

Surge, tolle grabatum tuum . . . Foetor horridus—Bern.
Sen., Sermo.

Surge, tolle grabatum tuum . . . Spiritus Sancti quidem
—Bern. Sen., Sermo.

Surrexit Elias propheta quasi ignis. Eccl. xlviii. In verbis
istis commendatur B. Franciscus—Anon. Sermo.
Can. Misc. 107.

Surrexit, non est hic . . . Ad optatum, et desiderabilem—
Bern. Sen., Sermo.

Surrexit rex in occursum etc. Quam multiplici figura
Salomon—Bon., Sermo.

Suscepimus Deus, misericordiam tuam . . . Eloqiuum
misericordiae est dulce—Bern. Sen., Sermo.

Suscepimus Deus, misericordiam tuam . . . Jucunditatem
hujus diei—Bern. Sen., Sermo.

Suscepti. Hoc decretum potest intitulari—W. de Monte
Lauduno super extrav. Joh. XXII. *Exon. Coll.* 17.

Suscitavit Deus judices—N. de Lyra, Lib. Judicum. *Bodl.*
251.

Suspiciens Jesus in coelum . . . Creator summus—Bern.
Sen., Sermo.

Suspirantis animae deliciis—Ric. de Hampole super
Cantica (Tanner).

Symbolica Christi ecclesia una—W. Hunt de ecclesiae
auctoritate (Tanner).

Sympresbytero Timotheo — Alb. Mag. in lib. de eccl.
hierachia Dion. Areop.

T

Tabernaculum Magni [Moysi?] coopertum erat quinque
cortinis—Anon. Postill. super Vet. Test. praef. in
Genesim. *Can. Eccl.* 186.

Tabernaculum Moysi coopertum—Steph. Langton in
Genesim (Tanner). *Linc. Coll.* 15.

Tabernaculum primum factum est—Steph. Langton in
Genesim (Tanner).

Tacto de superficialiter de prima parte—Wyclif de Officio
Pastorali, pars ii.

Taedia nulla chori—Alex. Neckam Exhort. ad religiosos
(Bale).

Tam altum et excellens est supremum bonum—Ray. Lull.
Ars. contemplationis.

Tandem quae sunt fratri—Jo. Peckham de confessione
facta fratribus (Wadding).

Tanta pollet excellentia—Nic. de Hanapis O.P. [*ps.* Bon.]
Biblia pauperum. cf. *Merton* 68.

Taurus cornutus ex primo—Jo. Bridlington Vaticinalia
(Tanner).

Te autem faciente eleemosynam . . Positis praecedentibus duobus—Bern. Sen., Sermo.

Temperierum autem quaedam sibi invicem—Jo. Eshenden
de prognost. aeris (Bale).

Templum Dei [Domini] sanctum, etc. Sermo iste quamvis
omnes—Rob. Grostete de templo Dei *sive* de sacerdotibus. *Bodl.* 36. *Laud. Misc.* 112 (§ 13), 368, 374.
(Bale).

Tempora divideret cum conditor urbis in anno—Alex. de
Villa Dei, Massa Compoti. *Douce* 257.

Tempora terna forem—Alex. de Villa Dei, Grammatica.
Can. Lat. 129.

Tempore dante Deo mea scribere curat arundo—[Alex. de
Villa Dei?] Massa Compoti. *Can. Misc.* 71.

Tempore hujus papae contigerunt in Hibernia—De Alice
Kyteler 1324 (Hardy 640).

Tempore quo gens Northumbrorum—Anon. de archiepis-
copis Eborac. (Bale).

Tempore quo humanae salutis—Th. Rudborne de rebus
Winton. ad Hen. VI. (Tanner).

Tempore serenissimi Roberti Angl. regis—Ray. Lull. (?)
Lumen claritatis et Flos florum.

Temporibus Dñi papae Innocentii et dñi Fred. regis—
Albert. Vita Beatricis Atestinae (B.H.L.).

Temporibus felicis memoriae Dom. Gregorii Papae IX.—
Nic. de Curbio O.M. Vita Innoc. IV. (Baluz. Misc. I.).

Temporibus istis novissimis in quibus tenebrae vitiorum
erant—Vita Elzearii de Sabrano (B.H.L.).

Temporibus Joachim etc. Hic est—Gul. Lissey in
Michaeam (Wadding: Bale).

Temporibus nostris in quos fines saeculorum devenerunt
stellam—Vita Ivonis Trecorensis (B.H.L.).

Temporibus nostris in quos saeculorum fines devenerunt
floruit—Jo. Gielemans, Vita Marg. de Gerines
(B.H.L.).

Temporibus piissimi imp. Justiniani — Grostete de
virginitate ariae (Tanner).

Temporibus primitivis tantus fuit fervor in ordine—
Gerard. de Fracheto, Vitas fratrum, pars iv. (M.O.P.).

Temporum summam lineamque—Mat. Paris, Hist. Major
(Hardy).

Temporum summam lineamque—Mat. Westmon. (ib.
§ 557).

Temporum summam lineamque—Roger Wendover Flores
Hist. (ed. Coxe).

Tempus et ordo postulant — Alb. Mag. de motibus
animalium.

Tempus et responsionem cor—T. Walden Responsio ad P.
de Candia (Tanner).

Tempus faciendi Domine dissipaverunt etc . . . . Quia
dissipaverunt haeretici—Moneta Cremonensis, Summa
contra Catharos etc. (Q.E.).

Tempus plangendi et tempus saltandi. In verbo isto
ostenditur . . . Cap. 1. Modus autem procedendi et
divisio huius opus patet sic—*ps.* Bon. [Jo. Peckham?]
Postilla in Lament. Jeremiae (cf. Wadding).

Tempus tacendi . . . . Circa taciturnitatem—Bern. Sen.,
Sermo.

Terminato prooemio—Th. Docking, Lecturae Bibliorum
(Wadding).

Terminato prooemio incipit tract. evangelii sec. Lucam,
circa quem duo—Anon. [Th. Docking?] in Luc.
Balliol 80.

Terminorum [termini] aliqui sunt simplices—Rob.
Alyngton, Sophistica principia (Tanner). *cf. Nov.
Coll.* 289.

Terminus est in quem resolvitur—Ric. Billingham
Speculum puerile (Tanner).

Terminus est signum orationis—Paul. Venet. Logica
  Parva—*Can. Misc.* 527.
Ter oravit Christus propter praeterita—Jo. Goldeston
  Divisiones sermonum (Tanner).
Terrae sulcos dum rimans—Nic. Kenton Hist. Elisaei
  proph. (Tanner).
Terra nostra dabit etc. Terra saepe venientem.—Anon.
  Sermones. *Merton* 237.
Terra sancta promissionis Deo—Jac. de Vitriaco Hist.
  Hierosol. abbrev. cap. 1. *Magd. Coll.* 43.
Terribilis est locus . . . Nota quod ecclesia consecratur—
  Anon. Sermones. *Can. Misc.* 107.
Terribiliter magnificatus etc. In primo libro Deus
  terribiliter—R. Fishacre (?) in ii. Sent. *Nov. Coll.*
  112.
Tertia vero pars scripturae disputativa—Anon. in Job,
  Prol. *Magd. Coll.* 117.
Tertio sequitur de disjunctivis—Wyclif de disjunctivis
  [Tract. iii. de Logica].
Tertium Calcedonius sicut . . . . Ozias rex etc. Iste rex
  voluit—Simon Henton in Amos (Tanner).
Tertium nidum supremum—Wyclif contra Kilingham
  Carmelitam determinationes.
Ter trinis annis eclipsis fabarum—Gul. Whetley de signis
  sterilitatis (Tanner).
Te salvum fecit. Ad tui ab inferno liberationem—Sim.
  Alcock de materia sermonis dilatandi. *Linc. Coll.* 101.
Testamentum hunc pollutum—Barth. Brix. Hist. Decre-
  torum. *Oriel Coll.* 29.
Testante Lincolniensi in primo Poster.—Rob. Carew
  (Tanner).
Testatur Graecorum ille eloquentissimus—Jo. Capgrave de
  sequacibus D. Augustini (Tanner).
Testes recepti super vita conversatione et transitu—Dicta
  testium in inquisitione de vita S. Dominici (B.H.L.).
Tetra peccatorum rubigine—Jo. Achedon, Apparatus
  Septupli (Tanner).
Textum libri quem prae manibus—Jo. Stanbery in Sent.
  (Tanner).
Theodosius de vita Alexandri—Rob. Holcote Moralizationes
  (Tanner). *Magd. Coll.* 68.
Theologia est scientia de Deo loquens—Ray. Lull. de
  principiis theologiae.
Theologicae veritatis sublimitas—*ps.* Bon. [forsitan Pet.
  Thomas O.M.] Comp. Theologiae.

Theologorum studia januam—Ray. Lull. Liber disputationis
intellectus et fidei. 1303. *Merton* 89.

Theorica omnium planetarum—Ger. Cremon. *sive* Rob.
Grostete. *Laud. Misc.* 644.

Thessalonicenses sunt Macedones—Th. Docking (Wadding:
Bale).

Thesaurizate vobis thesauros . . . Magna atque desidera-
bilia—Bern. Sen., Sermo.

Thesaurizate vobis thesauros . . . Volentes itaque, Deo
fav.—Bern. Sen., Sermo.

Thesaurus desiderabilis sapientiae—Ric. Buriensis Philo-
biblon. cap. i.

Tibi anima rationalis praeponitur verbum istud—[J. de
Rupellis] de anima. *Exon. Coll.* 9.

Tibi dabo claves regni . . . Hodie carissimi beatus Petrus
divina auctoritate curam—Frater W. Cornub. Sermo.
Laud. Misc. 171.

Tibi Stephane depromo—Mich. Scot in Arist. Meteora
(Tanner).

Timet diabolus cum videt montem—Steph. Langton in
libros Regum (Tanner).

Timor Domini est ostiarum—De timore et amore Dei
secundum J. Lathbury, Petrum Thomam etc. *Magd.
Coll.* 93.

Timor est apprehensio—Grostete (?) Sermo. *Exon. Coll.*
21.

Timotheum instruit et docet—Th. Docking (Wadding:
Bale).

Tinctura ignis est melior—Ray. Lull (?) 'Vade mecum.'

Titulus autem istius libri sec. auctores est. Incipit liber
elementorum—Rog. Bacon (?) fragm. super Euclidem.
Digby 76.

Titulus hujus psalmi et oratio pauperis—Anon. Expos. sup.
Psalmos c.—cl. *Laud. Misc.* 145.

Titum commonefacit et instruit—Th. Docking (Wadding:
Bale).

Titum instruit apostolus de suo—Jo. Baconthorpe
(Tanner).

Tobiae xii. capit. Etenim sacramentum regis—Laudatio
Philippae de Chantemilan (B.H.L.).

Tobias ex tribu. Ecce in principio commendat—Steph.
Langton Comment. in lib. Tobiae. *Exon. Coll.* 23.

Tollite jugum meum . . . Triplex quippe est sapientia—
Bern. Sen., Sermo.

Tota Christianae fidei disciplina—Alex. Halensis, Summa
Theol. liber tertius. *Can. Eccl.* 154.

Totalis libri praemittit mihi prologum (?)—Ric. Rufus in
Sent. (Wadding).

Tota pulchra—Grostete Sermo (Tanner).

Toti operi libri Sentent. praemittit magister—Anon. in
Sent. praef. *Balliol* 196.

Totius bonitatis auctor Deus—Vita Henr. Zwifaltensis
(B.H.L.).

Totum negotium logicum est de sermone—Rob. Kilwardby
in lib. Topicorum. *Can. Misc.* 403.

Totum regnat saeculum papae potestas—Rob. Baston de
variis mundi statibus (Tanner).

Tractando de civili dominio hominis—Wyclif, Summa
Theol. Lib. iii. De Dominio Civili.

Tractando de Eucharistia oportet praemittere—Wyclif
de Eucharistia tract. major.

Tractando de ideis primo oportet quaerere si sint—Wyclif
De Ente. *sive* Summa Intellectualium Lib. ii. Tract.
de Ideis.

Tractando de volutione Dei—Wyclif De Ente, *sive* Summa
Intellectualium Lib. ii. Tract. de Volutione Dei.

Tractatum de sanctorum veneratione — Th. Palmer
(Tanner).

Tractatum de sphaera in quatuor partes dividimus—Jo. de
Sacro Bosco. *Digby* 15, cf. *Nov. Coll.* 285.

Tractatum de sphaera quatuor capitulis—Jo. de Sacro
Bosco. *Univ. Coll.* 36.

Tractatum de veneratione imaginum—Th. Palmer (Bale).

Tractaturi de scientia syllogistica—Alb. Mag. in lib. Arist.
priorum Analyticorum.

Tractaturi de virtutibus et vitiis, primo de virtute agendum
est—Anon. *Laud Misc.* 544.

Tractaturus Gratianus de jure—Jo. Everisden Concordia
decretorum (Tanner).

Tractaturus de decem generibus, tria genera praedicationis—Anon. super praedicamenta—*Digby* 77.

Tractaturus de decem praedicamentis — R. Lavenham
(Tanner).

Tractaturus de generatione—Jo. Baconthorpe, de generatione et corruptione (Tanner).

Tractatus insolubilium dividitur in tres partes — Rod.
Strode. *Can. Misc.* 219.

Tractatus praesens de practica offic°i inquisitionis . . . .
maxime in partibus Tholosanis—Bern. Guidonis (Not.
et Extr. 27).

Tradebant judicanti se . . . Verba sumpta. sunt de epist.
Petri hodierna. In praeteritis—Bon., Sermo (Not. et
extraits 32).

Tradit ac demonstrat hic liber de regibus ac primatibus—
Rob. Avesbury (?) Gesta Ric. II. etc. (Bale).

Tradunt Hebraei—Gul. Lissy in Sophoniam (Wadding).

Transcriptum testamenti Ruben quaecumque — Grostete
transl. Testam. xii. patriarcharum (Bale).

Transfige, dulcissime Dom. Jesu, medullas animae—Anon.
frater minor, Meditationes. *MS. Dunelm.*

Transi Jordanem . . . Volentibus terram—Th. Walleys in
Josuam. *Nov. Coll.* 30.

Transite ad me omnes qui concupiscitis me . . . . Inter
caeteras doctrinas—Hanibaldus de Hanibaldis O.P.
(Q.E.).

Tres principes ex militia—Jo. de Muris Astron. (Tanner).

Tres sunt nidi—Wyclif contra Kilingham Carmelitam
determinationes.

Tres sunt qui etc. Sanctorum gloriam multis et variis . . .
B. Petrus Martyr praedicatorum decus—Th. Agni
Vita Pet. Martyr. (B.H.L.).

Tres sunt qui testimonium . . . In hoc verbo describitur
mysterium—Bon., Sermones selecti de rebus theo-
logicis. Sermo i. de triplici testimonio Trinitatis.

Tres sunt ternarii—*ps.* Bon., de tribus ternariis peccatorum
infamibus.

Tria debet considerare—Berthold. Ratispon, de institutione vitae religiosae (Wadding).

Tria debent in universitate rerum attendi—Jo. Baconthorpe
in Genesim (Tanner).

Tria genera theologiae distingui—Nic. Trivet in Senecae
Tragoedias (Tanner).

Tria insinuantur hoc loco — T. Walleys(?) in Matth.
(Tanner).

Tria movent me tractare materiam de compositione hominis
Wyclif de compositione hominis.

Tria requiruntur ad versus—Ric. Kendale (Tanner).

Tria sunt antepraedicamenta—Gul. Heytisbury (Bale).

Tria sunt circa quae cujuslibet—Anon. *Balliol* 163.

Tria sunt genera causarum in entibus—Sim. Faversham
super priora Arist. (Tanner).

Tria sunt homini necessaria ad salutem—Th. Aqu. de ii.
praeceptis caritatis et x. legis praeceptis (Q.E.).

Tria sunt mihi difficilia—Rob. Carew in Sent. (Tanner).

Tria sunt omnipotentis Dei manu — Godvinus de tribus
habitaculis (Tanner).

Tria sunt praedicamenta vel genera—Gul. Heytisbury de
motu locali (Tanner).

Tria sunt vincula amoris—Wyclif de triplici vinculo
amoris.

Tribulatur homo—Grostete (?) Sermo. *Exon. Coll.* 21.

Trinitatem adorantes omnia super—Jo. Dastin Spec. philosophorum (Tanner).

Triplex est capiendi deliberatio — Anon. Dogmata
moralium philosophorum. *Balliol* 285.

Triplex est esse rerum—Jo. Folsham de naturis rerum
(Tanner).

Triplex fuit beneficium Abrahe—Jo. Ede. *Bodl. Auct. F.*
3, 5.

Triplici ratione potest ostendi vitia summa diligentia—
Anon. *Bodl.* 848, *Digby* 33.

Tripliciter sol exurens montes . . . B. Birgitta in regno
Sweciae—Birgerus Upsal. Vita Birgittae (B.H.L.).

Tu autem cum jejunas unge caput — Ric. Armach.
Sermones (Tanner).

Tu credis aliquam propositionem—Ric. Billingham
Conclusiones (Tanner).

Tu cui Deus occultorum veritates patefaciat—Anon. de
somno et visionibus. *Digby* 40.

Tu ergo Balthazar interpretationes narra—Ant. Andreas
(Wadding).

Tu es asinus, probatio istius—Gul. Heytisbury Conclusiones
(Bale).

Tu es Petrus etc. Rev. domini ad nostri venerabilis—T.
Maldon super Pet. Swynthwaite (Tanner).

Tu in virtute ipsius A — Ray. Lull. (?) Lucidarium
testamenti.

Tulerunt lapides . . . Magna siquidem iniquitas impiorum
—Bern. Sen., Sermo.

Tulerunt lapides . . . In hoc sacro eloquio, juvante—
Bern. Sen., Sermo.

Tullius in laudem tantam—Ric. Maidstone, Concordia in
Ric. II. et cives (Tanner).

Tullius in libro de natura deorum—R. Lavenham, Excerpt.
doctorum (Tanner).

Tunc apparebit signum etc. Inter cetera dona quae largitus est Deus—Bon., Sermo de S. Francisco.

Tunc apparebit signum etc. Mane semina semen tuum etc. Et est verbum quod sapiens Ecclesiastes dicit praedicatori veritatis—Bon., Sermo de S. Francisco.

Tuscia me genuit perculsus—Jo. Freas in Petrarcham (Bale).

Tu solus peregrinus es . . . Secundum enim Apost.— Bern. Sen., Sermo.

U

Ubi non est scientia animae—Alex [Halensis?] de anima. *Magd. Coll.* 80.

Ubi venit plenitudo temporis . . . . Gallice dicitur, Au besoing . . . Antequam Deus Pater Unigenitum— Eustacius O.M., Sermo (Not. et extr. 32).

Ulterius dicit adversarius—Jo. Deirus de provisione clericorum (Tanner).

Una scientia est alia nobilior—Rob. Anglic. (1272) Comment. in Jo. de Sacro Bosco de Sphaera. *Digby* 48, 228.

Undecimum Jacinthus . . . In anno secundo Darii regis —Sim. Henton in Zachariam (Tanner).

Unde quidem mussitant—Wyclif, de Purgatorio.

Unguentarius faciet etc. Quoniam omne bonum datum— Gul. de Werda Sermones. *Magd. Coll.* 167.

Unguentarius faciet etc. Verbum istud scribitur.—Bon., Prol. in quartum Sent.

Unguentum effusum nomen tuum — Grostete Sermo (Tanner).

Unice sibi caro in Dño J. C. suo fratri Raimundo Petri fr. Rogerius . . . Manu propria—Rogerii de Provincia O.M. Epist. (B.H.L.).

Unicuique datur manifestatio spiritus . . . In his sacr. verbis—Bern. Sen., Sermo.

Unicum est omne penitus ens—Jo. Hildeshemi Ord. Carm. Spec. fontis vitae. *Laud. Lat.* 49.

Uni et aeterno primo qui caret principio—Pet. Alphons. contra Judaeos. *Bodl.* 801.

Uniformiter continue variari—Jo. Tewkesbury de alterationibus (Tanner).

Universale dicimus esse quod est semper et ubique—Gul. Lubbenham in Poster. (Tanner).

Universalibus principiis—Alb. Mag. de vegetabilibus. *Balliol* 101.

Universis Christi fidelibus praesens opusculum oculo simplici inspecturis—Anon. Summa florum etc. B.V.M. *Bodl.* 767.

Universis Christi fidel. praesentis operis seriem—N. Radclyf contra Wyclif (Tanner).

Universis Christi fidelibus . . . . Primus error est quod Dominus noster—Gul. Occham, Defensorium. (Grey Friars).

Universis etc. . . . . Si reges et principes ecclesiarum— Gul. Occham de imperatorum et pontificum potestate (Grey Friars).

Universis mercatoribus Tholosanis—Guido O.P., Regula Mercatorum. *Linc. Coll.* 81.

Universum tempus praesentis vitae—Jac. de Voragine, Legenda Aurea. *Laud. Misc.* 214, 352.

Universum tempus praesentis vitae—Jo. Draytone Sermones 176 de sanctis (Tanner).

Uno modo dicitur quod—Jo. Peckham, Metaphys. (Wadding).

Unum consilium volo incipere—Ray. Lull. Liber consilii.

Unus Dominus contra sunt domini multi—Gul. Leic. de Montibus (Tanner).

Unus est Deus et hoc natura docet—Gul. Leic. de Montibus, Numerale (Bale).

Unus inquam unum; unum—Grostete de motu corporali et luce (Tanner).

Unusquisque in quo vocatus est frater—Ric. Armach. Propositiones ad papam (Tanner). *Bodl.* 144.

Urbs mihi principium generis—Jac. Caietanus de Stephanescis Opus metricum [de Coelestino V. etc.] (B.H.L.).

Usque in tempus sustinebit patiens—Simon Henton Comm. in Job (Tanner).

Usu notissimum habetur—Adam Eynsham, de visione etc. (Tanner: Anal. Boll. xxii.).

Usura est quicquid sorti accedit—J. de Prato, O.M., Summa contractuum. *Can. Eccl.* 22.

Usura primo scil. in contractu mutui—Fr. de Platea (Wadding).

Ut ad beneplacitum et solatium—Jo. Hormynger Commendatio Angliae (Bale).

Ut adjutorium—Th. Aqu. (?) de potentiis animae (Q.E.).

Ut ad sapientiam per grammaticam venire—Anon. de Grammat. *Can. Misc.* 71.

Ut ait Cassiodorus in libro—Jo. Cuningham contra Wyclif. (Tanner).

Ut apostolus in aliis epistolis—Grostete in Paul. ad Galatas (Tanner).

Ut apostolus revocaret Galathas ad doctrinam—Grostete in Paul. ad Galatas. *Magd. Coll.* 57.

Ut autem dicit Galienus mirabilis est scientia—Tract. de regimine sanitatis sec. Barthol. *Bodl.* 58.

Ut autem juxta nostram intentionem—Nic. Trivet Annales (Hardy).

Ut de dicendis in hoc opere—W. Burley in Topica (Tanner). *Merton* 295.

Ut de legibus loquar Christianorum—Wyclif de lege divina.

Ut dicit Arist. in secundo de anima—R. Kilwardby Tract. Grammat. (Tanner). *Merton* 301.

Ut dicit Arist. in secundo de anima—W. Burley, de potentiis animae. *Digby* 104.

Ut dicit commentator in prologo—Jo. Baconthorpe in Ethica Arist. (Tanner).

Ut dicit philosophus Ethic. v° re famulari—W. Burley, Politic. (Tanner). *Balliol* 95.

Ut dicit philosophus secundo de anima potentiarum animae—Rob. Grostete de potentiis animae. *Digby* 172 *sive* W. Burley. *Magd. Coll.* 146.

Ut discant pastores—Jo. Amundesham pro Jo. Whethamp-stead (Bale).

Ut flos grammaticae—Anon. Carmen de grammat. *Univ. Coll.* 53.

Ut habetur tricesima septima quaest.—Jo. Rodington, Quodlibeta (Wadding : Bale).

Utilitas angulorum et figurarum—Grostete de figuris etc. (Tanner).

Utilitas considerationis linearum—Rob. Grostete, de lineis physicis. *Laud Misc.* 644.

Utinam saperent et intelligerent—Steph. Baron Sermones (Tanner).

Ut infrascriptae revelationes et gratiae . . . : Cum ss. Humilitas—Jo. Favent. Revelat. et miracula Margaritae de Faventia (B.H.L.).

Ut in virtutibus conserveris—*ps.* Bon., Exercitia quaedam spiritualia.

Ut magis communitati proficiat tam literatorum — Jo. Stanbery [R. Ullerston] in symbolum (Tanner).

Ut nos minores in jure aliquo modo—Anon. de prosecutione causarum sec. jus canon. *Rawl. C.* 100.

Ut noviter ad facultatem theol.—Fr. de Mayronis Expos. divin. nominum (Tanner).

Ut prosperiores in prima glossa — Rog. de Hatfield in Clementinis de regularibus (Tanner).

Ut refulsit sol in clypeos aureos—Jo. Keninghale Sermones (Tanner).

Utrum etc. *vide etiam*, Quaeritur utrum etc.

Utrum actus et praeventio—Gul. Heruy, Quaest. (Bale).

Utrum actus virtutis moralis—Gul. Hanaburg, Quaest. (Tanner).

Utrum ad felicitatem sub ratione—Jo. Dedicus in Ethic. Arist. (Tanner).

Utrum ad habendam supernaturalem—Jo. Baconthorpe in Sent. (Tanner).

Utrum ad personandum utramque naturam Christi—Galf. Hardeby Quaest. (Bale).

Utrum ad uniendam utramque in Christo—Galf. Hardeby Quaest. (Tanner).

Utrum aeternitas Dei—Ray. Lull. de esse Dei.

Utrum aliqua sit hierarchia supercoelestis—Gul. Beckley, Quodlibeta (Tanner).

Utrum aliqua speculatio sit in — W. Burley, Meteor. (Tanner).

Utrum aliquis in casu ex praecepto—Rog. Swineshead in Sent. (Tanner).

Utrum aliquis in casu necess.—Rob. Holcote Quaest. xv. (Tanner).

Utrum aliquis in casu possit obligari in praecepto—Rog. Rugosus, Sent. (Wadding).

Utrum aliquis in causa possit obligari—Ling. Suisceptus seu Rosetus, de maximo et minimo. *Can. Misc.* 177. [cf. Wadding *sub* Rog. Rugoso.]

Utrum aliquis spiritus malus — P. Swanington Quaest. (Tanner).

Utrum angelus sit compositus—Th. Stravershan in Delamaram contra Thomam. (Wadding).

Utrum angelus sit compositus ex materia — Ægidius de angelis. *Balliol* 63.

Utrum anima—Ray. Lull. Quaest. de anima rationali.

Utrum anima intellectiva [interna] sit quoddam—Jo.
Sharpe Quaest. de anima (Tanner). *Nov. Coll.* 238.
Merton 251.

Utrum anima separata potest—Jo. Beverley, ord. Carm.,
super Sent. (Tanner : Bale).

Utrum Anselmi doctrina debeat—Rob. Holcote Determ.
Oxon. (Tanner).

Utrum apostoli habuerunt—Fr. de Mayronis de dominio
apostolorum (Tanner).

Utrum a verbo incarnato secundum—Jo. Tytleshale in
Sent. (Tanner).

Utrum B. Maria de s. fide in tantum meruit—Gul. de S.
Fide, Quaest. (Tanner).

Utrum B. Virgo sit in origine—Gul. de S. Fide, de
conceptione Mariae (Tanner).

Utrum beatissima Trinitas creaturas in esse secundum
quid producat—Franc. de Mayronis Quodlibeta.
Magd. Coll. 9.

Utrum beatitudo—Ray. Lull. de actibus potentiarum
animae aequalibus.

Utrum castitatem vovens graviter—Jo. Elinius, Quodlib.
(Tanner).

Utrum Christus a patre missus—Reg. Langham Determ.
(Tanner).

Utrum Christus enumerans in evangelio—Ric. Maidstone
contra J. Ashwardby (Tanner).

Utrum Christus et apostoli in hac—Jo. Baconthorpe de
perfectione justitiae (Tanner).

Utrum Christus hominum perfectissimus—Rog. Conway,
de paupertate Christi (Grey Friars).

Utrum Christus secundum naturam humanam—Fr. de
Mayronis, Quaestiones etc. (Wadding).

Utrum Christus sit humanitas—Rob. Alyngton de
humanitate Christi (Tanner).

Utrum credere prophetiae de—Th. Buckingham Quaestiones (Tanner).

Utrum credere prophetas—Th. de Nottingham (Tanner,
p. 363).

Utrum clerus debuit dotationem—Wyclif, de dotatione
Ecclesiae, *sive* Supplementum Trialogi.

Utrum conciliorum generalium sanctiones—Jo. Stanbery
de sanctionibus ecclesiast. (Tanner).

Utrum corpus simplex mortale—Anon. in lib. Meteorol.
Can. Misc. 211.

Utrum crassities ventris sit in—Ric. Anglicus de urinis (Tanner).

Utrum credere prophetiae de aliquo contingenter—Th. de Buckingham Quaest. *Nov. Coll.* 134.

Utrum cui simplicitate personae divinae—Duns Quaestiones. *Balliol* 209.

Utrum cum omni sacramento--Rob. Holcote in quartum Sent. *Balliol* 71.

Utrum cum summa simplicitate—Fr. de Mayronis in i. Sent. *Balliol* 69.

Utrum decem genera prima conveniunt—W. Russell (?) O.M. in Arist. Praedicamenta. *C.C.C. Oxon.* 126.

Utrum de corpore mortali ad formam—Anon. in lib. de generatione etc. *Can. Misc.* 211.

Utrum de Deo possit haberi cognitio media inter cognitionem fidei et patriae? Videtur quod non, quia quod est praesens—Duns de cognitione Dei.

Utrum de impressionibus meteoricis sit scientia . . . . Arguitur quod non—Duns in lib. i. Meteororum.

Utrum Dei verbum ut clamat evang.—Pet. de S. Fide Determ. (Tanner).

Utrum demonstratio sit syllogismus—Quelpinden Quaestiones (Bale).

Utrum de necessitate salutis est ponere accidens—Hen. Harkeley de transubstantiatione (Tanner).

Utrum Deo frui sit summa—Jo. Buckingham Quaest. Sent. (Tanner).

Utrum de rebus naturalibus et physicis sit sententia—Anon. in Arist. Physic. *Can. Misc.* 211.

Utrum de rebus naturalibus sit scientia tanquam de subjecto? Arguitur quod non quia quaelibet conclusio —Duns in libros Physicorum.

Utrum de syllogismo simpliciter sit scientia. Arguitur quod non—Duns in lib. i. Priorum Analyt.

Utrum de syllogismo sophistico—R. Spalding in Arist. Elenchos. (Tanner).

Utrum Deum esse sit a creatura—T. Maldon Quodlibeta. (Tanner).

Utrum Deus praedestinatum ab aeterno—Jo. Peckham, Quodlib. scholast. (Wadding).

Utrum Deus qui creavit mundum sensibilem—Wyclif Quaest. Logic. et Philosoph. 1.

Utrum Deus sit super omnia dilig.—Ric. Kylington Quaest. theol. (Tanner).

Utrum Deus sua ratione formali numero cognoscat—Jo. Goldeston in Sent. (Tanner).

Utrum Deus sub abstracta ratione—[Gerson?] Quaest. super i. Sent. *Balliol* 63.

Utrum Deus sub propria ratione Deitatis possit esse subjectum alicujus scientiae? Quod non videtur. Omne scibile—Duns " Reportata Parisiensia," prol.

Utrum deviantis aliqua sit evidentia—Jo. Stanbery Quaest. (Tanner).

Utrum diffinitio naturae sit vera—T. Walden Quaest. natural. (Tanner).

Utrum efficaci ratione possit—Jo. Walsingham Determ. (Tanner).

Utrum eleemosyna corporalis sit — Rob. Alyngton (Tanner).

Utrum ens simpliciter sumptum quod est commune—Ant. [Andreas] in Arist. Metaphys. *Nov. Coll.* 239.

Utrum ens verum et caetera nomina—Jo. Walsingham, Quaest. (Tanner).

Utrum essentia divina possit videri non visa persona—Ric. Belgrave Determ. theol (Tanner).

Utrum ex puris naturalibus—O. Pickenham Quodlib. (Tanner).

Utrum ex ratione vel scriptura sit—Rob. Alyngton de mendicitate spontanea (Tanner).

Utrum ex scripturis sacris veteris testamenti—Jo. Baconthorpe de adventu Messiae (Bale).

Utrum ex testimoniis in aeternum fundatis veritatis— Rob. Holcote Quaest. quodlib. *Balliol* 146.

Utrum ex testimoniis veritatis—Herveus Dyot in Sent. *Balliol* 72.

Utrum filius Dei—Rob. Holcote in iii. Sent. *Balliol* 71.

Utrum finis per se et proprius theologiae—Gul. Ware, Comment. in i. Sent. (Grey Friars) [*vide* Quaeritur *etc.*].

Utrum gaudium accidentale—Gul. Almoinus, Quaestiones xxviii. (Wadding).

Utrum habitus theologiae—Jo. Hadun Quaest. theol. (Tanner).

Utrum habitus theologiae—Jo. Sharpe *sive* Ric. Snetesham Abbrev. in Rob. Cowton super Sent. (Tanner). cf. *Lincoln Coll.* 36. *Magd. Coll.* 99.

Utrum haec sit vera homo factus est Deus—Jo. Goldeston Determ. theol. (Tanner).

Utrum homini pro statu isto sit necessarium aliquam
doctrinam etc. Videtur quod non sic : Omnis potentia
—Duns in i. Sent. Quaest. 1 prologi.

Utrum homo potest scire mentes hominum vel demones—
Anon. Quaest. theol. *Laud. Misc.* 2.

Utrum idea in divinis pertineat principalius ad scient.
pract.—Jo. Goldeston, Quaest. (Tanner).

Utrum ignorantia fuit causa peccati—H. Virley Determ.
sive Quaest. (Tanner).

Utrum ille qui principatur—Fr. de Mayronis de
subjectione principatus ad hierarchiam (Tanner).

Utrum imagines Christi et sanctorum—Jo. Deirus contra
Lollardos (Tanner).

Utrum imagines et picturae—Rob. Alyngton, Quaest. de
imaginibus (Tanner).

Utrum imago summi regis in homine verus—Nic. Kenton
Positiones theol. (Tanner).

Utrum in Deo sit fortiata virtus heroica—Fr. de Mayronis
Quaest. de virtute heroica. *Merton* 201.

Utrum in Deo sit potentia; Quaestio est—Th. Aqu.
Quaest. *Balliol* 47.

Utrum in divinis essentialia . . . . Quod notionalia
probatur—Duns, Quaest. Quodlib. i.

Utrum in divinis essentialia sint—Duns, Quaest. quodlib.
[abbrev. a Jo. Sharpe]. *Balliol* 192. *Linc. Coll.* 36.

Utrum in divinis persona producens—Rob. Walsingham
Quaest. (Tanner).

Utrum in generatione formarum—Anon. Tract. sex incon-
venientium. *Can. Misc.* 177.

Utrum in moventibus ad qualitates—Jo. de Casale,
Quaestiones de actione. *Can. Misc.* 177.

Utrum in scriptura canonica Judaei — Jo. Baconthorpe
contra Judaeos (Tanner).

Utrum intellectus noster pro statu viae—Rob. Cowton
Quaestio super 1 Sent. iii., 16. *Magd. Coll.* 16.

Utrum Judaei debent credere—Jo. Baconthorpe de perfidia
Judaeorum (Bale).

Utrum jura civilia decreta et decretalia sint a Deo—Jo.
Stanbery de vigore decret. (Tanner).

Utrum lex Christi statim post passionem—Jo. Baconthorpe
de cessatione legalium (Bale).

Utrum lex vetus fuerit patribus—Jo. Barningham.
Quaestiones (Tanner).

Utrum liber praedicamentorum sit de decem vocibus . . . Quod sic quia hoc dicit Boetius—Duns Quaest. in lib. Praedicament.

Utrum liceat fidelibus — Jo. Deirus de peregrinatione (Tanner).

Utrum liceat mulieribus docere viros—W. Hunt (Tanner).

Utrum logica procedat ex communibus. Quod non, probatio : nam scientiae—Duns. in lib. Elenchorum.

Utrum logica sit primo addiscenda — Anon. [Duns?] Quaest. *Magd. Coll.* 162.

Utrum logica sit scientia — Duns, Univ. Logic. Quaest. [*vide* Quaeritur *etc.*]

Utrum magis universalia sint nobis prius nota : Videtur quod non—Anon. Quaestio in lib. i. Physic. *Magd. Coll.* 16.

Utrum materia de se aliquem — R. Lavenham Physic. (Tanner).

Utrum materia nunc sub una forma substantiali—Wyclif de materia (?)

Utrum metaphysica omnium scientiarum Dea — Anon. Quaestio. *Magd. Coll.* 16.

Utrum miracula quae refert Matthaeus—Jo. Baconthorpe de concordia Christi et apost. (Bale).

Utrum motiva ponenti religionem—Gul. Woodford, Determinationes quatuor (1389–90), (Grey Friars).

Utrum nativitas Christi fuit naturalis . . . Scribitur quod mater Domini—Fr. de Mayronis Sermones. *Balliol* 67A.

Utrum officina—Adam Godham, Determinationes xi. (Grey Friars).

Utrum officium propheticum sit salu. — Ad. Godham Determ. xi. (Bale).

Utrum omne intrinsecum Deo sit omnino idem essentiae divinae . . . Respondeo supposito ex aliis—Duns de formalitatibus.

Utrum omne peccatum sit imputabile voluntati — Rob. Holcote (Tanner).

Utrum omnes figurae—Jo. Tartays de figuris (Tanner).

Utrum omnis clericus existens—Steph. Patrington Quaest. (Tanner).

Utrum papalis dignitatis et praesidentiae—Jo. Stanbery de differentia potestatum eccles. (Tanner).

Utrum paupertas mendicitatis — Utred Bolton contra fratres mendicantes (Tanner : Bale).

Utrum per aliquam disciplinam vel scientiam—Walt. Brinkley, Sent. (Bale) [*vide* Sit aliqua].

Utrum perfecta cognitio Dei sit possibilis viatori—Anon. Quaest. theol. *Merton* 284.

Utrum perfectio cognitionis causae secundae—Wyclif Quaest. Logic. et Philosoph.

Utrum per peccata venialia Deus—Jo. Chelmeston Determ. theol. (Tanner).

Utrum per scripturas a Judaeis—N. de Lyra de impletione legalium (Tanner). [*vide* Quaeritur *etc.*]

Utrum per se objectum fruitionis sit ultimus finis—Duns in i. Sent. "Reportata Paris."

Utrum per se principia naturalia in animam—Anon. Quaestio—*Magd. Coll.* 16.

Utrum persona proprie dicatur—Gul. de Lincoln. Quaestt. xxv. in Sent. (Tanner).

Utrum philosophiam speculativam—W. Burley *seu* Jo. Buridanus in Arist. de coelo et mundo (Tanner). *Balliol* 97.

Utrum pluralitas formalitatum possit stare cum simplicitate divinae essentiae. Videtur quod non—Anon. [Duns?]. *Digby* 54.

Utrum possibile fuerit naturam humanam uniri Verbo . . . . Circa primum arguitur quod non quia actus purus—Duns in iii. Sent.

Utrum possibile sit aliquam creaturam habere aliquam causalitatem—Duns in quartum Sent. "Reportata Paris."

Utrum possibile sit naturam humanam personaliter sibsistere—Duns is iii. Sent. "Reportata Paris."

Utrum possible sit viatori—Ric. Armach. Quaest. Sent. (Tanner). *Oriel Coll.* 15.

Utrum possit in scriptura canonica—Jo. Baconthorpe Determinationes (Tanner).

Utrum possit probari per rationem naturalem quod tantum unus sit Deus—Gul. Occham Quodlibeta septem. (Grey Friars).

Utrum potentiae animae realitate—Jo. Baconthorpe, de potentiis animae (Tanner).

Utrum praescitus sicut—Rob. Holcote de praescientia etc. (Tanner).

Utrum praeter physicas disciplinas—Pet. de Aquila, in i. Sent. *Magd. Coll.* 194.

Utrum prima causalitatis etc.—Circa creationem, in hoc
secundo etc. tractat Magister de Deo—Duns, in ii.
Sent.

Utrum primum principium complexum potest formari—
Fr. de Mayronis in Sent. (Tanner). *Merton* 133.

Utrum primus actus causandi praecise sit a tribus personis
—Duns in ii. Sent. " Reportata Paris."

Utrum princeps temporalium secundum jurisdict.—Jo.
Stanbery de superioritate ecclesiast. (Tanner).

Utrum principatus regni Sicilae—Fr. de Mayronis
(Tanner).

Utrum privatio sit aliqua res--Gul. Occham in lib. Physic.
(Wadding).

Utrum pro scandalo schismat.—N. Radclyf de schismate
papali (Tanner).

Utrum quaelibet notitia creata—Jo. Tytleshale Determ.
(Tanner).

Utrum qualitas suscipiat magis et minus — Tho.
[Walleys?] Angl., Quaestio. *Can. Misc.* 226.

Utrum quilibet viator existens in gratia est quaestio
prima—Rob. Holcote in Sent. (Tanner: Bale).

Utrum quolibet s. scripturae—B. Fitzalan Quaest. theol.
(Tanner).

Utrum relatio in aliquo priori ex parte rei constituat . . .
Quaestiones quodlibeticae in disputando — Anon.
Quodlibetica tria. *Laud. Misc.* 540.

Utrum relationes — Jo. Walsingham Quaest. libri tres
(Tanner).

Utrum religio privata sit datum optimum — Wyclif de
Religione Privata ii.

Utrum respectus vestigialis formae—Rob. (?) Walsingham Quaest. (Tanner).

Utrum restitutio sit de necessitate salutis—Fr. de Platea,
de restitutionibus (Wadding).

Utrum sacerdote deficiente in missa—Anon. Spec. Sacerdotum. *Nov. Coll.* 145.

Utrum sacerdotes licite reciperent—Jo. Deirus de stipendiis
sacerdotum (Tanner).

Utrum sacerdotium novi—Gul. Woodford, de Sacerdotio
N. Test. (Grey Friars).

Utrum sacrae scripturae canon. pro vulgari—W. Butler,
contra translationem Anglicam (Wadding : Bale).

Utrum sacramenta novae legis—Jo. Rodington, Quaest.
disput. (Wadding).

Utrum scientia Christi secundum quod est verbum actu se
—Bon., Quaestiones disput. de scientia Christi.

Utrum scientia metaphysicalis quae est theologia philosophorum—Anon. Quaestio de ente. *Magd. Coll.* 16.

Utrum scientia naturalis est scientia de omnibus—J.
Buridanus in libros Physic. *Balliol* 97.

Utrum scientia naturalis sit circa corpora—Anon. in Arist.
de coelo et mundo. *Can. Misc.* 211.

Utrum secundum naturam divinam—Jo. Tilney in Sent.
(Tanner).

Utrum sensus tactus sit unus vel plures? Videtur quod
unus—Duns super libros De anima.

Utrum signa et modi proseitatis sint idem — Franc. de
Mayronis, de signis. *Can. Misc.* 371.

Utrum sincera veritas ecclesiaeque honestas—Ric.
Rotherham de pluralitate benefic. *Balliol* 80.

Utrum sit aliquod sacramentum—Jo. Chelmeston Quaest.
ord. (Tanner).

Utrum sit dare unum primum principium . . . Circa
istam quaestionem sic intendo procedere—Duns, de
rerum principio, quaestiones xxvi.

Utrum sit licitum Christiano—Nic. Radclyf de imaginum
cultu (Tanner).

Utrum sit possibile Deum per—O. Pickenham Determ.
(Tanner). cf. *Magd. Coll.* 194.

Utrum sit possibile intellectui—[Lud. Kaerleon] Ludov.
Sharleton lectura theol. (Tanner : Bale).

Utrum sit tantum una prudentia—Duns Collatio
Parisiensis. *Balliol* 209.

Utrum sola fide sit tenendum animam—Jo. Baconthorpe,
Placita theologica (Tanner).

Utrum soli praeventi Dei gratia praedestinantis—W. Hunt
de praedestinatione (Tanner).

Utrum solis Dei amicis conferatur — H. Virley Quaest.
(Tanner).

Utrum solus Deus a quacumque—Anon. de dilectione Dei.
Merton 113.

Utrum Spiritus S. distingui—Jo. Chelmeston Quodlibeta.
(Tanner).

Utrum Spiritus S. procedat — Gul. Bintrey, Quaest.
(Tanner).

Utrum status religiosorum mendic. ad quem ipsi voto
perpetuo—W. Hunt (Tanner).

Utrum stellae sint creatae ut per motum—Rob. Holcote
(Tanner). *C.C.C. Oxon.* 138.

Utrum subjectum Metaphysicae sit ens—*ps.* Duns. Quaest. in Metaphysic.

Utrum substantia finita—Jo. Canon, in octo libros Phys. Arist. (Grey Friars).

Utrum sunt indivisibiles lineae—Arist. (Jourdain).

Utrum suppositum illud—Th. Stravershan in lect. Gul. de Vara (Wadding).

Utrum syllogismus ex hypothesi differat a syllogismo ostensivo—Duns in lib. ii. Priorum Analyt.

Utrum tanta est auctoritas eccles. cathol. quanta est biblicae—Jo. Stanbery de vigore S. Script. (Tanner).

Utrum tantum tria sint intrinseca—Jo. Sharpe Quaest. physic. (Tanner).

Utrum tempori praeterito—Pet. Aureolus in ii. Sent. *Balliol* 63.

Utrum theologia ex duobus—Jo. Peckham. Quaest. ordinariae—(Wadding).

Utrum theologia sit proprie scientia: quod non—Anon. Quaestiones. *Balliol* 63.

Utrum theologia sit scientia—Jo. Clipston Disput. theol. (Tanner).

Utrum theologia sit scientia—Jo. Walsingham in Sent. (Tanner).

Utrum transcendentia dicantur univoce—Anon. Quaestiones logic. *C.C.C. Oxon.* 126.

Utrum universale subjectum libri Porphyrii differat—W. Russell O.M. super Porphyrii Universalia. *C.C.C. Oxon.* 126.

Utrum verbum divinum temporaliter—T. Maldon Actus vesperiales (Tanner).

Utrum veritas sit formae substantial.—Gul. Paul de veritate formali (Tanner).

Utrum veritatem creatam—Nic. Aston in Sent. (Tanner: Bale).

Ut sacrae veritatis splendor—Phil. Bromyard Divisiones praedicabilium (Tanner).

Utrum via cessionis—Leonardus de Rubeis, de schismate (Wadding).

Utrum viator existens in gratia—Rob. Holcote in Sent. *Balliol* 71.

Utrum viri ad corporales labores validi—Ric. Armach. (*Bodl.* 158) *sive* Th. de Wylton (*Bodl.* 52) contra fratres.

Ut viris ecclesiasticis innotescerent—Vincent Coventr. Expositorium Missae (Wadding).

Utrum visio divinae essentiae—Jo. Rodington, Quaest. extraord. (Wadding : Bale).

Utrum voluntas creata sit potentia—O. Pickenham Replicationes (Tanner).

Utrum voluntas recta ratione — Sim Stokes Quaest. (Tanner).

Utrum voluntas viatorum—Anon. in i Sent. *Magd. Coll.* 194.

Utrum vota religionis castitatis—Nic. Radclyf de votis monachorum (Tanner).

Ut sabbatizatio nostra Dei sit ac — Wyclif de virtute orandi.

Ut sciatur origo causae — W. Hemingburgh .Chron. (Hardy).

Ut scripturas destruant sollicite lab.—Wyclif de sectarum perfidia.

Ut simplices sacerdotes zelo animarum succensi—Wyclif de sex jugis.

Ut summae Trinitati et toti curiae—Anon. [Gul. Autissiodor.?] Spec. praelatorum etc. *Merton* 217. cf. *Oriel* 24.

Ut supradicta magis appareant, oportet parumper disgredi —Wyclif Summa Theol. Lib. ii. De Statu Innoc.

Ut supradicta de lege Christi in genere—Wyclif Summa Theol. Lib. v.

Ut testatur Jacobus in canonica—Grostete impressionibus aeris (Tanner).

Ut verbo abbreviato libro Sent.—Ric. Clapwell super i. Sent. *Magd. Coll.* 56.

Ut viris ecclesiasticis innotescerent quae ad eorum spectant officia—Vincentius Covent. O.M. (?) de missa (Bale).

V

Vacate et videte—David ab Augusta Vindelicorum, de oratione (Wadding).

Vadam in agrum et colligam spicas . . . Habet argentum venarum—Ph. de Greve, Summa. *Magd. Coll.* 66.

Vade, et amplius noli peccare . . . A caritate quidem labitur—Bern. Sen., Sermo.

Vade, et sicut credidisti . . . Sunt nempe plerique—Bern. Sen., Sermo.

Vade in terram quam Deus etc. Sagittans qui bene—T.
Walleys in Deuteron. (Tanner). *Nov. Coll.* 30.

Vae pastoribus Israel, etc. Ezech. xxxiv. In sermone quem
—Grostete Sermo (Tanner).

Valde reprehensibiles sunt et puniendi pseudo-
praedicatores—Anon. [W. de Remington?] Dial. inter
Cathol. veritatem et haeret. pravitatem. *Bodl.* 158.

Valde reprehensibilis—Gul. Occham in octo lib. Physic.
(Grey Friars).

Valens labor et laude dignus—Gul. Thorne Hist. ad 1375
(Tanner).

Vanitas etc. In primo opere Salomonis invitatur homo—
Alex. Neckam in Ecclesiasten (Bale).

Vanitati creatura subjecta est Hugo lib. iv. super
Ecclesiaste—Gul. Encourt in Ecclesiasten (Tanner).
Balliol 27.

Varii sunt amantium affectus—Gilbert Cisterc. [*sive* Gilb.
Westmon.?] in Cantica Cant. (Tanner).

Vas admirabile . . Haec quidem Eliz. regis Ungariae filia
—Vita Eliz. Thuring. (B.H.L.).

Vas admirabile etc. In verbo isto ostenditur valde
admirabilis—Bon., Sermo.

Vas electionis, Act. ix. Homines in sacra scriptura—Th.
Aqu. in omnes Epist. Pauli (Q.E.).

Vas electionis : Paulus doctor gentium—Jo. Waldeby super
Salutatione Angelica. *Laud. Misc.* 296. *Merton* 68.
(Tanner).

Venerabiles olim patres qui sanctorum vitas . . . Et primo
claruit in genitoribus—Vita Franc. de Fabriano
(B.H.L.).

Venerabilibus magnificis . . . Intelligo ultra perspicuas
ceteras virtutes . . . In serie vetustae complicatorum
ligae Unterwalden—A. de Bonstetten Vita Nic. de
Rupe (B.H.L.).

Venerabili in Christo [*des.* ad praesentem intentionem]—
Alb. Mag. in xv. problemata ad magistros Parisienses.

Ven. in Chr. matri . . . Johannae . . . Cum de miraculo
sex cereorum—Jo. Favent. de Margerita de Faventia
(B.H.L.).

Ven. in Chr. patri . . . . Tho. Cantuar . . . . Mandatis
vestris—Gul. Woodford contra xviii. art. ex Wyclifi
Trial. (Tanner).

Ven. patri fr. Petro Mauroceno . . . Rogarunt me suaves
literae tuae—Hieron. de Utino, Vita Jo. de Capistrano
(B.H.L.).

Ven. Chr. conf. Antonius de ord. Min. nobili ortus—
Legenda brevis Ant. de Padua (B.H.L.).

Ven. Christi sponsae . . . natalicium diem . . . Originis
quidem nobilitate ac—Vita S. Clarae (B.H.L.).

Venerabilis doctor Beda—Jo. de S. Fide, de locis contrariis
(Tanner).

Ven. et Deo cara Eliz. de generosis natalibus exorta—Caes.
Heisterbac. Vita S. Eliz. Thuring (B.H.L.).

Ven. et Deo dilecta Katherina nobilis viri dñi Ulphonis—
Ulfo, Vita Cathar. Suecica (B.H.L.).

Venerabilis in Christo pater et domine vester sacerdos—
Wyclif. Epist. ad Archiep. Cantuar.

Ven. viro . . . In ii. rhetoricorum—Aeg. de Columna.
Can. Misc. 373.

Venerandissime pater quia a tempore jam transacto—Ric.
Ullerstone de reformat. ecclesiae. *Magd. Coll.* 89.

Veni de Libano etc. In verbo proposito describitur
glorificatio Virg. Mariae—Bon., Sermo.

Veniens evangelizavit pauperibus—Nic. Kenton Sermones
Evang. xxviii. (Tanner).

Veniet desideratus etc.—R. Twyford Sermones (Bale).

Veniet desideratus etc. Quoniam ad misericordiam pertinet
—Bon., Sermones de tempore.

Venite ad me omnes qui laboratis—Jo. Canon, in octo lib.
Phys. Arist. prol. (Grey Friars).

Venite ad me etc. Quot et quantos fructus scientiarum—
Marlo (?) in Physic. Arist. *Balliol* 96.

Venite, ascendamus . . . Primo igitur excitatur intelli-
gentia—P. Aureolus, Comp. literalis sensus S.
Scripturae, *sive* Breviarium Bibl. [A.D. 1345]
(Wadding). *M.S. Dunelm.*

Venite comedite—Alb. Mag. (?) de sacram. altaris (Q.E.).

Venite et audite me. Primo autem de parentibus meis
aliquid—Caelestin. V. de vita sua (B.H.L.).

Venite de videte opera Dñi . . . In occidentali parte
Hollandiae—J. Brugman Vita Lidwigis (B.H.L.).

Venite post me etc. In verbis istis duo sunt consideranda
—[Jo. Felton?] Sermones. *Oriel Coll.* 66.

Venite post me, faciam. Peculiarem et singularem gratiam
—Anon. Sermones. *Can. Misc.* 272.

Venit ira Dei in filios—Alan de Lynn, Sermones (Tanner).

Venit Jo. Baptista praedicans—Ric. Armach. Sermones
(Tanner).

Venit Jesus in civ. Samariae . . . Heri diximus de civibus
—Bern. Sen. Sermo.

Venit nox, quando nemo poterit operari . . . . Dignum nempe est—Bern. Sen., Sermo.

Vera humilitas est nullis — Alex. Neckam de gradibus humilitatis (Bale).

Verba Ecclesiastis etc. Dividitur — W. Woodford super Ecclesiasten (Tanner).

Verba Ecclesiastis. Sicut dictum fuit in principio libri Proverb.—Nic. de Lyra, Ecclesiastes. *Bodl.* 251.

Verba Nehemiae. Post illa descripta est instructio—N. de Lyra, Nehemiah. *Bodl.* 251.

Verba oris ejus iniquitas et dolus—Gul. Occham Dial. ii. (Grey Friars).

Verborum superficie penitus—Jo. Halifax [de Sacro Bosco] Breviarium juris (Tanner).

Verbum abbreviatum verissimum—Rog. Bacon, Raymund. Gaufredi, de leone viridi. (Grey Friars).

Verbum caro etc. Sancti quippe doctores — Bern. Sen. Sermo.

Verbum Domini etc. Liber xii. prophetarum in xii. partes —Rob. Holcot, prol. *Balliol* 26.

Verbum Domini etc. Perlecta litera cum glosis—Steph. Langton Expos. Oseae prophetae. *Exòn. Coll.* 23.

Verbum dulce multiplicat animos—Rob(?) Walsingham Quaest. (Tanner).

Verbum istud est verbum patris—Steph. Langton in Joel (Tanner).

Vere dignum et justum . . . . Gratias agamus—Th. de Stureya in canonem Missae. *Digby* 4.

Vere fidelium experientia . . . Qua vero causa . . . Dixit quaedam fidelis—Vita Angelae Fulgin. (B.H.L.).

Vere fidelium experientia . . . Qua vero causa . . . Dixit sponsa Christi—Revelat. Angelae Fulgin. (B.H.L.).

Vere tu es Deus—Alb. Mag. in lib. de mystica theol. Dion. Areop.

Veritas de terra orta est—Jo. Cuningham de nativitate Christi (Tanner).

Veritas de terra orta est vas liquore plenum—Jo. de S. Fide Sermones lxiii. (Tanner).

Veritas evangelica praedicatoribus—Anon. de faciebus mundi, *i.e.,* de iis quae praedicatoribus conveniunt, ii. libri. *Digby* 30.

Veritatem meditabitur guttur meum—Th. Aqu. Summa contra gentiles (Q.E.).

Veritatis organo novimus—Jac. Carthus. de arta vita etc. *Laud. Misc.* 586.

Veritatis theologiae ċum superni—Jo. de Combis *sive*
Albertus Magnus (?) Comp. Theol. (cf. Grey Friars,
p. 166).

Veritatis theologicae sublimitas—Anon. Veritas theologiae
Bodl. 867.

Verumtamen quia iste [juste?] dominus reverendus dicit
—Roger Comway, Vas electionis. (Grey Friars).

Vestigia ejus . . . . Dominus vocans Petrum—Peregrini
O.P. Sermones. *Laud. Misc.* 506.

Vestigia eius secutus est pes meus (*Prothema:* Rogavit
Ruth ut spicas etc. Verbum istud secundo) Sicut
dictum est verbum istud—Bon., Sermo de S. Andrea.

Vestigia ejus . . . Tria sunt necessaria—Jac. de Voragine
Sermones a die S Andr. ad diem S. Kathar. *Can.
Eccl.* 167. cf. *Linc. Coll.* 88.

Vestra novit intentio de scolarum disciplina—*ps.* Boethius :
Th. Cantimpratensis (?) *Digby* 92.

Vestrae paternitatis reverendissimae hortamentis instigatus
Gul. Lyndewood, praef. ad Provinciale (ed. Oxon
1679).

Vestrae petitioni respondeo diligenter. Nam licet—Rog.
Bacon de secretis operibus artis et naturae, etc. (x.
seu xi. capp.). (Grey Friars).

Vestrae petitioni respondeo quemadmodum—Rog. Bacon,
de lapide philosophica (Wadding).

Vestrae [sapientiae] magnitudini duo transmisi genera
scripturarum—Rog. Bacon, Opus Tertium (R.S.).

Veteris ac novae legis continentiam—Pet. Lomb. Sent. I.

Veteris ac novae : Et dicitur hoc vetus secundum Isidor—
Ric. Fishacre Com. in i. Sent. *Oriel* 43.

Veteris ac novae legis duplex est ordo—Anon. in Sent. i.
Rawl. C. 241.

Veteris et novae etc. Quaestio de subjecto theologiae—
Anon. in Sent. *Merton* 134.

Vetus homo noster simul crucifix—Jo. Fordensis de triplici
cruce (Tanner).

Vetusta sane ac laudabilis—Barnabaeus, Vita Bernardini
Senensis, prol. (B.H.L.).

Viae Sion lugent—*ps.* Bon. [*forsitan* Hugo de Balma,
Carthus.] Theologia mystica. *cf. Can. Eccl.* 92.

Viam sapientiae etc. Prov. iv. Prima lectio mea si recolitis
Jo. Walsingham Postill. super sapient. (Tanner).

Viam veritatis eligens ab initio—Ric. Ullerstone Defensorium dotationis ecclesiast. per Constantinum
(Tanner).

Vias tuas Domine demonstra mihi—*ps.* Bon. [Th. a
Kempis] Alphabet. Religiosorum.

Vicecomitatus Lond. et Midlesaxiae—Rob. Bale, Collectio
cartarum etc. (Bale).

Vicit Leo . . . Operante divina gratia nos pervenimus—
Bern. Sen., Sermo.

Vide Angelum Dei per—T. de Stureia Moralitates in
Apocal. (Tanner).

Vide anima mea—*ps.* Bon., Collationes octo ad fratres
Tolosates, ex Ubertino de Casale etc.

Vide arcum etc. Quoniam de b. Martino legitur—Anon.
frater praedicator Paris., Sermones. *Merton* 238.

Videbit omnis caro etc. Fratres mei quanta sit luciformitas
—Bon., Sermo.

Videbit omnis caro etc. Quadruplex est visio Dei. Prima
est in mundi creatura—Bon., Sermo.

Videbit omnis caro etc. Salutare nostrum est Christus—
Bon., Sermo.

Videbit omnis caro etc. Verba haec si exponantur de
adventu Christi ad judicium—Bon., Sermo.

Videbit omnis ' caro etc. Verba ista si exponantur de
adventu Christi in carnem—Bon., Sermo.

Videbit omnis caro etc. Verbum incarnatum cuius nativitatem—Bon., Sermo.

Videbit omnis caro etc. Verbum istud est finis evangelii
hodierni et exprimit—Bon., Sermo.

Videbunt Filium etc. Quia secundum doctrinam b. Aug.—
Anon. Sermones. *Merton* 236.

Vide in dextra sedentis super—Grostete in Apocal.
(Tanner).

Vide ministerium . . . Solet contingere cum aliquis habet
—Humb. de Romanis de eruditione religiosorum praedicatorum, praef. (La Bigne).

Videmus nunc per speculum—Fr. de Mayronis Quodlib.
(Tanner).

Videndum est de locis—Gul. Occham de successivis (Grey
Friars).

Videndum est in tractatu poenitentiae—Anon. *Can. Misc.*
269.

Videns autem Jesus turbas . . . Admiranda sunt verba—
Bern. Sen., Sermo.

Videns esse planum Dom. nostrum—Utred Bolton de
regia dignitate Christi (Tanner).

Videns Jesus etc. Sermonem istum quem—Gul. Exon.
Sermones super octo Beatitud. (Tanner).

Videte manus meas . . . . Admiranda sunt vero opera passionis—Bern. Sen., Sermo.

Videte quomodo caute . . . . Apost. Paul. conscius consiliorum—Bern. Sen., Tract. de speculo peccat.

Vide terram quam Dom. Deus—Th. Wallys in Deut. (Bale).

Videte vocationem vestram fratres. Ista verba Apost. pertinent ad homines religiosos. Videte inquit ad quid —Edm. Riche, Archiep. Cant., Spec. Eccl. cap. 1. (La Bigne).

Videtur autem sanctis doctoribus—Wyclif de gradibus cleri etc. (Bale).

Videtur ex tertio sequi quod nihil—Wyclif de raritate et densitate [Tract. iii. de Logica].

Videtur meritorium bonos colligere—Wyclif Epist. ad simplices sacerdotes.

Vidi alterum angelum ascendentem—*ps.* Angelus Tancredi, Actus B. Franc. in valle Reatina (B.H.L.).

Vidi angelum Dei per medium—Th. de Stureia Moralitates in Apocal. (Bale).

Vidi bestiam ascendentem—Anon. [*ps.* Bon.?] Viridarium consolationis. *Merton* 85.

(In X° carissimo) . . . Vidi, carissime, faciem tuam— Bon. (?) Epist. ad quendam novitium insolentem et instabilem.

Vidi civitatem sanctam Hieros . . . Propheta Johannes in ista epistola—Wyclif Sermo.

Vidi de mari bestiam—Jac. de Marchia, contra fraticellos (Wadding).

Vidi Dominum sedentem super solium excelsum—Th. Aqu. in evangel. Joan (Q.E.).

Vidi et ecce quatuor quadrigae, etc. Hujusmodi visionem revelavit—Anon. in evang. Marci. *Laud. Misc.* 291

Vidi in dextra sedentis supra—Grostete (?) in Apocal. (Bale).

Vidi mortuos . . . Chrysostomus in sermone—Bern. Sen., Sermo.

Vidimus stellam ejus . . . . Tribus quippe miraculis— Bern. Sen., Sermo.

Vidit Jacob in somnis etc. Quatuor sunt causae hujus operis—Anon. super Apocalypsim, prol. *Oriel Coll.* 6.

Vidit Stephanus gloriam Dei—W. Dissy Sermones de sanctis (Tanner).

Viginti duas esse literas apud Hebraeos—Stephen Langton in libros Regum (Bale).

Viginti quinque libri veteris Testamenti—*ps.* Wyclif Elucidarium Bibliorum.

Vincere quos levis nequit—Alex. Neckam, Novum Avianum (Bale).

Vindex est Dominus . . . . Tria vero sunt—Bern. Sen., Sermo.

Vir Dei Franciscus de civitate Assisii quae in finibus vallis Spolet. sita est—Epitome T. de Celano Vitae I. S. Franc. (B.H.L.).

Vir erat in civitate Assisii quae in finibus vallis Spoletanae—T. de Celano, Vita I. S. Francisci, cap. 1.

Vir erat; Licet cum malis—Steph. Langton in Job. *Oriel Coll.* 53.

Vir erat . . . Tria hic ponuntur simplex—Anon. Com. in Job. *Digby* 154.

Virgo vincens balsamum odore vernanti—Jo. Hoveden, xv. gaudia Mariae (Tanner).

Viris religiosis non modicum expedit ut clare intelligant— Humb. de Romanis Expos. reg. S. Aug. (La Bigne).

Viris venerab. et discretis mag. Tancredo . . . Sicut per vestras literas—Epist. inquisitorum Tolosan. de S. Dominico (B.H.L.).

Vir mitissimus prophetaque—Ric. Maidstone in Cant. Moysi (Tanner).

Viro bonae famae vitaque celeberrimo N. Filius Matris— Anon. [Gul. Leic.?] Sermones ["Filius Matris"], praef. *Magd. Coll.* 81 [*vide* Quoniam nonnullos.].

Vir quidam magnus in Anglia—Gir. Cambr. de se ipso (?) (Hardy).

Vir sapiens dominabitur astris—Jo. Danck de Saxonia. *Digby* 48, 93.

Virtus sic diffinitur in libro de spiritu—Th. Aqu. Summa de virtutibus. *Balliol* 50.

Virtutem laudamus ethicorum—R. Lavenham Encomium virtutis (Tanner).

Virtutum essentias species—Anon. de quinque luminibus. *Balliol* 110.

Visa est arca testamenti etc. Inter omnes figuras sacras et secretas—Bon., Sermo.

Visio Isaiae . . . Liber iste dividitur in duas—Guericius in Isaiam. *Nov. Coll.* 40.

Visis effectibus illis—Rog. Bacon (?) de fluxu maris Britan. (Wadding) [W. Burley: (Tanner)].

Visita nos in salutari tuo—Th. Eborall Sermones (Tanner).

Viso superius de ecclesia et ejus partibus nunc consequenter—W. Hunt de praestantia eccles. dignitatis
(Tanner).

Visum est in non modicum interesse . . . Quidam fr. Ant.
de Ripolis—Constantius, Passio Ant. de Ripolis O.P.
(B.H.L.).

Vita autem b. Alexii talis erat prout experimento didici—
Pet. Tudert. Vita Alexii Falconerii ord. Serv. (B.H.L.).

Vita brevis ars vero etc. Praemissis superius—Anon. in
Hippoc. Aphorismos. *Can. Misc.* 241.

Vita in animalibus et plantis—Arist. de vegetabilibus
(Jourdain).

Vitam pauperis et humilis viri—Angel. de Clareno Leg. de
S. Franc. [Chron. de persecutionibus] (B.H.L.).

Vitis coeli florida in regali—Jo. Batus, Replicationes
argument (Tanner).

Vivebat tunc vir perfectissimus — Vita Rogerii de
Provincia O.M. (B.H.L.).

Vix nodosum valeo nodum—Gualt. de Burgo Epilog. super
Alan. etc. (Tanner).

Voca operarios . . . Licet scriptum sit, nullum bonum—
Bern. Sen., Sermo.

Vocate coetum sanctificate ecclesiam—Th. Merke Epistolae
(Bale).

Vocatum est nomen Jesus . . . Quamvis ineffabile sit—
Bern. Sen., Sermo.

Vocatur Rosa obrisa speculum matrimoniale—Jo. Andreas
Summa aurea super Decretal. lib. iv. *Laud. Misc.* 28.

Vocatus ad judicium tenetur ad omnia—Anon. de processu
judiciario. *Laud. Misc.* 28.

Voce magna clamavit . . . Homo in alienis implicitus—
Bern. Sen., Sermo.

Voces nutorum animalium—Anon. *Univ. Coll.* 26.

Voces sunt notae earum passionum—Rob. Kilwardby, in
lib. Priorum. *Can. Misc.* 403.

Volens Deus propter immensitatem—Arnold de Villa
Nova, Allocut. Christi etc. (Bale).

Volentis circa evangelicam perfectionem aliqua indagare
—Bon., de perfectione evangelica.

Volentes circa mysterium Trinitatis . . . Quaest. i. de
certitudine, etc.—Bon., Quaest. disput. de mysterio
Trinitatis. .

Volentes simplicium sacerdotum ignorantiis subvenire
pauca collegimus—Anon. *Laud. Misc.* 527.

Volentibus prognosticare futuris—Nic. Lynn, *sive* Gul.
Reade Tabulae astronomicae (Tanner : Bale).

Volentibus transire mare—Simon Boraston Sermones
(Tanner). cf. *Merton* 216.

Volo credere quod Deus sit per se—Ray. Lull. de perseitate
Dei.

Volo dividere orationem—Ray. Lull. de oratione.

Volo viros orare in omni loco—Jo. Wallensis, Locarium
[=Pars ii. Ordinarii] (Wadding).

Voluisti insuper a me scire quid sentiam de intelligentiis—
Rob. Grostete. *Digby* 220.

Volumus Jesum videre . . . . Multitudinis devotarum—
Bern. Sen., Sermo.

Volumus Jesum videre . . . Non est peccator tam impius
—Bern. Sen., Sermo.

Volumus Jesum videre . . . Sunt verba aliquarum—
Bern. Sen., Sermo.

Volvens et revolvens constantem—Anon. de mendicitate
Christi. *Merton* 141.

Volvere quisquis amat . . . Cum clementissimus—P.
Marinus Morellus, Vita Th. Florent. O.M. (B.H.L.).

Vos ascendite ad diem festum . . . Sunt verba Christi—
Bern. Sen., Sermo.

Vos nescitis quicquam . . . Multa nempe est malitia—
Bern. Sen., Sermo.

Vos nescitis quicquam . . . Periculosissima res—Bern.
Sen., Sermo.

Vos qui estis inspecturi—Th. Harpsfield de virtute nummi
etc. (Tanner).

Vos qui nescitis nunc dicite de—Jo. de Hayda, de Jona
propheta (Tanner).

Vox Domini praeparantis cervos—[*ps*. Th. Aqu. : *ps*. Gilb.
Porret.] in Apocalypsim (Q.E.).

Vox in Rama resonat libens lacrymari—Pet. Pateshull
Cantilena de fratribus (Tanner).

Vox spiritualis est aquilae usque ad coeli—Raim. Capuan.
Vita Catharinae Sen. prol. (B.H.L.).

Vulgus medicorum—Rog. Bacon, de erroribus medicorum.
Can. Misc. 334, 480. (Grey Friars).

W

Willegodus primus abbas eccl. S. Albani—Mat. Paris
Vitae Abbatum (Hardy).

Z

Zacharias propheta hanc visionem vidit—Anon. Sermones [Lucidarius]. *Laud. Misc.* 402.

Zelari oportet—Simon Mepham, Constit. 1328 (Wilkins Concilia).

Zelus domus tuae etc. Ejus passio et passionis—Anon. Sermo de Th. Cantuar. martyre. *Nov. Coll.* 88.